장애인 의료서비스 제공을 위해 **예비의료인과 의료인이 꼭** 알아야 할 실천서

장애와 건강권:
의료인을 위한 이론과 실천

지은이
권성진 · 김윤태 · 박소연 · 오인환
유승돈 · 이규범 · 이봄이 · 이찬우

Disability and The Right to Healthcare :
Theory and Practice for Healthcare Providers

이 도서는 경희대학교 부설 장애인건강연구소에서 수행한 연구결과물을 바탕으로 집필되었으며, 2019년 대한민국 교육부와 한국연구재단의 지원을 받아 출판되었습니다(NRF-2019S1A5A2A03051412).

장애와 건강권:
의료인을 위한 이론과 실천

첫째판 1 쇄 인쇄 | 2023년 3월 27일
첫째판 1 쇄 발행 | 2023년 3월 31일

지 은 이 권성진, 김윤태, 박소연, 오인환
유승돈, 이규범, 이봄이, 이찬우
발 행 인 장주연
출 판 기 획 이성재
책 임 편 집 배진수, 황윤지
편집디자인 조원배
표지디자인 김재욱
일 러 스 트 신윤지
제 작 담 당 이순호
발 행 처 군자출판사(주)
등록 제4-139호(1991. 6. 24)
본사 (10881) **파주출판단지** 경기도 파주시 회동길 338(서패동 474-1)
전화 (031) 943-1888   팩스 (031) 955-9545
홈페이지 | www.koonja.co.kr

ISBN 979-11-5955-996-9(93510)
정가 35,000원

장애인 의료서비스 제공을 위해 예비의료인과 의료인이 꼭 알아야 할 실천서

장애와 건강권:
의료인을 위한 이론과 실천

저자 소개

권성진   경기도재활공학서비스연구지원센터 연구실장

김윤태   現. 큰길요양병원 재활의학과 원장
前. 푸르메재단 넥슨어린이재활병원 원장

박소연   경희대학교 장애인건강연구소 소장
경희대학교 의과대학 의학교육 및 의인문학교실 교수

오인환   경희대학교 의과대학 예방의학교실 교수

유승돈   강동경희대학교병원 재활의학과 교수

이규범   서울재활병원 부원장(재활의학 전문의)
서울특별시북부 지역장애인보건의료센터 센터장

이봄이   국가생명윤리정책원 정책연구부 주임연구원(의학교육학 박사)

이찬우   한국척수장애인협회 정책위원장

서문

전 세계 인구의 약 15%가 일정부분 장애를 가지고 있으며 세계보건기구는 2050년에 장애 인구가 두 배에 이를 것으로 예측합니다. 이렇듯 장애와 장애인 수가 증가하는 추세이나, 장애가 있는 상태에서 동시에 건강을 유지하는 것은 여전히 우리 사회에서 어려운 과제입니다. 본 도서는 특히 건강한 장애인의 삶을 위해 의료인이 현장에서 어떤 역할을 해야 하는지에 대해 고민한 결과물입니다.

우리나라의 장애인은 원활한 의료서비스 이용에 어려움을 겪고 있고, 만성질환으로 인하여 상대적으로 높은 질병 부담을 지고 있습니다. 일상생활에서의 행동 제한과 사회 참여의 제약을 해결하고 장애인 본인이 주도하는 건강한 삶을 영위하기 위해서, 의료인은 장애인 건강관리에 대한 지속적 관심을 바탕으로 양질의 의료서비스를 제공해야 하고 이를 위한 기초지식을 갖추어야 할 필요가 있습니다.

본 도서는 장애인 본인이 중심이 된 건강관리 역량 강화를 위해 의료인과 예비의료인이 의료현장에서 기본적으로 알아야 할 내용을 다루고 있습니다. 이를 위해

(1) 장애의 정의 및 기본 특성, 유형별 특성을 다루었으며, 국내 등록장애인 현황 및 관련 법과 제도, 보조기기 등의 내용을 수록하여 기존 질병 중심의 지식 전달과 다르게 장애인을 둘러싼 다양한 환경을 이해할 수 있도록 하고자 노력하였습니다.
(2) 장애인 환자를 진료하고 의료서비스를 제공하는 과정에서 원활한 의사소통을 하는 데 도움이 될 수 있도록 장애 유형에 따른 의사소통 방법과 예절, 올바른 용어 사용, 관련 필수적인 고려사항을 수록하였습니다.

(3) 장애인이 이용할 수 있는 지역사회 서비스를 소개하여, 의료인이 질병에서 회복한 장애인의 지역사회로의 복귀나 혹은 평소에 건강관리와 관련한 계획을 세우고 실천하는 데 도움이 될 수 있도록 하였습니다.

(4) 각 장에 관련 사례와 생각해 볼 문제를 삽입하여 관련 주제를 가지고 심화 논의와 토론을 할 수 있도록 구성하였습니다.

집필을 위해 수고해 주신 각 분야의 전문가분들께 감사의 인사를 드리며, 본 도서가 교육과정에 있는 다양한 의료 직군의 장애에 대해 이해를 증진시키고 의료현장에서 지역사회 장애인의 건강형평성 향상에 기여할 수 있기를 간절히 희망합니다.

경희대학교 장애인건강연구소장

박 소 연

목차

SECTION **6**   **장애인과의 의사소통**

SECTION **7** ## 장애인이 이용할 수 있는 지역사회서비스

장애의 정의 및 장애 특성

- 우리나라 장애인복지법에서 규정하고 있는 장애의 정의, 장애 유형 및 장애심사에 대해 설명할 수 있다.
- 장애 유형별 원인, 장애발생 시기, 특성에 대해 설명할 수 있다.
- 국내 등록장애인 현황, 장애인 성별 특성 및 삶의 질에 대해 설명할 수 있다.

사례

- **사례 1** 2년 전부터 거동이 불편해져 지팡이 사용 보행하던 100세 된 남자가 6개월 전부터는 더 이상 자가 보행 힘들어 타인의 도움 하에 휠체어 사용 이동 중이다. 장애인 등록을 목적으로 재활의학과 외래로 내원하여 기능적 평가 결과 일상생활동작 수행 정도는 대부분 타인의 도움을 요하는 상태로 평가 되었지만, 상하지 근력 평균 3등급 정도, 관절가동역은 약간의 제한 외에는 정상범위로 평가되고, 뇌졸중이나 신경마비, 근골격계 원인 질환은 없어 노화로 인한 장애 상태로 진단되었다. 장애로 인해 일상생활이나 사회생활에서 상당한 제약을 받는 상태임이 분명하나 기존 장애정도판정기준에는 노화로 인한 장애에 대한 기준은 없어 담당의는 장애등록이 불가능하다고 설명하고 돌려보냈지만 기존 법정 장애범주와 판정기준이 불합리하다는 생각을 지울 수 없었다.

- **사례 2** 병원 간호사로 근무하던 30대 여성이 이동식 내시경 기계에 우측 발목이 끼는 사고를 당하고 정형외과에서 상처 치료 및 수술을 받았지만 통증, 부종, 이질통 등이 지속되어 결국 사고 후 5년 뒤 Complex regional pain syndrome (CRPS) 1형 확진을 받았다. 통증으로 마약성 진통제 투약, 척수신경자극기 삽입하여 신경차단술을 받으며 통증을 조절하나 일상생활과 사회생활에 큰 어려움을 겪고 있어 장애등록을 시도하였으나 15가지 장애유형에 해당되지 않아 불가 판정을 받았다. 이에 법적 절차에 돌입 최종 대법원 판결로 비록 15가지 유형에 포함되지 않더라도 장애를 판정해야 한다고 승소하였고, 현행 장애등록 판정기준이 CRPS로 인한 신체적 장애를 포괄하여 개정되어 장애등록이 가능해졌다. 이에 관련 장애인단체들은 15개 유형으로 제한한 현 장애인등록제도를 폐지하고 세계보건기구의 국제장애분류와 같이 실제로 사회참여에 어떤 장애를 받고 제약을 받는지에 따라 장애등록제도 개선 및 지원이 이루어져야 한다고 주장하고 있다.

- **사례 3** 미국에서 배우로서 활동하다 사고로 사지마비 장애인이 된 영화 슈퍼맨의 크리스토퍼 리브는 '척수마비재단'을 만들어 척수장애인의 의료와 복지 향상에 기여했고, 20대에 발병한 루게릭병으로 인해 사지마비 장애인이 된 영국의 세계적 물리학자 스티븐 호킹 박사는 탁월한 학문적 업적을 남긴 바 있다. 이렇듯 최중증 장애에도 불구하고 훌륭하게 삶을 살아간 사례들은 얼마든지 찾아볼 수 있다. 이 분들이 우리나라에서 태어나 살아가고 있다면 어떤 사회적 환경과 지원이 있어야 삶의 질을 유지하고 그 같은 업적을 남길 수 있을지 생각해 볼만하다 하겠다.

1
국내 장애의 정의, 장애 유형 및 등록 심사

1. 장애의 정의

1) 장애의 개념과 시대적 변천

(1) 과거의 장애 개념

장애의 정의는 사회적, 문화적, 경제적, 시대적 배경에 따라 다양한 시각이 존재해 왔지만, 부정적 의미가 대부분이었다. 예를 들어 한센병 환자들의 경우 사회로부터 격리되거나 버림받았으며, 특정 장애인은 특이한 존재로서 구경거리 또는 개인 업보나 신으로부터 벌을 받았다는 인식 등을 받기도 했다. 우리나라에서도 불구자, 바보, 병신 등 무언가 부족하고 열등한 존재로서 표현되어 왔다. 법적 용어도 불구, 폐질자란 용어에서 시작해 장애자, 장애인으로 변화되어 왔었다.

(2) 현대에 있어서 장애의 개념[1]

세계보건기구(WHO)에서는 1980년에 장애의 개념을 "선천적 혹은 후천적인 원인으로 신체적, 정신적 장애나 손상으로 가정생활이나 사회적 생활, 특히 경제적 활동의 영위에 곤란을 겪는 경우"라고 정의하고 그 정도를 세 단계로 나눈 바 있다. 즉 impairment(손상), disability(능력 또는 기능장애), handicap(사회적 불리)으로 나누고 이 세 가지를 포괄적 장애의 분류로 정의한 바 있으며 그 내용을 요약하면 다음과 같다.[2]

■ 표 1-1. 세계보건기구 장애분류 요약

질병	장애		
내재적 상태	외재화된 상태	객관화된 상태	사회화된 상태
Disease	Impairment	Disability	Handicap
	언어	말하기	Orientation
	청력	듣기	
	시력	보기	
	골격	옷입기, 먹기, 걷기	신체적 독립성/이동성
	심리	행동하기	사회적 통합

    즉 장애의 개념은 단순히 신체적, 정신적 결함에 국한되는 것이 아니라 이로 인해 어떤 활동을 할 수 없는 능력의 결여를 의미하며, 이로 인한 사회적 불이익 상태까지 포괄하고 있다 하겠다. 따라서 한 개인이 사고나 질병으로 신체적, 정신적 결함을 가지게 되었다 할지라도 적절한 치료와, 교육, 훈련을 받아 가정과 사회에서 자신의 역할을 수행할 수 있게 된다면 장애를 예방하고 극복하게 되었다고 할 수 있는 것이다. 즉 장애란 신체적, 정신적 결함으로 인한 능력의 결여로 사회적 불이익 상태를 의미하는 것으로 그 예방과 재활, 사회적 조치에 힘쓰면 비록 장애가 있다 할지라도 독립적인 인격체로서 가정과 사회에 적응하여 더불어 살아갈 수 있다는 것을 지향하고 있다 할 수 있다.[3, 4]

    WHO는 2001년에 장애의 분류를 ICF (International Classification of Functioning, Disability and Health)로 개정 발표하였으며 크게 두 부분으로 나누어 설명하고 있다. 즉 과거에는 질병이나 사고로 인한 결과로서 분류하던 것을 건강의 구성요소라는 측면에서 장애를 분류하고 정의하게 된 것이다. 즉 신체기능과 구조, 개인적 요인뿐 아니라 활동과 참여, 환경적 요인 측면에서 장애를 분류하고 설명한다.[5]

    이와 같이 장애에 대한 정의는 점차 확대되어 왔다. 장애는 손상을 가진 개인과 그 개인을 둘러싼 사회적, 환경적 장벽들 사이의 작용의 결과로서 정의된다. 과거, 장애를 특정인의 불행이나 극복의 대상으로 여겨 왔다면, 이제는 장애를 개인의 정체성 중 하나로 여기고 장애가 있더라도 독립적 인격체로서 사회구성원으로 동등하게 참여하고 살아갈 수 있어야 한다고 인식되고 있다.

■ 표 1-2. ICF의 개요

요소	Part 1 : 기능 및 장애		Part 2 : 환경적 요인	
요소	신체적 기능 및 구조	활동 및 참여	환경적 요인	개인적 요인
영역	신체적 기능 신체적 구조	생활 영역 (과업, 활동)	기능 및 장애에 대한 외부영향요인	기능 및 장애에 대한 내부영향요인
구성요소	신체기능의 변화 (생리학적) 신체구조의 변화 (해부학적)	기본적 환경에서의 과업수행능력 현재상황에서의 과업 수행능력	물리적, 사회적, 태도 관련 특징의 긍정 및 부정적 영향	개인적 성향의 영향
긍정적 측면	기능 및 구조적 통합성	활동, 참여	촉진요인	–
	기능			
부정적 측면	손상	활동제한 참여제한	장애요인/ 방해요인	–
	장애			

2) 국내법상 장애인 정의와 분류[6]

　장애인복지법 제2조에서 장애인이란 '신체적·정신적 장애로 오랫동안 일상생활이나 사회생활에서 상당한 제약을 받는 자'로 정의하고 있다. 신체적 장애란 주요 외부 신체기능의 장애, 내부기관의 장애를 말하며, 정신적 장애란 발달장애 또는 정신질환으로 발생하는 장애로 규정하고 있다.

　장애의 종류와 기준은 장애인복지법 시행령 제2조에서 정하고 있으며 열다섯 개의 장애를 대상으로 하고 있다. 장애인복지법 시행규칙 제2조에선 장애정도를 규정하고 있다. 이렇듯 우리나라 장애인복지법상 장애분류는 신체적 장애와 정신적 장애의 대분류하에 중분류, 소분류, 세분류로 체계화되어 있다.

■ 표 1-3. 장애인 복지법에서의 분류

대분류	중분류	소분류	세분류
신체적 장애	외부 신체기능의 장애	지체장애	절단장애, 관절장애, 지체기능장애, 변형 등의 장애
		뇌병변장애	뇌의 손상으로 인한 복합적인 장애
		시각장애	시력장애, 시야결손장애, 겹보임(복시)
		청각장애	청력장애, 평형기능장애
		언어장애	언어장애, 음성장애, 구어장애
		안면장애	안면부의 추상, 함몰, 비후 등의 변형으로 인한 장애
	내부기관의 장애	신장장애	투석치료 중이거나 신장을 이식받은 경우
		심장장애	일상생활이 현저히 제한되는 심장기능이상
		간장애	일상생활이 현저히 제한되는 만성·중증의 간기능이상
		호흡기장애	일상생활이 현저히 제한되는 만성·중증의 호흡기기능이상
		장루·요루장애	일상생활이 현저히 제한되는 장루·요루
		뇌전증장애	일상생활이 현저히 제한되는 만성·중증의 뇌전증
정신적 장애	발달장애	지적장애	지능지수가 70 이하인 경우
		자폐성 장애	소아청소년 자폐 등 자폐성장애
	정신장애		조현병, 조현정동장애, 양극성 정동장애, 재발성 우울장애, 뇌의 신경학적 손상으로 인한 기절성 정신장애, 강박장애, 투렛장애(Tourette's disorder), 기면증

　　우리나라는 1989년 '장애인복지법'을 개정하면서 제2조 법정장애인의 범주를 지체, 시각, 청각, 언어, 정신장애의 다섯 가지 분류로 한정하고 있었다. 이후 단계적인 장애범주 확대가 이루어져 1999년에 장애범주가 열 개 유형으로 확대되었고, 2003년에는 2단계 장애범주 확대가 이루어져 현재와 같은 열다섯 개 유형으로 확대 실시되었다. 이는 WHO에서 1980년대 이미 다음과 같은 여섯 개 유형의 장애를 장애인의 범위에 포함시킬 것을 권고한 것에도 못 미칠 뿐만 아니라, 2001년 이후 권장되고 있는 국제기능, 장애, 건강분류와 비교해도 미흡한 수준이다. 따라서 현행 장애범주의 확대가 지속적으로 요청되어 왔으며, 국제 분류체계에 걸맞은 환경적 요인을 고려한 능력장애 분류체계 도입이 요구된다 하겠다.

WHO 여섯 가지 장애분류 장애인범위 권고[2]
　　(1) 운동 및 감각장애(motor or sensory disabilities)
　　(2) 정신지체(mental retardation)
　　(3) 정신질환(mental illness)

　　(4) 만성알코올 및 약물남용(chronic alcohol and drug abuse)

　　(5) 만성심질환 및 폐질환, 만성위장손상, 피부질환, 암, 만성통증(chronic cardiovascular and pulmonary diseases, chronic gastrointestinal impairments, skin diseases, cancer, and chronic pain)

　　(6) 노화(elderly)

2. 장애인등록 및 심사제도

1) 장애인등록제 변천과정

　　우리나라 장애인등록제의 근간은 1981년 '심신장애자복지법'이 제정되고 1989년 개정된 '장애인복지법'을 들 수 있으며, 당시에는 장애인의 범주를 지체, 시각, 청각, 언어, 정신지체의 다섯 가지 유형으로 한정하였다. 이 법에 따른 장애인등록제도는 1987년 10월 서울 관악구, 충북 청원군의 시범사업으로 시작되어 1988년 11월부터 전국적으로 확대되었다. 장애인복지법 시행규칙 제2조에 따라 장애등급표가 만들어지고 1998년 8월 '장애등급 판정지침'이 설정되어 이를 기준으로 장애유형별로 장애정도에 따른 등급판정이 이루어져 왔다. 이후 1997년 '장애인복지발전 5개년 계획'의 장애범주 확대계획에 따라 2000년 1차 범주 확대가 이루어져 신장 및 심장장애, 정신장애, 발달장애, 뇌병변장애가 추가되어 총 열 종으로 확대된 바 있고, 2003년 7월에는 호흡기장애, 간장애, 안면장애, 장루·요루장애, 간질장애 등 다섯 종이 새로 추가되어 열다섯 종으로 2차 장애범주 확대가 이루어졌다. 2003년 '제2차 장애인복지발전 5개년 계획'에서 추후 3차 장애범주 확대를 계획한 바 있으나 시행되지 못하고 현재 그대로 열다섯 개 장애유형으로 한정하여 1급에서 6급까지의 등급제가 시행되어 왔다.

　　처음 장애인등록제가 도입될 당시만 하더라도 우리나라 장애인복지수준은 열악한 상태로 장애등급 판정에 따른 복지서비스의 수준도 별 차이가 없어 등록을 기피하거나 꺼리는 현상까지도 있었다. 하지만 점차 사회적 발전에 따라 복지인프라가 갖춰지고 등급에 따른 복지서비스의 양적, 질적인 확대와 더불어 장애범주의 확대가 이루어지면서 점차 장애등급제와 연동된 복지서비스 전달체계에 대한 사회적 문제제기가 있어 왔으며 이에 대한 대안 모색도 함께 제기되어 왔다. 특히 장애연금과 활동보조서비스 등 주요 복지서비스의 장애등급 연계로 인한 문제제기가 많았었다. 장애판정기준의 개정에 따라 장애 재판정을 받거나 새로 장애등급을 받는 과정에서 장애인 당사자들은 많은 어려움을 겪고 있는 실정이다. 등급기준이 완화되었다고 느끼기보다는 강화되었고, 장애등급판정을 주요 장애인 복지서비스의 기준으로 연계하고 있어 등급 하락 시 필요로 하는 복지서비스를 받지 못하게 되어 생존에 위협을 받는 등 장애인들이 느끼는 현실은 열악하기만 하다. 현행 장애등급제도가 장애인 당사자의 복지욕구와 장애인 개인이 처한 사회적, 경제적 상황을 제대로 반영하지 못해 이에 따른 많은 문제가 야기되어 왔으며, 등급제 자체가 갖는 반인권적 속성에 대해서도 사회적 문제제기가 강력히 이루어져 2019년에 이르러 기존의 6급체계의 등급제를 폐지하고 장애 유형별로 심한 장애와 심하지 않은 장애로 분류하고 있다.

2) 장애인 등록 및 심사[7]

장애인복지법에 따라 장애인에게 복지서비스를 제공하기 위해 시군구에서 장애인등록제도를 운영하며, 국민연금공단은 장애정도판정기준에 따라 심사하여 장애인 등록을 위한 장애정도를 판정한다. 2007년 이전에는 장애인 등록을 원하는 장애인의 경우 각 장애유형별로 지정된 전문의에게 장애등급 판정을 받아 장애진단서를 해당 지자체에 제출하면 보건복지부에 장애인으로 등록이 되어 별도의 등급심사가 없었다. 2007년 4월부터 중증장애수당 신규신청자에 한해 국민연금공단에 장애등급위탁심사, 2009년 10월부터는 활동보조서비스를 신규로 신청하는 1급 장애인에 한해 위탁심사가 시작되었다. 2010년 1월부터는 장애등급심사가 확대되어 신규로 1~3급 장애인 등록을 하는 경우와 신규로 장애수당, 장애연금, 활동보조서비스를 신청하는 경우 장애등급심사를 국민연금공단에 위탁하여 받도록 하였다. 2011년 4월부터는 전체 신규등록, 장애등급 조정 및 장애 재판정하는 모든 경우의 장애인들을 대상으로 등급심사제가 확대되었다.

■ **표 1-4. 장애등급심사제도 도입 및 확대[8]**

2007.04.01	장애등록심사제도 도입 심사대상: 중증장애수당 지급대상(1, 2급 장애인 중 저소득계층)
2010.01.01	장애등록심사대상 확대 1~3급 신규등록, 장애등급 조정, 장애 재판정대상자 전체 * 장애인복지시책 수급여부와 상관없음
2010.07.01	장애인연금법 시행 장애인연금 신청자에 대해 장애등급을 재심사(장애인연금법 제9조 제2항)하고 재심사에 관한 업무를 공단에 위탁(시행령 제16조 제2항)하도록 규정
2011.04.01	장애등록심사대상 확대 및 판정절차 개선 – 장애심사대상: 신규등록, 장애등급 조정 또는 장애를 재판정하는 모든 경우 – 절차 개선: 의사가 장애등급 진단 후 공단에서 재심사 –> 공단의 원심사로 장애등급 결정 * 의사는 장애진단서에 장애등급 미기재
2011.10.05	장애인활동지원에 관한 법률 시행 활동지원급여를 신청한 사람의 장애정도에 관하여 장애인복지법 제32조에 따라 실시하도록 규정(장애인활동지원에 관한 법률 제7조 제2항 및 시행령 제7조)
2013.01.27	외국인 및 재외동포 장애등록심사 시행
2015.05.05	국가유공자 및 보훈보상대상자 등에 대한 장애인 등록 허용
2017.08.09	경증장애수당 재심사 시행
2019.07.01	장애등급제 폐지
2021.04.07	여섯 개 장애유형(시각, 정신, 지체, 간, 안면, 장루·요루) 인정기준 신설·확대

따라서 신규로 장애인 등록을 하는 경우나 장애등록과 연계된 장애연금이나 활동지원서비스 등과 같은 사회복지서비스를 신청할 경우에는 의료기관에서 장애유형에 따라 해당 장애진단서 및 소견서, 각종 의무기록 및 검사결과 등을 발급받아 지자체에 제출하면 국민연금공단의 장애심사과정을 거쳐서 최종 장애판정을 받게 된다. 장애심사 권리구제제도로는 이의신청제도가 있어 신청인이 장애심사 판정에 불복하여 신청한 지자체에 이의신청을 하면 해당 지자체는 공단에 이의신청심사를 요청할 수 있고, 심사의 객관성 확보를 위해 전담부서에서 심사담당자와 자문의사를 달리해 심사하게 된다. 또한 장애정도 판정 시 개인의 특성을 고려할 건에 대해서는 의사 외에 복지전문가, 공무원이 참여하는 장애정도심사위원회에서 심층심사를 할 수도 있다.

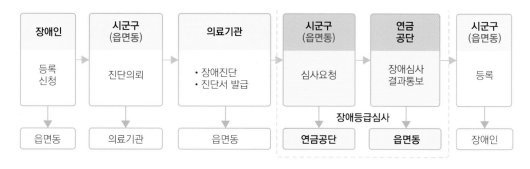

그림 1-1. 장애인 등록 절차도
출처: 보건복지부 고시(2010.06.17)

3. 장애유형별 판정 분류[6,9]

1) 장애종류 및 기준에 따른 장애인 분류(제2조 관련)

(1) 지체장애

① 한 팔, 한 다리 또는 몸통의 기능에 영속적인 장애가 있는 사람

② 한 손의 엄지손가락을 지골(손가락뼈)관절 이상의 부위에서 잃은 사람 또는 한 손의 둘째손가락을 포함한 두 개 이상의 손가락을 모두 제1지골관절 이상의 부위에서 잃은 사람

③ 한 다리를 가로발목뼈관절(lisfranc joint) 이상의 부위에서 잃은 사람

④ 두 발의 발가락을 모두 잃은 사람

⑤ 한 손의 엄지손가락의 기능을 잃은 사람 또는 한 손의 둘째손가락을 포함한 손가락 두 개 이상의 기능을 잃은 사람

⑥ 왜소증으로 키가 심하게 작거나 척추에 현저한 변형 또는 기형이 있는 사람

⑦ 지체에 위, 각, 목의 어느 하나에 해당되는 장애정도 이상의 장애가 있다고 인정되는 사람

(2) 뇌병변장애인

　뇌성마비, 외상성 뇌손상, 뇌졸중 등 뇌의 기질적인 병변으로 인하여 발생한 신체적 장애로 보행이나 일상생활의 동작 등에 상당한 제약을 받는 사람

(3) 시각장애인

① 나쁜 눈의 시력(공인된 시력표에 따라 측정된 교정시력)이 0.02 이하인 사람
② 좋은 눈의 시력이 0.2 이하인 사람
③ 두 눈의 시야가 각각 주시점에서 10도 이하로 남은 사람
④ 두 눈의 시야 2분의 1 이상을 잃은 사람
⑤ 두 눈의 중심시야에서 20도 이내에 겹보임(복시)이 있는 사람

(4) 청각장애인

① 두 귀의 청력손실이 각각 60데시벨(dB) 이상인 사람
② 한 귀의 청력손실이 80데시벨 이상, 다른 귀의 청력손실이 40데시벨 이상인 사람
③ 두 귀에서 들리는 보통 말소리의 명료도가 50% 이하인 사람
④ 평형기능에 상당한 장애가 있는 사람

(5) 언어장애인

　음성기능이나 언어기능에 영속적으로 상당한 장애가 있는 사람

(6) 지적장애인

　정신발육이 항구적으로 지체되어 지적능력의 발달이 불충분하거나 불완전하고 자신의 일을 처리하는 것과 사회생활에 적응하는 것이 상당히 곤란한 사람

(7) 자폐성 장애인

　소아기자폐증, 비전형성 자폐증에 따른 언어, 신체표현, 자기조절, 사회적응기능 및 능력의 장애로 인하여 일상생활이나 사회생활에 상당한 제약을 받아 다른 사람의 도움이 필요한 사람

(8) 정신장애인

　다음 각 목의 장애·질환에 따른 감정조절·행동·사고 기능 및 능력의 장애로 일상생활이나 사회

생활에 상당한 제약을 받아 다른 사람의 도움이 필요한 사람

① 지속적인 양극성 정동장애(여러 현실 상황에서 부적절한 정서반응을 보이는 장애), 조현병, 조현정동장애 및 재발성 우울장애

② 지속적인 치료에도 호전되지 않는 강박장애, 뇌의 신경학적 손상으로 인한 기질성 정신장애, 투렛장애 및 기면증

(9) 신장장애인

신장의 기능장애로 인하여 혈액투석이나 복막투석을 지속적으로 받아야 하거나 신장기능의 영속적인 장애로 인하여 일상생활에 상당한 제약을 받는 사람

(10) 심장장애인

심장의 기능부전으로 인한 호흡곤란 등의 장애로 일상생활에 상당한 제약을 받는 사람

(11) 호흡기장애인

폐나 기관지 등 호흡기관의 만성적 기능부전으로 인한 호흡기능의 장애로 일상생활에 상당한 제약을 받는 사람

(12) 간장애인

간의 만성적 기능부전과 그에 따른 합병증 등으로 인한 간기능의 장애로 일상생활에 상당한 제약을 받는 사람

(13) 안면장애인

안면부위의 변형이나 기형으로 사회생활에 상당한 제약을 받는 사람

(14) 장루·요루장애인

배변기능이나 배뇨기능의 장애로 인하여 장루 또는 요루를 시술하여 일상생활에 상당한 제약을 받는 사람

(15) 뇌전증장애인

뇌전증에 의한 뇌신경세포의 장애로 인하여 일상생활이나 사회생활에 상당한 제약을 받아 다른 사람의 도움이 필요한 사람

① 장애유형별 장애진단 전문기관 및 전문의 등

■ 표 1-5. 장애유형별 장애진단

장애 유형	장애진단기관 및 전문의 등
지체장애	1. 절단장애: X-선 촬영시설이 있는 의료기관의 의사 2. 기타 지체장애: X-선 촬영시설 등 검사장비가 있는 의료기관의 재활의학과 · 정형외과 · 신경외과 · 신경과 또는 내과(류마티스분과) 전문의, 마취통증의학과(CRPS상병인 경우) 전문의
뇌병변장애	의료기관의 재활의학과 · 신경외과 또는 신경과 전문의
시각장애	시력 또는 시야결손정도, 겹보임(복시)정도의 측정이 가능한 의료기관의 안과 전문의
청각장애	방음부스가 있는 청력검사실, 청력검사장비가 있는 의료기관의 이비인후과 전문의
언어장애	1. 의료기관의 재활의학과 전문의 또는 언어재활사가 배치되어 있는 의료기관의 이비인후과 · 정신건강의학과 또는 신경과 전문의 2. 음성장애는 언어재활사가 없는 의료기관의 이비인후과 전문의 포함 3. 의료기관의 치과(구강악안면외과) · 치과 전속 지도전문의(구강악안면외과)
지적장애	의료기관의 정신건강의학과 · 신경과 또는 재활의학과 전문의
정신장애	1. 장애진단 직전 1년 이상 지속적으로 진료한 정신건강의학과 전문의(다만, 지속적으로 진료를 받았다 함은 3개월 이상 약물치료가 중단되지 않았음을 의미한다.) 2. 1호에 해당하는 전문의가 없는 경우 장애진단 직전 3개월 이상 지속적으로 진료한 의료기관의 정신건강의학과 전문의가 진단할 수 있으나, 장애진단 직전 1년 또는 2년 이상의 지속적인 정신건강의학과 진료기록을 진단서 또는 소견서 등으로 확인하고 장애진단을 하여야 한다.
자폐성 장애	의료기관의 정신건강의학과 전문의
신장장애	1. 투석에 대한 장애진단은 장애인 등록 직전 3개월 이상 투석치료를 하고 있는 의료기관의 의사 2. 1호에 해당하는 의사가 없을 경우 장애진단 직전 1개월 이상 지속적으로 투석치료를 하고 있는 의료기관의 의사가 진단할 수 있으나 3개월 이상의 투석기록을 확인하여야 한다. 3. 신장이식의 장애진단은 신장이식을 시술하였거나 이식 환자를 진료하는 의료기관의 외과 또는 내과 전문의
심장장애	1. 장애진단 직전 1년 이상 진료한 의료기관의 내과(순환기분과) · 소아청소년과 또는 흉부외과 전문의 2. 1호에 해당하는 전문의가 없는 경우 의료기관의 내과(순환기분과) · 소아청소년과 또는 흉부외과 전문의가 진단할 수 있으나 장애진단 직전 1년 이상 내과(순환기분과) · 소아청소년과 또는 흉부외과의 지속적인 진료기록 등을 확인하고 장애진단을 하여야 한다.
호흡기장애	장애진단 직전 2개월 이상 진료한 의료기관의 내과(호흡기분과, 알레르기분과) · 흉부외과 · 소아청소년과 · 결핵과 또는 직업환경의학과 전문의
간장애	장애진단 직전 2개월 이상 진료한 의료기관의 내과(소화기분과) · 외과 또는 소아청소년과 전문의
안면장애	1. 의료기관의 성형외과 · 피부과 또는 외과(화상의 경우) 전문의 2. 의료기관의 치과(구강악안면외과) · 치과 전속 지도전문의(구강악안면외과)
장루 · 요루장애	의료기관의 외과 · 산부인과 · 비뇨기과 또는 내과 전문의
뇌전증장애	장애진단 직전 6개월 이상 진료한 의료기관의 신경과 · 신경외과 · 정신건강의학과 · 소아청소년과 전문의

② 장애유형별 장애진단시기

■ 표 1-6. 장애유형별 진단시기

장애유형	장애진단시기
지체 · 시각 · 청각 · 언어 · 지적 · 안면장애	장애의 원인질환 등에 관하여 충분히 치료하여 장애가 고착되었을 때 진단하며, 그 기준시기는 원인질환 또는 부상 등의 발생 후 또는 수술후 규정기간(6개월 또는 2년) 이상 지속적으로 치료한 후로 한다(지체절단, 척추고정술, 안구적출, 청력기관의 결손, 후두전적출술, 선천적 지적장애 등 장애상태의 고착이 명백한 경우는 예외로 한다).
뇌병변장애	1. 뇌성마비, 뇌졸중, 뇌손상 등과 기타 뇌병변(파킨슨병 제외)이 있는 경우는 발병 또는 외상 후 6개월 이상 지속적으로 치료한 후에 장애 진단을 하여야 한다. 2. 파킨슨병은 1년 이상의 성실하고 지속적인 치료 후에 장애 진단을 하여야 한다.
정신장애	규정기간(1년 또는 2년) 이상의 성실하고, 지속적인 치료 후에 호전의 기미가 거의 없을 정도로 장애가 고착되었을 때에 한다.
자폐성 장애	전반성 발달장애(자폐증)가 확실해진 시점
신장장애	3개월 이상 지속적으로 혈액투석 또는 복막투석치료를 받고 있는 사람 또는 신장을 이식받은 사람
심장장애	1년 이상의 성실하고, 지속적인 치료 후에 호전의 기미가 거의 없을 정도로 장애가 고착되었거나 심장을 이식받은 사람
호흡기 · 간장애	현재의 상태와 관련한 최초 진단 이후 1년 이상이 경과하고, 최근 2개월 이상의 지속적인 치료 후에 호전의 기미가 거의 없을 정도로 장애가 고착되었거나 폐 또는 간을 이식받은 사람
장루 · 요루장애	복원수술이 불가능한 장루(복회음절제술 후 에스결장루, 전대장직장절제술 후 시행한 말단형 회장루 등) · 요루(요관피부루, 회장도관 등)의 경우에는 장루(요루)조성술 이후 진단이 가능하며, 그 외 복원수술이 가능한 장루(요루)의 경우에는 장루(요루)조성술 후 1년이 지난 시점
뇌전증장애	1. 성인의 경우 현재의 상태와 관련하여 최초 진단 이후 2년 이상의 지속적인 치료를 받음에도 불구하고 호전의 기미가 거의 없을 정도로 장애가 고착된 시점 2. 소아청소년의 경우 뇌전증 증상에 따라 최초 진단 이후 규정기간(1년 내지 2년) 이상의 지속적인 치료를 받음에도 불구하고 호전의 기미가 거의 없을 정도로 장애가 고착된 시점

2 장애 유형별 특성 [9,10]

1. 신체적 장애

1) 외부 신체기능의 장애

(1) 지체장애

① 원인과 종류

선천적 원인으로는 염색체이상, 대사이상, 임신 중 흡연 및 음주, 약물 복용이나 방사선 노출, 매독이나 풍진 등에 의한 감염, 조산 또는 난산, 혈액형 부조화 등 여러 원인이 있다. 하지만 선천성 장애아 중 원인미상인 경우가 더 많다.

후천적 원인으로는 출생 이후 질병이나 사고로 손상, 혈액순환장애, 관절염 등 만성질환이 주가 된다. 특히 성인이 되어 일상생활을 하던 중 사고나 질병 등으로 후천적 장애를 가진 경우는 중도장애라 말한다.

지체장애는 절단장애, 관절장애, 기능장애, 척추장애, 변형장애로 분류한다.

② 특성

가. 절단장애

- 상지절단과 하지절단으로 나뉘며, 대부분 이학적 검사만으로 판정가능하고 극히 일부의 선천적 결손의 경우만 X-선 촬영을 요한다.

판정기준에 해당되지 않는 경우에도 절단 후 생길 수 있는 관절 및 기능장애 동반 여부를 반드시 따져서 기준 적용가능한지 확인하여야 한다.

- 절단과 동시에 장애는 고착상태이므로 절단부위 치료가 끝남과 동시에 등록가능, 다만 절단에 따른 관절 및 기능장애가 동반될 수 있으므로 이런 경우 6개월간의 치료 후 장애 고착상태를 증명할 수 있는 이학적 소견과 함께 절단 및 관절장애를 중복으로 지체장애 등록이 타당하다.

나. 관절장애

- 관절의 강직, 근력약화, 관절의 불안정(동요관절, 인공관절치환술 후 상태) 등이 있는 경우
- 관절운동범위 측정기(Goniometer)로 측정한 관절운동범위가 해당 관절의 정상운동범위에 비하여 감소된 정도로 판정
- 능동운동에 의한 관절가동역 측정이 원칙이지만 피검자의 비협조나 과장 등 심인성 원인이 의심될 때에는 수동운동에 의한 관절가동역 측정을 참고로 판정
- 만성관절염의 경우 일시적인 증상의 악화나 부종, 통증 등으로 원래 장애보다 과장된 소견을 보일 수 있으므로 반드시 원인질환, 임상경과에 따른 악화 등을 고려해야 한다. 즉 충분한 치료 후에 남은 영구장애 상태에 대하여 판정해야 한다.
- 관절장애는 병의 진행에 따라 또는 연령이 들어가면서 장애정도가 더 심화될 수 있으므로 그런 경우에 등급조정 가능함을 미리 알려줄 필요가 있다.
- 세계통증학회(IASP)진단기준에 따라 복합부위통증증후군으로 진단받은 경우 2년 이상 치료에도 불구하고 골스캔검사, 단순 방사선검사, CT검사 등 객관적 검사결과 근위축 또는 관절구축이 뚜렷한 경우 장애를 판정할 수 있다.

다. 기능장애

- 상하지의 마비, 관절강직 등으로 팔 또는 다리의 운동기능에 장애가 있는 상태
- 완전마비는 도수근력검사상 0-1 (zero-trace)등급 상태를 의미하며, 겨우 움직일 수 있는 정도는 2등급(poor), 어느 정도 움직일 수 있는 정도는 3등급(fair)을 의미한다.
- 기능장애는 말초신경계손상, 근육병증, 관절염, 근골격계손상 등 다양한 원인에 의하여 생길 수 있으므로 원인질환 및 임상경과 등이 판정 시 고려되어야 한다.
- 상지기능장애는 일상생활동작수행정도, 하지기능장애는 보행능력정도를 참조하여 타 장애와 형평성 있게 판정되어져야 한다.
- 판정 시비가 많은 항목 중의 하나로 그 이유는 판정기준의 모호성으로 인해 같은 정도의 장애상태에 대한 판정 의사 간의 다른 기준 적용, 타 장애와의 형평성 문제, 진행성 질환의 경우

판정시기 및 진행에 따른 장애상태 악화 등에 대한 고려 미흡 등을 들 수 있다.

- 판정시기도 증상고정 및 충분한 치료 여부가 반드시 고려되어야 한다. 예를 들어 말초신경손상에 의한 마비의 경우 증상호전이 지속적으로 있는 경우에는 손상 후 6개월이 아니라 증상이 고정되었는지 여부를 확인하여야 하며 증상고정 후 최소한 3개월은 임상경과 관찰 후에 장애 판정을 하는 것이 타당하다 하겠다.

라. 척추장애

- 골유합술, 척추고정술, 강직성 척추질환 등으로 척추분절의 운동 제한이 있는 경우
- 강직성 척추질환의 경우 방사선검사상부위가 명확해야 하며, 상하지관절장애를 함께 가지고 있는 경우 별도로 판정한다.
- 골유합술 등으로 고정된 분절은 그 분절의 운동기능을 상실한 것으로 보나 척추분절 운동이 가능한 인공디스크삽입술, 연성고정술, 와이어고정술 등은 고정된 분절로 보지 않는다.

마. 변형 등의 장애

- 다리길이 차이의 경우 대개 하지관절질환이나 기능장애를 동반한 경우가 많으므로 반드시 그러한 경우를 고려하여 검진이 이루어져야 한다.
- 척추변형의 경우는 척추장애의 기준을 적용하는 것이 피감정인에게 유리한 경우가 더 많으며, 성장기의 아동이나 수술이 가능한 경우에는 장애판정이 문제가 아니라 변형의 교정을 권유하는 것이 타당하다.
- 수술이 불가능한 경우이거나 지연의 경우 판정가능하나 교정가능 여부를 명기하는 것이 타당하다.
- 왜소증의 경우도 다양한 관절장애나 기능장애를 동반하고 있는 경우가 있을 수 있으므로 왜소증만으로 판정하기 전에 동반장애 여부를 확인하여야 한다.

(2) 뇌병변장애

① 원인과 종류

가. 뇌성마비

뇌성마비는 뇌가 발육하는 영유아기에 손상을 입고 그 기능이 손상되어 마비와 기타 여러 장애가 동반된 상태를 말한다. 원인은 매우 다양하고 여러 요인이 중복되는 경우가 많으므로 정확한 원인을 정하기 힘들다.

출산 전 원인으로는 임신 중 풍진 및 매독 등 바이러스 감염, 방사선 노출, 약물중독, 대사성 질환, 탯줄이나 태반 이상 등이 있다. 출산 시 원인으로는 조산, 난산, 기도폐색 및 호흡마비 등으로 인한 산소결핍 등이 있고, 출생 후 원인으로는 뇌염이나 뇌막염, 고열성 질환, 뇌종양, 황달, 두부외상에 따른 뇌신경장애 등이 있다.

나. 뇌졸중

뇌졸중은 뇌혈관이 막혀 발생하는 뇌경색과 뇌혈관이 파열되어 뇌조직 내부로 혈액이 유출되어 발생하는 뇌출혈로 분류한다. 뇌졸중을 유발하는 질병요인은 고혈압, 당뇨, 고지혈증, 심장병, 과거 뇌졸중병력 등이 있고, 생활요인으로는 비만, 운동부족, 흡연, 과음, 스트레스 등을 들 수 있고 가족력 등도 주요 유발인자이다.

뇌졸중 발병 시 병변의 위치와 크기에 따라 운동장애, 감각장애, 인지 및 지각장애, 언어장애, 연하장애, 배변 및 배뇨장애, 시각장애, 근경직 및 우울증 등 다양한 증상이 있을 수 있다.

다. 외상성 뇌손상

주로 교통사고, 산업재해, 스포츠 등 각종 사고로 인해 갑자기 발생하는 뇌기능의 변화를 말한다. 뇌손상으로 인한 주요 증상은 인지장애, 행동 및 감정장애, 운동 및 균형장애, 외상성 수두증, 외상 후 발작, 두통 등이 있다.

② 특성

장애진단은 주로 보행 및 이동장애, 기초적인 일상생활동작 수행 제한으로 식사, 위생, 용변처리, 기본적인 상지기능으로 컵 사용, 물건 들어올리기, 그릇 씻기, 동전 꺼내기, 끈 메기, 단추 끼우기 등에 있어서 장애정도를 확인하여 판정한다.

- 뇌병변으로 인한 장애가 충분한 치료에도 불구하고 영구장애상태로 고착된 경우에 장애를 판정하여야 하며 따라서 의무기록 및 이전 검사소견 등의 확인이 필요하다. 따라서 때로는 발병 또는 외상 후 6개월이 지났다 할지라도 감정의의 판단에 따라 진단이 미루어질 수 있음을 주지시켜야 한다.
- 향후 장애정도의 변화가 예상되는 경우는 반드시 진단 일로부터 2년 이상 경과 후로 구체적인 시기와 필요성을 명기하여 재판정을 유도하여야 한다.
- 뇌병변 발생시기가 오래되었거나 피감정인의 사정상 연고가 없는 의료기관에서 판정을 받아야 하는 경우에는 원인질환을 증명하고 병의 경과를 입증할 수 있는 진료기록이나 검사소견서 등을 제출하여야 한다. 그렇지 못할 경우 CT나 MRI 등 고가의 검사가 요구될 수 있으며 장애상태를 증명하기 위한 객관적 검사들이 요구될 수 있다.

- 뇌병변장애의 경우 운동장애나 일상생활동작수행장애 외에도 인지장애, 언어장애, 외상성 간질, 정신장애 등 뇌의 기질적 병변에 따른 동반장애가 있을 수 있으므로 그러한 경우 각 장 애정도에 따른 중복장애 적용이 필요하다.

- 뇌성마비의 경우 2세 이전에는 장애가 심하여 그 정도가 뚜렷하다고 하더라도 정상 영아들 과 비교하여 그 장애정도를 따질 수 없는 경우가 많다. 따라서 최소한 1세 이후에 장애등록 을 하도록 되어있으며, 성장기 동안 성장과 치료에 따른 변화가 있을 수 있어 최중증장애로 서 더 이상의 호전을 기대하기 힘든 경우를 제외하고는 대개 6세 단위로 재판정을 요한다.

(3) 시각장애

① 원인과 종류

　시각장애는 눈과 말초신경의 손상으로 인한 중심시력장애와 시신경교차에서 뇌 영역까지의 신 경이 손상되어 발생하는 중추성 시력장애로 분류한다.

　시각장애의 원인은 선천적 원인과 후천적 원인으로 구분되고, 후천적 원인이 대부분이다. 유전 적 원인 외에 후천적 원인으로 백내장, 녹내장, 트라코마, 포도막염, 황반변성, 망막박리 등과 같은 안질환, 베체트병 등의 전신질환, 안구외상, 약물중독 및 심리적 문제로 발생하기도 한다.

② 특성

- 시력은 교정시력을 기준으로 하며 좋은 눈의 시력을 기준으로 한다.
- 시력은 만국식시력표 등 공인된 시력표로, 시야결손은 골드만시야계 또는 험프리시야계 등 공인된 시야검사계로 측정하여 판정한다.
- 장애판정시기는 6개월 이상의 충분한 치료에도 불구하고 장애가 고착된 경우에 하며, 수술 이나 치료로 호전가능성이 있을 경우 판정의의 판단에 따라 유보될 수 있다.
- 수술이나 치료가 필요함에도 불구하고 1년 이내에 사정상 할 수 없는 경우는 예외로 판정할 수는 있으나 판정의가 명시한 시기에 재판정을 받아야 한다. 재판정의 시기는 최초 판정일 로부터 2년 이상 경과한 후로 정해지며 증상의 호전과 악화가 예상될 때 그 시기와 필요성이 구체적으로 명기되어야 한다.
- 이전 의무기록이 없거나 병력을 증명할 방법이 없는 경우 시각유발전위, 망막유발전위 검사 등과 같은 객관적인 검사가 요구될 수 있다.

(4) 청각장애

① 원인과 종류

- 청각장애의 선천적 원인으로는 산모가 풍진, 바이러스성 질환, 영양실조, 알코올 및 약물복용 등이 있다. 후천적 원인으로는 중이염, 외상, 내이질환, 약물이나 바이러스 감염에 의한 청각신경손상, 소음성 난청 등이 있으며, 청각장애의 90% 이상이 후천적 원인에 의해 발생한다. 평형기능장애의 원인으로는 이석증, 메니에르병, 이독증, 전정신경염 등이 있다.
- 청각장애는 발생경로에 따라 외이에서 중이까지 경로에 손상이 있는 전음성 난청, 내이와 청신경계이상인 감각신경성 난청, 중추신경이상으로 인한 중추성 난청, 두 가지 이상 복합된 혼합성 난청으로 분류한다.

② 특성

- 청각장애는 청력장애와 평형기능장애로 분류하며, 청력장애는 소리가 귀에서 뇌로 전달되는 경로에 이상이 있어 소리를 듣지 못하거나 어떤 소린지 구분하기 어려운 상태를 말한다.
- 평형기능장애는 양측 평형기관에 손상이 있어 일상생활에서 복합적인 신체운동이 어렵거나 간단한 활동만 가능한 사람 혹은 타인의 도움이 필요한 상태를 말한다.
- 청각장애의 경우도 원인질환에 대하여 6개월 이상의 충분한 치료에도 불구하고 장애상태가 고착된 경우에 진단할 수 있으며, 치료로 호전가능성이 있는 경우, 판정이 유보될 수 있다.
- 청력검사로는 평균 순음역치 측정, 청력장애표상 대화의 어려움 정도와 이명 동반 시는 최대 어음명료도검사측정 등을 행하여 판정한다.
- 평형기능장애는 일상생활동작수행에 있어서 잔존기능정도를 평가하여 판정한다. 즉 두 눈 감고 일어서기, 두 눈 뜨고 걷기, 일상생활동작수행에서 타인에 의존정도 등을 평가하여 적용한다.
- 원인질환 및 임상경과 증명을 위한 의무기록이나 이전 검사기록 등이 요구될 수 있으며, 증명이 불가능한 경우 청각유발전위검사, 평형기능 평가를 위한 객관적 검사 등이 요구될 수 있다.
- 평형기능의 경우 대부분 임상의의 이학적 소견확인만으로도 확인 가능하기는 하나 이상의 증상의 과장이 의심되는 경우이거나 지시에 따를 수 없는 경우에는 전정기능의 이상유무를 확인하는 검사가 필요로 할 수도 있다.

(5) 언어장애

① 원인과 종류
- 언어장애는 뇌의 언어중추신경조직과 신경기관이 손상을 받거나 구음 기관의 선천성 기형, 손상 및 신경마비로 발생한다. 선천적 원인으로는 유전적 요인과 임신 중 산모의 약물중독, 심한 흡연 및 음주 등이 있고, 출산 시 저산소성 뇌손상인 경우도 있다. 후천적 원인으로는 질병, 사고로 인한 손상 및 기형 등이 있다. 환경적 요인으로는 심리적 압박감, 스트레스 등이 있으며, 아동의 경우 발달기에 언어자극이나 반응이 주어지지 않아 언어발달이 적절하게 이루어지지 않는 경우 등이 있다.
- 언어장애에는 발달성 언어장애, 조음장애, 음성장애, 유창성장애, 구음장애, 실어증 등이 포함된다.

② 특성
- 음성장애는 표현언어지수와 수용언어지수의 정도를 객관적인 검사로 평가하여 판정한다. 예로서 실어증은 보스턴검사, 아동은 영유아언어발달검사 또는 그림어휘력검사 등이 있다.
- 유창성검사는 말더듬심도검사, 조음장애는 발음 및 조음검사 등으로 평가하여 판정한다.
- 소아청소년은 적절한 언어발달이 이루어진 이후 판정하며 6개월 이상 충분히 치료했음에도 불구하고 장애가 인정되는 경우 만 3세 이상에서 진단할 수 있다.
- 성인의 경우 정신지체장애나 뇌졸중과 같이 인지기능장애로 인하여 언어장애가 있을 수 있으며, 아동의 경우는 자폐나 정신지체 등으로 언어장애가 있는 경우가 있을 수 있다. 이런 경우 언어장애의 원인에 따라 언어장애를 주소로 왔더라도 정신지체나 인지기능 평가, 발달 평가 등을 시행하여 정신적인 장애로 판정하여야 한다.
- 문제는 뇌졸중과 같이 인지기능장애, 실어증이 동반되어 있거나 발달장애와 같이 언어장애, 정신지체 등이 동반되어 있을 경우에는 피감정인에게 유리한 경우로 적용하는 것이 타당하며 중복장애로 합산하지는 않는다.

(6) 안면장애

① 원인과 종류
- 선천성 기형, 질환 및 사고 등으로 노출된 안면부에 면상반흔, 색소침착, 모발결손, 조직의 비후나 함몰, 결손 등이 있는 경우
- "노출된 안면부"는 전두부와 측두부, 이개후부의 모발선과 정면에서 보았을 때 경부의 전면

과 후면을 연결하는 선을 경계로 얼굴, 귀, 목의 앞면을 포함한다.
- 선천적 원인은 구순구개열, 두개골조기유합증 및 증후군, 안면부기형, 반안면 왜소증, 안면열, 주걱턱, 모세혈관기형, 혈관종, 신경섬유종 등 질병이 있고, 후천적 원인으로는 화상, 사고, 화학약품, 질환, 산업재해 등이 있다.

② 특성
- 정상부위에 대한 병변부위의 백분율을 따져서 등급적용하며, 모발결손은 반흔을 동반한 경우로 국한된다.
- 6개월 이상의 충분한 치료 후에도 장애가 고착된 경우에 판정할 수 있으며 재판정 여부도 필요하면 명기한다.
- 화상으로 인한 안면변형 및 선천성 기형 등이 해당된다.
- 노출된 안면부의 45% 이상에 백반증이 있는 경우 심하지 않은 장애로 추가된다.
- 장애정도 판정기준으로 심한 장애인은 노출된 안면부의 50% 이상의 변형이 있고 코 형태의 2/3 이상이 없어진 사람이 해당되며, 심하지 않은 장애는 노출된 안면부의 30~60% 이상이 변형된 사람이 해당된다.

2) 내부기관의 장애

(1) 신장장애

① 원인과 종류
- 신장장애는 만성콩팥병을 의미하며 혈액투석이나 복막투석을 3개월 이상 시행한 경우 신장장애인으로 판정한다.
- 만성콩팥병의 원인으로는 당뇨, 고혈압, 사구체신염, 다낭성 신낭종 등이 있고, 당뇨 및 고혈압 등 원인질환의 증가로 만성콩팥병도 증가하는 추세이다.

② 특성
- 3개월 이상 투석을 받고 있는 사람은 심한 장애, 신장이식 받은 사람은 심하지 않은 장애로 판정한다.
- 혈액투석이나 복막투석의 경우 재판정은 매 2년마다 시행한다.

(2) 심장장애

① 원인과 종류

- 심장장애는 심주전증 또는 협심증 등으로 일상생활에 제한을 받는 것으로 심장이식을 받은 경우도 포함된다.
- 원인으로는 협심증, 심근경색증, 심장판막증, 부정맥, 심부전증, 심근증, 선천성 심장질환 등이 있다.
- 협심증은 심장에 혈액을 공급하는 관상동맥의 협착, 폐쇄 혹은 경련 등으로 공급혈액의 양이 부족해 흉부에 통증이 발생하는 것으로, 동맥경화의 위험요인으로는 고혈압, 당뇨, 고지혈증, 흡연, 비만, 가족력 등이 있다.
- 심근경색증의 원인으로는 관상동맥경화증을 들 수 있고, 심장판막증의 원인으로는 류마티스열, 석회화, 점액종성 변화, 심장유두근기능이상, 파열, 감염성 심내막염 등이 있다.
- 부정맥의 주요 원인은 하혈성 심질환, 판막질환, 고혈압, 심근증, 대사성 질환, 전해질이상, 갑상선질환, 자율신경이상, 각종 약물부작용, 흡연 등이 있다.
- 심근증은 여러 원인에 의해 심장근육에 이상이 생기는 질환을 통칭하는 것으로 확정성, 비후성, 제한성 심근증 등이 있다.
- 선천성 심장질환으로는 심실중격결손, 심방중격결손, 방실중격결손, 동맥관개존증, 폐동맥협착증, 대동맥축삭증, 삼첨판폐쇄증, 완전대혈관전위 등 다양한 질환이 있다.

② 특성

- 1년 이상의 치료에도 불구하고 장애가 고착된 경우에 진료한 의료기관의 전문의사가 장애를 진단한다. 그러한 의사가 없는 경우는 1년 이상의 의무기록이 확인되어야 한다.
- 최근 2개월간의 상태와 검사소견으로 장애정도를 판정한다.
- 등급판정을 위한 능력장애의 정도는 운동부하검사 또는 심장질환증상중등도, 심초음파 또는 핵의학검사상좌심실구혈율, 흉부 X-선과 심전도검사소견, 심장수술 및 중재시술병력, 입원병력, 입원횟수, 통원치료 횟수 등 일곱 가지 소견의 총점을 판정하여 진단한다.
- 심장장애는 치료에 따라 장애상태의 변화 가능성이 높으므로 매 2년마다 재판정을 받는 것이 원칙이다.

(3) 호흡기장애

① 원인과 종류

- 만성폐쇄성 폐질환으로 인한 장애가 대표적이며, 위험인자로 흡연, 실내외 대기오염, 호흡기 감염 등 외부인자와 유전자, 연령, 성별, 기도과민반응, 폐성장 등의 인자가 상호작용하여 발생한다.
- 보행이나 안정 시 호흡곤란 증상이 있고 폐기능이 정상치의 40% 이하거나 동맥혈산소분압이 65 mmHg 이하인 경우, 만성호흡기질환으로 기관절개술을 유지하고 24시간 인공호흡기로 생활하는 경우, 폐를 이식받거나 늑막루가 있는 경우가 포함된다.

② 특성

- 1년 이상 충분한 치료에도 불구하고 장애상태가 고착된 경우로서 등록 직전 2개월 이상 적극적인 치료를 시행한 전문의가 판정한다.
- 흉부 X-선 소견, 폐기능검사, 동맥혈가스검사 등의 객관적 검사 소견이 필요하다.
- 내과적 치료에 더 이상 호전을 보이지 않는 만성호흡기질환으로 인한 장애상태가 해당되며, 이에는 만성폐쇄성 또는 제한성 폐질환 등이 해당된다.
- 경우에 따라서는 흉부CT, 기관지내시경, 동위원소검사, 폐동맥촬영술, 운동부하폐기능검사 등 특수 검사가 요구될 수도 있다.

(4) 간장애

① 원인과 종류

- 원인으로는 간염 바이러스, 알코올, 약물, 대사장애나 면역기능이상 등이 있다.
- 만성간질환 증상으로는 피로, 구토, 식욕부진, 복부팽만감, 소화불량, 체중감소, 대소변 이상, 황달 등이 나타나고, 합병증으로는 복수, 복막염, 식도정맥류, 간성뇌증, 탈장, 위십이지장궤양, 항문출혈, 당뇨병 등이 있을 수 있다.
- 간장애에는 간경화, 만성간염, 간암 등의 질환, 간이식을 받은 경우가 해당된다.

② 특성

- 1년 이상 충분한 치료에도 불구하고 장애상태가 고착된 경우로서 등록 직전 2개월 이상 적극적인 치료를 시행한 전문의가 진단한다.
- 잔여 간기능의 평가를 혈액검사, 복수검사, 신경학적 검사 등으로 분류하는 만성간질환 평가

척도(Child-Pugh score)분류법에 따라 점수를 매겨 분류한다.
- 복수, 복막염, 간성뇌증, 간신증후군, 정맥류출혈 등 합병증을 평가하여 장애정도에 반영한다.
- 최초 판정일로부터 2년 이후 재판정을 하여야 하며, 장애상태가 거의 변화하지 않을 것으로 예측되는 경우와 간이식의 경우는 재판정을 제외할 수 있다.

(5) 장루·요루장애

① 원인과 종류
- 장루·요루장애인은 대장암, 직장암, 방광암 등으로 수술을 받았거나 각종 사고 등으로 인공배변·배뇨관에 의존해 정상적인 배변·배뇨기능을 상실한 경우이다.
- 장루는 대장암, 직장암, 방광암 외에도 장결핵, 코론병, 거대결장증 등으로 생길 수 있고, 요루는 방광결핵이나 방관경부경화증 등으로 방광자율신경 마비된 경우와 요도종양, 협착증, 결석 등으로 생길 수 있다.

② 특성
- 복원수술이 불가능한 경우는 장루조성술 이후 진단가능하나, 복원수술이 가능한 경우에는 시술 후 1년이 지난 시점에서 등록 가능하다.
- 시술 후 1년이 경과한 경우라도 수술로 기능 회복이 가능한 경우는 장애진단이 유보될 수 있으며, 장애인 등록 후라도 매 3년마다 재판정을 받아야 한다.
- 심각한 배뇨장애가 있어 지속적으로 간헐적 도뇨(CIC)를 하는 사람, 인공방광수술을 한 사람, 방광손상, 절제 등에 의한 완전요실금으로 항상 기저귀를 착용하는 사람이 심하지 않은 장애로 추가됐다.
- 수시 배변, 배뇨로 인한 활동 및 수면장애 등이 있을 수 있으며, 사회적인 활동에 제한을 받는 특징이 있다. 또한 심리적 위축감이 대단히 크며 경제적으로도 관리에 들어가는 비용이 부담이 될 수 있다.
- 성기능장애나 불임을 동반하는 경우가 있을 수 있으며 겉으로 보이는 장애상태보다 심리적인 장애상태가 훨씬 큰 것이 특징이다.

(6) 뇌전증장애

① 원인과 종류
- 뇌전증의 주요 원인으로는 뇌졸중, 선천성 기형, 두부외상, 뇌염, 뇌종양, 퇴행성 뇌병변, 뇌

혈관장애, 유전, 미숙아, 분만전후뇌손상 등이 있다.

- 발작유형에 따라 전신발작과 부분발작으로 나누며, 전신발작에는 대발작, 소발작, 근간대성 발작 등이 있고, 부분발작은 복합부분발작, 단순부분발작, 이차성 전신발작으로 분류할 수 있다.

② 특성

- 원인질환 등이 2년 이상 적극적인 치료에도 불구하고 만성적인 발작이 있는 경우 6개월 이상 진료한 의료기관의 전문의가 진단한다.
- 18세 이상의 성인과 18세 미만의 소아청소년으로 나누어 장애정도를 판정한다.
- 최초 진단 이후 재판정은 3년 후로 하나, 장애상태의 현저한 변화가 예측되는 경우는 다시 재판정일로부터 3년 이후 일정시기에 재판정을 하여야 한다. 다만 장애상태가 거의 변화하지 않을 것으로 예측되는 경우는 제외할 수 있다.
- 뇌전증은 예측불허의 발작으로 뇌전증장애인의 경우 사회생활이 소극적이 되거나 항상 불안한 가운데 살아가게 된다.
- 다양한 원인질환이 있음에도 불구하고 유전이나 선천성 장애로 잘못 오해될 수 있는 장애이며, 불치병으로 잘못 인식되어 치료를 등한시하는 경우가 생길 수 있다.
- 원인질환에 따라 운동장애나 정신지체 등이 동반되어 있는 경우가 있을 수 있으며 이런 경우 중복장애로서 합산하여 적용해야 하며, 때로는 동반장애로 등록하는 것이 편하고 유리한 경우가 있을 수 있다.

2. 정신적 장애

1) 발달장애

(1) 지적장애

① 원인과 종류

- 지적장애의 원인은 미상인 경우가 대부분이지만 생물학적 요인, 임신 및 주산기요인, 환경적 요인으로 나눌 수 있으며 복합적으로 작용하기도 한다.
- 생물학적 요인으로는 중추신경계 형성에 관여하는 유전자나 염색체이상, 신경계형성의 이상, 선천성 대사장애 등이 있고, 임신 및 주산기요인으로는 감염, 독성물질 노출, 조산 및 미

숙아, 출산 시 뇌손상 등, 환경적 요인으로는 양육과 상호작용, 언어자극결핍, 낮은 사회경제
적 상태 등을 들 수 있다.

- 지적장애의 정도는 지능지수에 따라 분류한다.

　가. 경도지적장애: 지능지수(IQ) 50~69, 성인 경우 정신연령 8~12세

　나. 중등도지적장애: 지능지수 35~49, 성인 경우 정신연령 6~9세

　다. 고도지적장애: 지능지수 20~34, 성인 경우 정신연령 3~6세

　라. 최고도지적장애: 지능지수 20미만, 성인 경우 정신연령 3세 미만

② 특성

- 지능지수(IQ)에 따라 판정하며 일반능력자료(General Ability Index, GAI)와 사회성숙도 검
사를 참고한다.

- 만 2세 이상부터 장애판정을 하며, 유아는 표준화된 검사가 불가능할 경우 사회성숙도검사,
적응행동검사, 또는 발달검사를 시행해 산출된 적응지수나 발달지수를 지능지수와 동일하
게 취급하여 판정한다.

- 성인뇌손상, 뇌질환 등 뇌병변에 의한 지능저하의 경우도 지적장애기준을 적용한다. 단, 노
인성 치매는 제외한다.

- 판정시기 및 재판정 여부는 타 장애와 동일한 기준을 적용

- 대부분 원인미상으로 오는 경우가 태반이며 진단 및 치료, 특수교육 등의 과거력이 있는 경
우는 별 문제가 안 되나 아무런 과거력 없이 판정이 의뢰되는 경우 장애의 과장이나 검사 비
협조 등이 문제가 될 수 있다.

- 대개 정신적인 장애의 경우 장애등록 자체가 사회적 불이익이 있을 수 있음을 주지시키고 그
럴 가능성이 예상되는 경우에는 판정을 유보하거나 포기하는 것이 나을 수도 있음을 고지하
는 하는 것이 낫다.

- 경계선급 정신지체의 경우가 판정에 있어서 가장 문제가 되며 대개 이런 경우 지능지수는 판
정기준에 들어가지 않으나 사회성숙지수는 기준에 들어가기도 하므로 경도의 정신지체가
예상되는 경우에는 지능검사와 사회성숙도검사를 같이 실시하여 결과를 평가하는 것이 도
움이 된다.

(2) 자폐성 장애

① 원인과 종류

- 자폐성 장애의 원인은 불명확하고 다양하나, 주로 신경생물학적 요인이 주요 원인으로 여겨

진다. 즉 유전, 염색체이상, 뇌의 구조적 또는 신경생화학적 이상, 뇌손상이나 감염 등과 관련 있다고 알려져 있다.
- 환경적 요인으로는 주산기 감염, 조산이나 둔위분만, 저체중아, 출생 시 호흡기 부전 등 주산기 위험요인과 대기오염물질, 유기인산화합물, 중금속 등 다양하게 거론되나 확증되진 않았다. 대개 유전자-환경의 상호작용 결과로 인한 것으로 여겨진다.

② 특성
- 자폐성 장애는 언어적, 비언어적 의사소통의 장애, 사회적 상호작용의 질적인 장애, 상동적 행동 및 관심범위의 제한 등을 특징으로 나타내는 발달성 장애이다.
- 진단명 확인, 장애상태 확인, 정신적 능력장애상태 확인, 종합적인 진단의 순으로 판정한다.
- 제10차 국제질병사인분류(ICD-10)의 진단지침에 따라 전반적 발달장애인 경우에 자폐성 장애로 판정한다.
- 자폐의 경우 정신지체, 언어장애 등 동반장애가 대부분 있으므로 정확한 진단과 평가를 요하며 자폐가 주된 원인일 경우 중복장애로 판정해서는 안 된다.
- 또한 치료와 교육에 따라 장애상태의 변화가 있을 수 있으므로 그러한 경우 판정의의 판단에 따라 판정이 유보되거나 재판정이 필요함을 주지시켜야 한다.

(3) 정신장애

① 원인과 종류
- 정신장애는 정신질환 중 양극성 정동장애, 조현병, 조현정동장애, 재발성 우울장애를 주로 판정해 왔다. 최근에는 뇌의 신경학적 손상으로 인한 기질성 정신장애, 강박장애, 기면증, 투렛장애도 포함하여 정신장애로 판정한다.
- 양극성 정동장애는 조증과 우울증이 교대로 나타나는 조울증으로 알려져 있고, 유발요인으로는 유전적 요인, 신경생물학적 요인, 환경적 요인을 들 수 있다.
- 조현병은 뇌신경전달회로의 기능장애가 발생해 생각, 감각, 감정, 행동에 비정상적인 증상이 발생하는 질환으로 망상, 환각, 와해된 언어 및 행동, 정서적 둔마, 무의욕증, 무언증, 무쾌감증 등 음성증상을 특징으로 한다. 원인으로는 유전적 요인, 신경생화학적 요인, 심리적 요인, 사회적 요인 등에 의해 발생하는 것으로 알려져 있다.
- 조현정동장애는 조현병과 정서장애 증상을 모두 보이는 것으로, 조현적 증상인 망상, 환각, 비정상적 운동행동, 음성증상 등이 있으면서 동시에 우울증이나 조증 등의 정동장애 증상이 같이 나타나는 기간이 있어야 한다.

- 우울장애의 원인은 심리사회적 스트레스, 유전적 요인, 신경생화학적 요인이 복합적으로 작용해 발생한다.

② 특성
- 1년 또는 2년 이상 성실하고 지속적인 치료 후에 호전의 기미가 거의 없어 장애가 고착되었을 때 진단한다.
- 정신장애의 장애정도 판정은 '가. 현재 치료 중인 상태를 확인, 나. 정신질환의 진단명 및 최초 진단시기 확인, 다. 정신질환의 상태 확인, 라. 정신질환으로 인한 정신적 능력장애상태 확인, 마. 정신장애 정도의 종합적인 판정' 순서에 따른다.
- 1년 이상의 진료기록과 3개월 이상 진료한 정신과 전문의가 있을 경우에 판정가능하며, 2년 이후 일정한 시기를 정해 재판정해야 하며, 재판정 시 현저한 변화가 예측되는 경우에는 다시 2년 이후 재판정해야 한다. 다만 장애상태가 고착되었을 것으로 예측되는 경우에는 재판정을 제외할 수 있다.
- 정신질환으로 인한 능력장애에 대한 확인은 임상적 진단평가, 보호자 및 주위 사람으로부터의 정보, 치료자의 의견, 학업이나 직업활동상황 등 일상환경에서의 적응상태 등을 감안하여 판정한다.
- 능력장애 측정은 적절한 음식섭취, 대소변 및 위생관리, 대화 및 대인관계정도, 규칙적인 통원 및 약물복용상태, 소지품 및 금전관리정도, 대중교통 및 공공시설의 이용상태 등을 평가한다.
- 정신장애는 치료를 요하는 질환이면서도 일상생활에 있어서 장애를 나타내는 상태이므로 치료에도 불구하고 장애가 지속적으로 문제가 되고 있다는 객관적 증명이 중요하다.
- 따라서 치료 여부 및 그 정도, 치료에 따른 증상의 변화정도 등이 장애판정 시에 모두 고려되어지며 치료를 하고 있는 정신과 전문의가 판정하게 된다. 치료를 받지 않고 있는 경우는 치료를 유도하여야 하며 최소한 3개월 이상의 치료와 임상경과 관찰이 필요함을 주지시킨다.

3 국내 등록장애인 현황 [11-13]

1. 장애인구 변화

1) 등록장애인 수 및 장애인구 비율

2020년 말 기준으로 총인구 중 전체 등록장애인 비율은 5.1%로 262만 명 정도이며, 연도별 비율은 2001년도 2.4%에서 장애인구가 두 배 이상 증가했음을 알 수 있다. 이는 등록장애의 범위확대와 장애인복지서비스의 증대에 따른 장애인등록 증가가 주된 원인으로 생각된다. 하지만 우리나라 장애범주는 아직까지 WHO 장애분류나 선진국 기준에는 못 미치는 것으로 전 인구 대비 장애인구 비율이 실제에 비해 축소되어 조사되고 있다고 여겨지고 있다.

등록장애 장애유형별로 보면 지체장애가 45.9%로 가장 많고, 청각장애 15.0%, 시각장애 9.6%, 뇌병변장애 9.5%, 지적장애 8.2% 순으로 많은 편이다. 내부장기장애로서는 신장장애가 3.7%로 가장 많게 조사된다.

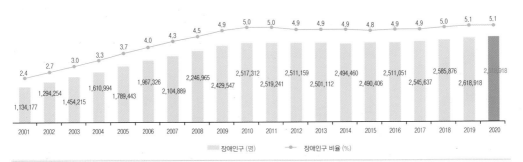

그림 1-2. 연도별 등록장애인 수 및 장애인구 비율
출처: 2021 장애통계연보, 한국장애인개발원, 2021

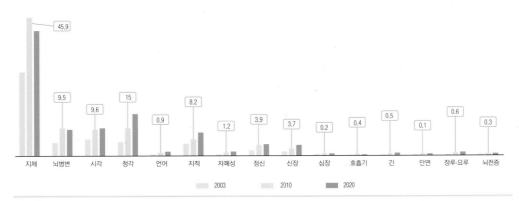

그림 1-3. 장애유형별 등록장애인 수 및 장애인구 비율
출처: 2021 장애통계연보, 한국장애인개발원, 2021

2) 장애인구의 고령화

　　우리나라 인구 중 65세 이상 노인인구는 2017년에 14.2%로 고령사회로 진입했다. 2025년에는 노인인구가 전체의 20%에 달해 초고령사회가 될 것으로 예상된다. 전체인구의 고령화와 함께 장애인구의 고령화 현상은 더욱 두드러져 2020년 말 현재 전체 등록장애인 대비 65세 이상 장애인 비율은 49.9%로 이미 심각한 고령화가 진행되었음을 알 수 있다. 장애인구의 고령화 즉, 고령 장애인의 급격한 증가로 노인과 장애인보건복지 측면에서 접근하는 통합적 방식의 사회적 대책 마련이 정책과제로 대두되고 있다 하겠다.

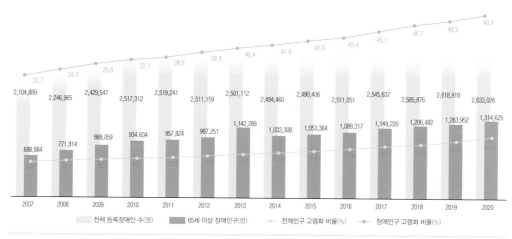

그림 1-4. 연도별 장애인구 고령화 수준
출처: 2021 장애통계연보, 한국장애인개발원, 2021

2. 재가장애인 실태

1) 일반 특성

2020년 장애인 실태조사에 따르면 재가장애인 성별분포는 남자 57.8%, 여자 42.2%로 남자 비율이 더 높다. 특히 자폐성 장애는 남자 비율이 86.2%로 가장 높고, 호흡기장애, 간장애 순으로 높게 나타난다.

■ 표 1-7. 재가장애인 성별 분포

(단위: %, 명)

구분	지체 장애	뇌병변 장애	시각 장애	청각 장애	언어 장애	지적 장애	자폐성 장애	정신 장애	신장 장애	심장 장애	호흡기 장애	간 장애	안면 장애	장루 요루 장애	뇌전증 장애	전체
남자	55.7	60.0	58.9	55.9	73.8	63.6	85.3	48.7	60.8	65.4	80.9	78.3	68.7	64.6	56.8	57.8
여자	44.3	40.0	41.1	44.1	26.2	36.4	14.7	51.3	39.2	34.6	19.1	21.7	31.3	35.4	43.2	42.2
계	100.0	100.0	100.0	100.0	100.0	100.0	100.0	100.0	100.0	100.0	100.0	100.0	100.0	100.0	100.0	100.0
전국 추정수	1,215,914	250,961	252,702	384,668	21,954	214,792	29,466	103,031	94,249	5,253	11,427	13,419	2,676	15,376	7,062	2,622,950

출처: 2020년 장애인 실태조사, 보건복지부. 한국보건사회연구원, 2020

연령분포를 보면 연령대가 높아질수록 비율이 증가하는 경향이며, 특히 대부분의 장애유형에서 50세 이후 연령대에서 급격히 증가함을 알 수 있다. 지적장애와 자폐성 장애의 경우는 30대 미만에서 높은 비율을 보인다.

■ 표 1-8. 재가장애인 연령분포

(단위: %, 명)

구분	지체 장애	뇌병변 장애	시각 장애	청각 장애	언어 장애	지적 장애	자폐성 장애	정신 장애	신장 장애	심장 장애	호흡기 장애	간 장애	안면 장애	장루 요루 장애	뇌전증 장애	전체
10세 미만	–	2.6	0.4	0.6	15.4	5.8	26.0	–	–	4.3	–	4.0	–	0.3	–	1.3
10~20세 미만	0.1	2.3	0.6	0.5	3.5	15.1	34.9	–	0..5	8.7	–	4.8	4.1	0.1	3.2	2.2
20~30세 미만	0.7	3.1	3.6	1.6	3.1	24.3	28.5	1.6	1.3	6.1	–	2.0	1.2	–	4.7	3.7
30~40세 미만	3.1	3.1	3.3	2.1	3.8	19.8	10.3	9.7	6.1	1.6	0.9	1.6	10.0	1.6	18.4	4.8
40~50세 미만	8.7	7.6	11.7	2.9	9.3	15.6	0.4	26.3	16.1	3.3	6.8	4.8	21.2	4.5	33.2	9.5
50~60세 미만	20.5	16.7	17.4	8.1	19.9	11.8	–	37.0	23.2	16.1	11.7	32.9	18.5	8.8	26.4	17.8
60~70세 미만	27.1	27.4	21.3	15.5	22.6	5.5	–	19.2	26.3	25.7	31.7	42.0	17.9	29.5	8.2	22.5
70세 이상	39.8	37.2	41.6	68.8	22.5	2.0	–	6.2	26.6	34.1	48.9	7.8	27.1	55.2	5.9	38.3
계	100.0	100.0	100.0	100.0	100.0	100.0	100.0	100.0	100.0	100.0	100.0	100.0	100.0	100.0	100.0	100.0
전국 추정수	1,215,914	250,961	252,702	384,668	21,954	214,792	29,466	103,031	94,249	5,253	11,427	13,419	2,676	15,376	7,062	2,622,950

출처: 2020년 장애인 실태조사, 보건복지부. 한국보건사회연구원, 2020

장애정도에 따라서는 장애정도가 심한 장애인은 37.5%, 심하지 않은 장애인은 62.5%로 보고된다. 장애유형별로는 지적장애, 자폐성 장애, 정신장애인은 100% 장애정도가 심한 장애인으로 조사되고, 간장애와 장루·요루장애, 지체장애는 장애가 심하지 않은 장애인이 80% 이상 비교적 높게 나타났다.

■ 표 1-9. 재가장애인 장애정도

(단위: %, 명)

구분	지체 장애	뇌병변 장애	시각 장애	청각 장애	언어 장애	지적 장애	자폐성 장애	정신 장애	신장 장애	심장 장애	호흡기 장애	간 장애	안면 장애	장루 요루 장애	뇌전증 장애	전체
장애정도가 심한 장애인	19.7	59.7	18.6	24.2	56.3	100.0	100.0	100.0	75.3	80.2	98.2	5.9	61.2	10.3	34.6	37.5
장애정도가 심하지 않은 장애인	80.3	40.3	81.4	75.8	43.7	–	–	24.7	19.8	1.8	94.1	38.8	89.7	65.4	62.5
계	100.0	100.0	100.0	100.0	100.0	100.0	100.0	100.0	100.0	100.0	100.0	100.0	100.0	100.0	100.0	100.0
전국 추정수	1,204,661	241,975	252,714	393,045	26,984	216,706	28,666	103,826	96,217	5,623	12,081	13,656	3,255	15,401	8,142	2,622,950

출처: 2020년 장애인 실태조사, 보건복지부. 한국보건사회연구원, 2020

2) 가구 특성

비장애인 가구 규모는 1인 가구 형태가 가장 많으나 장애인가구는 2인 가구의 비율이 가장 높고 가구원 수가 많아질수록 비율이 낮아진다. 장애유형별로는 청각장애와 지체장애가 1인 가구 비율이 다른 장애유형보다 높고, 지적장애와 자폐성 장애의 경우는 3인 가구 비율이 높은 편으로 나타난다.

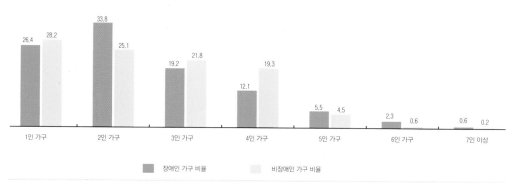

그림 1-5. 장애인 가구 규모

출처: 2021 장애통계연보, 한국장애인개발원, 2021

■ **표 1-10. 재가장애인 총 가구원 수**

(단위: %, 명)

구분	지체 장애	뇌병변 장애	시각 장애	청각 장애	언어 장애	지적 장애	자폐성 장애	정신 장애	신장 장애	심장 장애	호흡기 장애	간 장애	안면 장애	장루 요루 장애	뇌전증 장애	전체
1인	30.3	22.1	29.1	31.8	23.1	11.9	1.3	28.2	24.0	17.0	21.8	10.0	25.0	21.4	27.3	27.2
2인	39.7	42.4	34.5	42.3	32.3	23.4	7.1	40.2	39.4	39.0	55.4	49.4	37.0	48.9	32.9	38.2
3인	15.6	18.8	16.5	13.5	20.0	32.6	33.8	21.7	18.2	26.4	11.1	19.3	13.6	11.0	18.4	17.7
4인	10.3	11.0	14.1	7.6	18.4	20.5	40.5	7.3	14.9	11.0	9.6	17.5	19.5	9.7	17.0	11.7
5인 이상	4.1	5.7	5.8	4.9	6.2	11.6	17.4	2.7	3.5	6.7	2.1	3.7	4.8	8.9	4.5	5.2
계	100.0	100.0	100.0	100.0	100.0	100.0	100.0	100.0	100.0	100.0°	100.0	100.0	100.0	100.0	100.0	100.0
전국 추정수	1,204,661	241,975	252,714	393,045	26,984	216,706	28,666	103,826	96,217	5,623	12,081	13,656	3,255	15,401	8,142	2,622,950

출처: 2020년 장애인 실태조사, 보건복지부. 한국보건사회연구원, 2020

3) 신체적 특성

(1) 장애원인과 치료 여부

재가장애인의 장애원인은 후천적 질환으로 인한 것이 43.6%, 사고는 36.4%로서 장애인의 80.0%가 후천적 원인으로 발생한 것으로 조사되었다.

장애인의 76.3%가 지난 1년간 치료나 재활, 건강관리 목적으로 정기적 진료를 받고 있는 것으로 나타났고, 질환이자 장애 특성을 지니는 내부기관장애와 정신장애의 비율이 다른 장애유형보다 높게 나타났다.

■ 표 1-11. 재가장애인 장애유형별 장애원인

(단위: %, 명)

구분		지체 장애	뇌병변 장애	시각 장애	청각 장애	언어 장애	지적 장애	자폐성 장애	정신 장애	신장 장애	심장 장애	호흡기 장애	간 장애	안면 장애	장루 요루 장애	뇌전증 장애	전체
선천적 원인		3.2	6.3	8.2	6.4	22.8	37.3	37.7	1.8	4.4	19.7	4.6	15.0	19.4	0.5	6.1	7.9
출산 시 원인		0.7	2.5	0.4	1.1	3.2	6.6	3.6	0.0	0.6	2.1	1.1	0.0	0.0	0.0	4.5	1.4
후천적 원인	질환	32.6	68.3	40.5	56.7	43.1	19.8	14.7	75.1	85.6	67.8	84.8	79.4	16.7	93.6	37.6	43.6
	사고	56.3	17.9	39.0	20.9	14.9	9.4	0.4	21.4	2.4	2.1	4.4	0.4	61.2	2.0	16.7	36.4
원인불명		7.2	5.0	13.8	14.9	16.0	26.9	43.7	1.6	7.0	8.4	5.1	5.2	2.7	4.0	35.1	10.7
계		100.0	100.0	100.0	100.0	100.0	100.0	100.0	100.0	100.0	100.0	100.0	100.0	100.0	100.0	100.0	100.0
전국추정수		1,215,914	250,961	252,702	384,668	21,954	214,792	29,466	103,031	94,249	5,253	11,427	13,419	2,676	15,376	7,062	2,622,950

출처: 2020년 장애인 실태조사, 보건복지부. 한국보건사회연구원, 2020

■ 표 1-12. 재가장애인의 현재 치료, 재활, 건강관리 목적 정기진료 여부

(단위: %, 명)

구분	지체 장애	뇌병변 장애	시각 장애	청각 장애	언어 장애	지적 장애	자폐성 장애	정신 장애	신장 장애	심장 장애	호흡기 장애	간 장애	안면 장애	장루 요루 장애	뇌전증 장애	전체
예	74.2	88.2	72.3	77.0	72.8	56.7	74.8	92.6	99.1	96.8	96.5	97.6	52.6	89.3	93.3	76.3
아니오	25.8	11.8	27.7	23.0	27.2	43.3	25.2	7.4	0.9	3.2	3.5	2.4	47.4	10.7	6.7	23.7
계	100.0	100.0	100.0	100.0	100.0	100.0	100.0	100.0	100.0	100.0	100.0	100.0	100.0	100.0	100.0	100.0
전국 추정수	1,215,914	250,961	252,702	384,668	21,954	214,792	29,466	103,031	94,249	5,253	11,427	13,419	2,676	15,376	7,062	2,622,950

출처: 2020년 장애인 실태조사, 보건복지부. 한국보건사회연구원, 2020

(2) 일상생활 지원

재가장애인 중 거의 모두 일상생활을 타인의 도움 없이 혼자 수행할 수 있는 경우는 전체 중 47.8% 정도였고, 대부분 혼자서 가능한 경우는 20.1% 정도로 나타났다. 대부분 혹은 거의 전적으로 남의 도움을 필요로 하는 경우는 14.9%로서, 특히 자폐성 장애인, 뇌병변장애인, 지적장애인 순으로 남의 도움 필요정도가 높았다.

일상생활 수행 시 타인의 도움이 필요한 장애인 중 지원해 주는 사람이 있는 경우는 74.1% 정도이나, 도와줄 사람이 없는 경우도 25.9%로 나타난다. 일상생활을 주로 지원하는 사람은 배우자 38.7%, 부모 20.8%, 자녀 13.3% 순이었으며, 도움을 주는 사람의 대부분이 가족구성원으로 76.9%로 나타난다.

■ 표 1-13. 재가장애인 일상생활지원 필요정도

(단위: %, 명)

구분	지체장애	뇌병변장애	시각장애	청각장애	언어장애	지적장애	자폐성장애	정신장애	신장장애	심장장애	호흡기장애	간장애	안면장애	장루요루장애	뇌전증장애	전체
혼자서 스스로	57.8	19.0	59.4	49.9	38.1	14.6	6.6	36.0	54.5	64.2	33.6	77.2	70.0	53.0	51.7	47.8
대부분 혼자서	20.3	13.7	16.6	24.1	15.9	23.3	15.0	24.2	18.4	17.7	30.0	12.9	17.8	24.7	14.3	20.1
일부 지원 필요	13.8	23.4	13.5	17.4	28.4	28.7	21.4	26.0	16.6	12.0	19.4	5.4	10.6	13.7	20.0	17.2
대부분 지원 필요	5.0	20.7	6.4	6.0	8.4	20.3	39.0	9.2	6.8	5.1	12.0	3.4	0.7	6.5	10.2	8.7
거의 지원 필요	3.1	23.2	4.0	2.7	9.2	13.1	18.0	4.6	3.7	1.0	5.0	1.1	0.9	2.1	3.8	6.2
계	100.0	100.0	100.0	100.0	100.0	100.0	100.0	100.0	100.0	100.0	100.0	100.0	100.0	100.0	100.0	100.0
전국 추정수	1,215,914	250,961	252,702	384,668	21,954	214,792	29,466	103,031	94,249	5,253	11,427	13,419	2,676	15,376	7,062	2,622,950

출처: 2020년 장애인 실태조사, 보건복지부. 한국보건사회연구원, 2020

4) 사회적 특성

(1) 사회활동

사회활동 관련해서 전체장애인 중 78.6%가 혼자 외출할 수 있는 것으로 조사되었으나, 21.4%는 도움 없이는 혼자서 외출이 어려운 것으로 나타났다. 혼자 외출이 어려운 장애인은 자폐성 장애, 뇌병변장애, 지적장애, 언어장애 순으로 조사되었다.

외부활동 시 불편함을 느끼는 정도는 매우 불편 13.7%, 약간 불편 35.3%로서 49.0%가 불편함을 느끼고 있었으며, 장애유형별로는 뇌병변장애, 호흡기장애, 자폐성 장애 순으로 집 밖 활동 시 불편함을 많이 느끼는 것으로 조사된다.

■ 표 1-14. 재가장애인의 집 밖 활동 시 불편정도

(단위: %, 명)

구분	지체장애	뇌병변장애	시각장애	청각장애	언어장애	지적장애	자폐성장애	정신장애	신장장애	심장장애	호흡기장애	간장애	안면장애	장루요루장애	뇌전증장애	전체
매우 불편하다	13.0	35.1	12.8	8.5	14.2	11.3	17.0	5.6	11.3	13.0	18.6	3.4	7.4	8.2	12.1	13.7
약간 불편하다	34.7	39.2	33.6	37.1	34.4	36.5	45.8	33.7	29.8	23.9	40.4	15.0	23.2	43.5	31.5	35.3
거의 불편하지 않다	39.7	21.9	37.5	43.0	38.8	41.3	31.3	51.6	45.3	52.4	37.7	53.2	37.3	39.2	43.1	39.3
전혀 불편하지 않다	12.5	3.8	16.1	11.4	12.6	10.9	5.9	9.2	13.5	10.7	3.2	28.4	32.1	9.1	13.4	11.8
계	100.0	100.0	100.0	100.0	100.0	100.0	100.0	100.0	100.0	100.0	100.0	100.0	100.0	100.0	100.0	100.0
전국 추정수	1,147,725	194,284	239,776	356,419	20,341	183,062	27,175	83,431	89,551	5,168	9,364	13,349	2,586	14,084	6,256	2,392,571

출처: 2020년 장애인 실태조사, 보건복지부. 한국보건사회연구원, 2020

집 밖 활동 시 불편을 느끼는 이유로는 편의시설 부족이 40.8%로 주된 이유였고, 외출 시 동반자 부재가 29.6%, 주위 사람들의 시선 때문이 8.6%, 의사소통의 어려움이 8.1%로 나타났다. 장애유형별로 장애인편의시설 부족을 많이 느끼는 유형은 지체장애(50.8%), 뇌병변장애(46.6%), 간장애(44.2%) 등이었고, 외출 시 동반자 부재가 이유인 경우는 정신장애(41.3%), 시각장애(38.6%), 심장장애(36.0%), 뇌전증장애(33.6%) 순으로 조사되었다.

■ 표 1-15. 재가장애인의 집 밖 활동 시 불편이유

(단1위: %, 명)

구분	지체장애	뇌병변장애	시각장애	청각장애	언어장애	지적장애	자폐성장애	정신장애	신장장애	심장장애	호흡기장애	간장애	안면장애	장루요루장애	뇌전증장애	전체
장애인 관련 편의시설 부족	50.8	46.6	35.6	28.6	28.9	16.2	8.8	19.0	39.2	30.3	33.7	44.2	21.1	34.5	28.4	40.8
외출 쉬 동반자가 없어서	25.9	33.5	38.6	28.0	22.1	34.7	23.5	41.3	32.1	36.0	34.3	21.8	19.6	21.2	33.6	29.6
주위 사람들의 시선 때문에	8.4	8.1	6.9	3.9	4.6	15.0	24.4	20.9	6.5	–	3.2	0.8	33.4	19.3	14.2	8.6
의사소통의 어려움이 있어서	0.5	2.3	1.0	28.7	42.0	29.2	39.1	12.7	–	1.4	1.6	–	4.9	1.5	8.1	8.1
기타	14.6	9.4	17.9	10.8	5.4	4.9	4.2	6.0	22.2	32.3	27.1	33.2	20.9	23.6	15.7	13.0
계	100.0	100.0	100.0	100.0	100.0	100.0	100.0	100.0	100.0	100.0	100.0	100.0	100.0	100.0	100.0	100.0
전국 추정수	548,074	144,348	111,275	162,453	9,887	87,510	17,065	32,729	36,863	1,906	5,528	2,455	790	7,274	2,722	1,170,879

출처: 2020년 장애인 실태조사, 보건복지부. 한국보건사회연구원, 2020

(2) 사회적 차별

장애로 인해 본인이 차별받고 있다고 느끼는지에 관하여 별로 느끼지 않는다는 응답이 55.4%로 가장 많으나, 장애인의 29.3%는 장애 때문에 본인이 차별받고 있다고 느끼고 있었다. 장애유형별로는 지적장애인, 정신장애인, 자폐성 장애인, 안면장애인 순으로 차별받고 있다고 느끼는 비율이 높은 것을 알 수 있다.

우리나라의 장애인에 대한 차별이 어느 정도 있다고 생각하는지에 대해서는 약간 있다가 53.8%로 가장 많았고, 32.9%는 별로 없다, 9.8%는 매우 있다, 전혀 없다는 3.6% 순으로 나타났다. 장애유형별로는 자폐성 장애, 지적장애, 언어장애, 정신장애, 뇌전증장애 순으로 높게 나타났다. 장애인차별금지법에 대해서는 모른다는 경우가 63.6%로 가장 많았고, 25.9%는 들어본 적은 있으나 내용은 잘 모른다고 응답했다. 즉 아직까지도 사회적 차별을 느끼는 장애인이 많음을 알 수 있으며, 대부분의 장애인이 법적 권리에 대해서는 잘 모르고 있는 것으로 여겨진다.

■ 표 1-16. 재가장애인이 장애 때문에 본인이 차별받고 있다고 느끼는 정도

(단위: %, 명)

구분	지체 장애	뇌병변 장애	시각 장애	청각 장애	언어 장애	지적 장애	자폐성 장애	정신 장애	신장 장애	심장 장애	호흡기 장애	간 장애	안면 장애	장루 요루 장애	뇌전증 장애	전체
항상 느낀다	1.0	1.1	0.8	1.0	2.4	7.2	7.0	2.8	0.6	1.2	0.7	0.7	2.8	1.0	1.8	1.7
가끔 느낀다	21.5	39.0	26.7	25.5	38.7	45.1	42.9	48.0	19.8	16.0	23.0	14.4	45.5	21.8	39.5	27.6
별로 느끼 지 않는다	58.8	49.4	54.0	59.5	49.9	51.6	43.8	43.0	62.6	63.1	63.1	58.4	45.7	63.6	48.0	55.4
전혀 느끼 지 않는다	18.6	10.6	18.4	13.9	9.0	6.1	6.3	6.1	17.0	19.6	13.2	26.5	6.1	13.9	10.6	15.3
계	100.0	100.0	100.0	100.0	100.0	100.0	100.0	100.0	100.0	100.0	100.0	100.0	100.0	100.0	100.0	100.0
전국 추정수	1,215,914	250,961	252,702	384,668	21,954	214,792	29,466	103,031	94,249	5,253	11,427	13,419	2,676	15,376	7,062	2,622,950

출처: 2020년 장애인 실태조사, 보건복지부. 한국보건사회연구원, 2020

■ 표 1-17. 우리나라의 장애인에 대한 차별 인식

(단위: %, 명)

구분	지체 장애	뇌병변 장애	시각 장애	청각 장애	언어 장애	지적 장애	자폐성 장애	정신 장애	신장 장애	심장 장애	호흡기 장애	간 장애	안면 장애	장루 요루 장애	뇌전증 장애	전체
전혀 없다	4.2	1.7	5.2	3.7	2.2	1.5	2.1	1.0	4.5	4.9	4.6	3.9	-	2.9	2.5	3.6
별로 없다	34.9	27.0	35.5	36.4	27.9	24.1	20.5	25.3	33.1	34.7	34.8	35.0	32.5	34.8	24.8	32.9
약간 있다	52.7	61.3	49.5	52.6	54.8	54.0	53.4	61.5	53.6	55.9	49.9	58.0	58.0	57.1	60.7	53.8
매우 있다	8.2	10.0	9.8	7.4	15.1	20.4	24.0	12.2	8.9	4.4	10.7	3.1	9.5	5.2	12.1	9.8
계	100.0	100.0	100.0	100.0	100.0	100.0	100.0	100.0	100.0	100.0	100.0	100.0	100.0	100.0	100.0	100.0
전국 추정수	1,215,914	250,961	252,702	384,668	21,954	214,792	29,466	103,031	94,249	5,253	11,427	13,419	2,676	15,376	7,062	2,622,950

출처: 2020년 장애인 실태조사, 보건복지부. 한국보건사회연구원, 2020

5) 복지서비스

장애인 등록 이후 혜택을 받고 있다는 경우는 28.8%, 받고 있지 못하다는 71.2%로 부정적 응답 비율이 높았다. 장애인복지사업 중 가장 이용경험률이 높은 사업은 통신 관련 요금감면 및 할인, 교통 관련 요금감면 및 할인, 공공시설 이용 요금감면 및 할인 순으로 조사되었다. 주요 사업의 이용 경험률은 장애인연금 16.8%, 경증장애수당 9.6%, 장애아동수당 1.1%, 활동지원서비스 6.5%, 노인장기요양보험 7.5% 등이었다. 이용만족수준이 80.0% 이상인 사업으로는 여성장애인출산비 지원, 장애인활동지원서비스, 보조기기건강보험급여지원, 보조기기교부, 의료비지원, 발달장애인활동서비스 및 부모상담교육지원, 세금공제 및 면제, 주택 관련 지원사업 등으로 나타났다.

■ 표 1-18. 장애인복지사업 이용 경험 및 만족 비율

(단위: %, 명)

구분	이용경험률	만족 비율	구분	이용경험률	만족 비율
장애인연금	16.8	59.2	발달장애인 활동서비스	0.8	80.8
경증장애수당	9.6	42.3	장애아가족 양육지원	0.1	45.4
장애아동수당	1.1	58.4	가족휴식지원(장애아가족, 발달장애인 가족)	0.2	66.9
장애인자녀교육비 지원	0.8	66.6	발달장애인 부모상담/교육지원	0.1	98.2
장애아보육료 지원	0.5	56.8	발달장애인 공공후견 지원사업	0.04	100.0
아동양육수당	0.7	70.0	승용자동차 관련 세금면제	13.4	79.2
장애인의료비 지원	11.7	80.2	세금공제 및 면제	20.0	83.2
장애인등록진단비 지급	1.7	75.5	교통 관련 요금감면 · 할인	62.0	77.2
장애검사비 지원	2.6	76.1	통신 관련 요금감면 · 할인	75.3	75.7
발달재활서비스	1.0	76.5	공공시설 이용 시 요금감면 · 할인	52.5	77.2
언어발달지원	0.9	77.8	장애인일자리지원	1.9	79.3
장애인보조기기교부	11.8	80.4	장애인자립자금대여	0.01	100.0
장애인보조기기건강보험(급여)	14.6	80.5	장애인근로자 자동차구입자금대여	1.2	73.1
여성장애인출산비 지원	0.2	88.5	장애인자동차표지발급	18.4	78.0
장애인활동지원서비스	6.5	84.2	주택 관련 분양알선 및 가산점부여	0.4	81.4
장애인생활도우미	1.7	79.7	여성장애인교육지원	0.04	100.0
여성장애인 가사도우미	0.4	75.8	노인장기요양보험	7.5	79.8

출처: 2020년 장애인 실태조사, 보건복지부. 한국보건사회연구원, 2020

　　장애인이 사회와 국가에 대해 가장 우선적으로 요구하는 복지서비스 욕구로는 소득보장 (48.9%), 의료보장(27.9%), 주거보장(7.4%), 고용보장(3.6%) 장애건강관리(2.5%) 순으로 나타났다. 이는 이전 조사들과 비교하여 소득보장과 의료보장 욕구가 가장 높은 것은 동일하나, 소득보장 요구 비율은 높아지고 고용보장 비율은 낮아진 반면 주거보장 욕구가 높아졌음을 알 수 있다.

■ 표 1-19. 재가장애인의 사회 및 국가에 대한 요구사항

(단위: %, 명)

구분	1순위	2순위
소득보장	48.9	18.8
의료보장	27.9	35.6
고용보장	3.6	6.4
주거보장	7.4	13.6
이동권보장	1.5	3.9
보육 · 교육보장	0.7	1.2
문화여가생활 및 체육활동보장	1.4	3.4
장애인인권보장	1.9	3.7
장애인인식개선	1.5	2.7
장애건강관리(장애발생예방 포함)	2.5	6.9
의사소통과 정보접근참여보장	0.3	1.0
재난안전관리	0.1	1.0
기타	0.3	0.2
없음/2순위 없음	2.0	1.7
계	100.0	100.0
전국추정수	2,622,950	2,570,156

출처: 2020년 장애인 실태조사, 보건복지부. 한국보건사회연구원, 2020

4 장애인 모성권 보장 등 성별 특성 [14]

1. 재가장애인 결혼 및 자녀

재가장애인의 결혼상태 설문결과는 유배우자 51.3%, 사별 20.8%, 이혼 및 별거 10.4%, 미혼 17.4%로 나타났다. 특히 자폐성 장애인은 전부 미혼이며, 지적장애인은 79.5%, 정신장애인 59.6%, 뇌전증 55.2%가 미혼으로 조사되어 다른 장애유형에 비하여 미혼 비율이 높은 것으로 조사된다.

현재 자녀 여부에 대해서는 재가장애인의 94.9%가 자녀가 있는 것으로, 5.1%는 자녀가 없는 것으로 나타났다. 자녀의 수는 두 명이 43.3%로 가장 높은 비율을 보이고, 세 명인 경우는 22.5%, 한 명은 15.1%, 네 명이 10.1%, 다섯 명 이상이 8.9%로 조사된다.

■ 표 1-20. 재가장애인 결혼상태

(단위: %, 명)

구분	남자	여자	전체
미혼	21.8	11.5	17.4
유배우	60.4	39.1	51.3
사별	6.6	39.9	20.8
이혼	10.5	8.7	9.7
별거	0.7	0.7	0.7
기타(미혼모/부)	0.0	0.2	0.1
계	100.0	100.0	100.0
전국추정수	1,450,461	1,084,561	2,545,022

출처: 2020년 장애인 실태조사, 보건복지부. 한국보건사회연구원, 2020

■ 표 1-21. 재가장애인 자녀의 수

(단위: %, 명)

구분	지체장애	뇌병변장애	시각장애	청각장애	언어장애	지적장애	자폐성장애	정신장애	신장장애	심장장애	호흡기장애	간장애	안면장애	장루요루장애	뇌전증장애	전체
1명	15.1	17.2	13.0	10.3	16.1	33.1	–	39.0	21.5	18.3	18.6	16.2	22.3	9.8	22.4	15.1
2명	44.7	45.6	45.2	33.6	47.5	49.9	–	39.8	52.3	47.2	48.2	64.3	51.3	44.8	62.0	43.3
3명	22.2	23.3	23.6	25.4	19.7	13.9	–	14.3	15.8	24.8	21.8	15.4	17.3	24.2	14.1	22.5
4명	9.3	7.1	11.1	15.7	10.1	3.1	–	4.0	7.9	3.8	8.2	4.1	9.1	11.6	1.5	10.1
5명 이상	8.7	6.8	7.1	15.1	6.5	0.0	–	3.0	3.1	5.9	3.3	0.0	0.0	9.6	0.0	8.9
계	100.0	100.0	100.0	100.0	100.0	100.0	–	100.0	100.0	100.0	100.0	100.0	100.0	100.0	100.0	100.0
전국추정수	1,051,847	195,100	208,531	348,356	12,598	26,156	–	33,995	75,069	3,687	10,131	11,289	1,851	14,428	2,492	1,995,530

출처: 2020년 장애인 실태조사, 보건복지부. 한국보건사회연구원, 2020

2. 여성장애인 임신과 출산

임신한 경험이 있는 49세 이하의 여성장애인에게 최근 임신 시 장애를 가지고 있었는지 여부에 대한 질문에서 62.7%가 장애가 있었던 것으로 응답하여 장애가 있는 상태에서 임신했음을 알 수 있었다. 임신기간 중 힘들었던 점에 대해서는 31.8%가 어려움 없었다고 한 반면에 나머지는 본인의 건강악화, 자녀양육에 대한 두려움, 출산과정 두려움, 병원비 걱정, 직장생활 어려움 등 순으로 힘들었던 점을 지적하고 있었다.

■ 표 1-22. 마지막(최근) 임신 시 본인의 장애 여부

(단위: %, 명)

구분	지체장애	뇌병변장애	시각장애	청각장애	언어장애	지적장애	자폐성장애	정신장애	신장장애	심장장애	호흡기장애	간장애	안면장애	장루요루장애	뇌전증장애	전체
예	60.8	41.6	78.2	67.7	100.0	76.7	–	57.1	37.5	–	–	–	42.9	–	85.6	62.7
아니오	39.2	58.4	21.8	32.3	–	23.3	–	42.9	62.5	100.0	–	100.0	57.1	100.0	14.4	37.3
계	100.0	100.0	100.0	100.0	100.0	100.0	–	100.0	100.0	100.0	–	100.0	100.0	100.0	100.0	100.0
전국추정수	23,222	3,128	8,750	6,287	303	4,581		4,478	2,995	18		273	112	428	632	55,207

출처: 2020년 장애인 실태조사, 보건복지부. 한국보건사회연구원, 2020

■ 표 1-23. 임신기간 중 힘들었던 점

(단위: %, 명)

구분	18~28세	29~38세	39~49세	전체
병원비 등 돈이 많이 들어서	–	9.5	5.0	6.0
병원 다니기 힘들어서	–	–	5.2	3.9
병원시설 · 의료기기 설치 미비	–	–	–	–
의료진의 장애이해 및 인식부족	–	–	3.0	2.3
출산과정에 대한 두려움	–	16.9	10.5	11.8
자녀가 장애를 가질까봐 두려워서	–	12.5	5.2	6.8
자녀양육을 잘 할 수 있을지 두려워서	–	12.9	12.4	12.3
본인의 건강악화	–	25.2	9.0	12.6
집안일 하기가 힘들어서	–	–	1.8	1.4
직장생활에서의 어려움	–	11.5	2.5	4.6
가족들의 출산반대로	–	–	–	–
주위의 시선 때문에	–	–	5.4	4.0
임신 · 출산 관련 정보부족	–	–	3.5	2.6
어려움 없음	100.0	11.4	36.4	31.8
기타	–	–	–	–
계	100.0	100.0	100.0	100.0
전국추정수	571	7,906	26,124	34,601

출처: 2020년 장애인 실태조사, 보건복지부. 한국보건사회연구원, 2020

　　장애여성의 임신부터 출산까지 힘든 과정을 생각하면, 사회정서상 장애여성이 아이를 갖는 것에 대해서 부정적인 압박을 받고 있다 하겠다. 하지만 장애여성도 다른 여성들과 마찬가지로 아이를 가질 권리가 있으며, 그들의 모성권 선택을 위해서는 다음의 내용들이 추천된다.[15]

1) 임신에 대한 긍정적 태도

　　먼저 임신에 대해 장애 여성 당사자가 긍정적인 태도를 가지는 것이 중요하다. 임신했던 대부분의 장애여성들은 다른 장애여성들에게 아이를 가지라고 권고하고 있다. 비록 임신과 출산과정에서 힘들 수는 있지만 지나치게 걱정하기보다는 긍정적으로 대하는 것이 필요하다고 전한다.

2) 임신에 먼저 관심

　　장애여성 자신뿐만 아니라 의료인도 그들을 장애를 가진 여성보다는 임신한 여성으로 먼저 바라봐야 한다. 그들을 우선 임신한 여성으로 대하고 나서 장애여성 각 개인이 갖는 특성에 따른 조치를 취한다.

3) 팀 접근을 활용

의사들은 장애여성의 조언에 관심을 가지고 임신과 출산과정에 팀으로 접근해야 한다. 임산부, 산부인과 의사, 장애전문가 등이 팀으로 진료계획에 참여해 협력하면 최상의 진료 제공이 가능하다.

4) 최상의 결과를 위한 준비

임신을 준비하는 데 필요한 교육과 육아를 지원할 모든 준비를 해놓아야 한다. 또한 임신 전 건강검진을 받고, 분만 전에 특정한 약이나 의료적 처치들이 임산부의 건강에 어떤 영향을 미치는지 알아두고 대비해야 한다.

3. 여성장애인 필요서비스

여성장애인이 가장 필요로 하는 서비스는 자녀양육지원서비스 13.3%, 장애인활동지원사지원 11.3%, 출산비용 지원 10.2%, 건강관리프로그램 10.0%, 임신출산 관련 교육 및 정보제공 8.8%, 장애를 고려한 여성용품 정보제공 8.7% 등으로 조사된다. 즉 장애여성들의 요구에 적절하게 부합하는 복지서비스 제공이 필요하겠다.

■ 표 1-24. 여성장애인이 가장 필요로 하는 서비스

(단위: %, 명)

구분	18~28세	29~38세	39~49세	전체
임신 · 출산 관련 교육 및 정보제공	12.4	5.4	8.9	8.8
임신 · 출산 · 육아 관련 hot-line 서비스	5.3	1.5	1.2	2.2
출산비용 지원	4.8	10.4	12.2	10.2
여성장애인 임신 · 출산 전문병원	3.2	10.3	7.3	7.1
산후조리서비스	0.2	7.8	5.8	5.1
육아용품대여	-	-	0.3	0.2
자녀양육지원서비스	8.5	15.8	14.1	13.3
자녀교육도우미	3.9	2.3	2.4	2.7
가사도우미	7.3	4.4	9.2	7.7
활동지원사	16.7	12.7	8.7	11.3
건강관리프로그램	9.2	9.0	10.6	10.0
상담서비스(심리 · 정서)	5.1	5.8	5.2	5.3
자조집단(멘토)	-	-	1.3	0.7
학교교육 이외의 학습 및 재능교육(평생교육)지원	9.1	0.4	4.4	4.5
장애를 고려한 여성용품 정보제공	9.4	12.7	6.7	8.7
기타	4.8	1.4	1.6	2.2
계	100.0	100.0	100.0	100.0
전국추정수	32,466	35,570	83,217	151,253

출처: 2020년 장애인 실태조사, 보건복지부. 한국보건사회연구원, 2020

우리나라 장애인건강권법 제4조, 국가와 지자체의 책무에서 장애인의 성별특성에 따른 장애인 건강보건관리사업을 적극 시행해야 한다고 규정하고 있으며, 제14조 장애인건강권 교육에서도 그 대상으로 여성장애인의 임신, 출산 등을 담당하는 의료인을 포함하고 있다. 이 법에 따라 최근에는 장애친화적인 산부인과 확대 및 교육 등 정책적 노력이 이루어져 왔다. 장애친화적 산부인과 의료진들을 위해 장애인식을 미리 점검하고 이해의 깊이를 더할 수 있도록 노력해야 한다.[16]

장애여성의 권리확보를 위하여 국제연합(UN)의 장애인권리협약(CRPD)에서도 제6조 장애여성 항에서 장애여성이 다중적 차별의 대상이 되고 있음을 인정하고, 이러한 측면에서 장애여성이 모든 인권과 기본적인 자유를 완전하고 동등하게 향유하도록 보장하기 위한 조치를 취하도록 규정한다. 장애여성의 인권과 기본적인 자유를 행사하고 향유하는 것을 보장하기 위한 목적으로, 여성의 완전한 발전, 진보 및 권한강화를 보장하는 모든 적절한 조치를 취해야 한다.[17]

5 장애인의 삶의 질 보장: 교육, 주거, 소득, 직업 등

1. 총론: 삶의 질 보장, 행복권 추구

장애가 있는 사람도 사회의 구성원으로서 인간답게 살아갈 권리가 있다. 하지만 한 개인이 별로 노력하지 않아도 할 수 있는 걷고, 보고, 듣고, 말하고, 움직이고, 먹고 하는 데 장애가 있어 기본적인 생활조차 버거운 삶을 살아간다면 인간다운 삶에서 많은 어려움을 겪을 것이다. 이러한 어려움이 있더라도 장애를 가진 사람들이 삶의 질을 보장 받으며 행복하게 살아갈 수 있는 것이 가장 바람직하다. 따라서 장애가 있는 사람이라도 행복하게 살아갈 권리를 국가와 사회는 보장해야 한다.

UN은 1981년을 "세계 장애인의 해"로 정하고 1983~1992년, 10년간을 장애를 가진 사람들의 복지를 실현하기 위한 기간으로 정해서 이를 위한 "장애인에 관한 세계행동계획[3]"을 발표했었다. 이 계획의 목적은 "장애인의 완전한 참여와 평등"을 실현하는 데 있음을 밝히고 있으며, 이는 장애인에게도 평등한 기회를 부여하고 사회경제적 발전의 소산인 생활의 향상을 함께 누릴 수 있도록 하는 것을 의미한다고 정의한 바 있다. UN이 2006년에 채택하고 우리나라도 2008년에 가입한 "장애인권리협약[17]"도 장애는 점진적으로 변화하는 개념으로 손상을 지닌 사람과 그들이 다른 사람과 동등하게 사회에 완전하고 효과적으로 참여하는 것을 저해하는 태도 및 환경적인 장벽 간의 상호작용으로부터 기인된다는 것을 인정하고, 장애인에게 보다 평등한 기회를 제공하도록 정의하고 있다.

우리나라 헌법 제10조에 "모든 국민은 인간으로서의 존엄과 가치를 가지며, 행복을 추구할 권리를 가진다."라고 규정하며, 34조에는 "모든 국민은 인간다운 생활을 할 권리를 가진다. 국가는 사회보장, 사회복지 증진에 노력할 의무를 진다."고 규정하고 있다. 장애인복지법 제3조에서도 기본이념 중 "장애인의 완전한 사회참여와 평등을 통하여 사회통합을 이루는 데 있다."를 제시하고 있다. 즉, 장애를 가진 사람들도 가정과 사회에서 소외되지 않고 더불어 살아갈 수 있는 사회를 만들어가는 것은 모든 나라들이 지향하고 있는 바이며, 그러한 사회를 만들어 갈 책임은 국가와 사회뿐아니라 사회구성원 모두에게 요구되고 있다.

2. 장애인교육

장애인의 교육수준은 2020년 기준 대졸 이상 13.3%, 고졸 30.0%, 중졸 이하가 56.7%로서, 전체인구의 교육수준, 대졸 이상 39.0%, 고졸 37.8%, 중졸 이하가 23.2%와 비교할 때 상대적으로 장애인구의 교육수준이 낮음을 알 수 있다. 다만 전체인구와 장애인구의 교육수준이 매년 증가하는 추세이다.

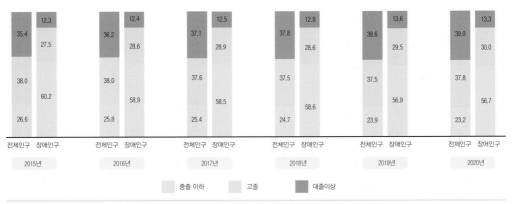

그림 1-6. 장애인 교육수준(전체인구 비교)
출처: 2021 장애통계연보, 한국장애인개발원, 2021

3. 장애인주거

2021년 장애통계연보에 따르면 장애인가구의 무주택기간은 10년 이상이 74.1%로 가장 높고, 5~10년이 13.3%, 3~5년이 6.0%이었다. 장애인가구 주택임차료 및 대출금 상환 등 주거비 부담정도는 부담됨이 60.2%, 부담되지 않음이 19.1%로서 주거부담이 큼을 알 수 있다. 주거지원프로그램으로는 주택자금지원 대출지원이 19.0%, 장기공공임대주택 공급 18.8%, 월세보조금 지원 18.0% 순으로 필요로 한다고 응답하고 있다.

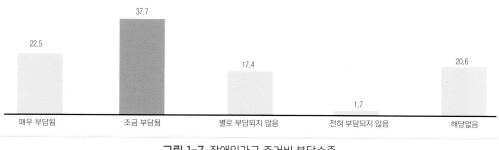

그림 1-7. 장애인가구 주거비 부담수준
출처: 2021 장애통계연보, 한국장애인개발원, 2021

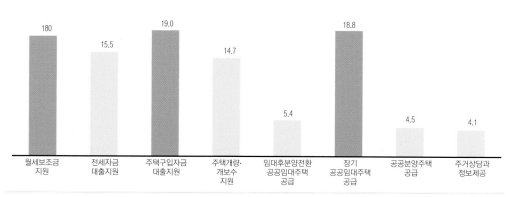

그림 1-8. 장애인가구가 필요한 주거지원프로그램
출처: 2021 장애통계연보, 한국장애인개발원, 2021

4. 장애인소득

2020년 장애인가구의 경상소득은 4,246만 원으로 전체가구의 71.7% 수준으로 낮다. 소득원천별로 보면 근로소득이 경상소득의 49.2%, 전체가구는 64.0%, 공적 이전소득은 19.6%에 반해 전체가구는 7.7% 수준으로 장애인가구가 공적지원이 상대적으로 많음을 알 수 있고 근로소득이 낮은 열악한 현실을 보여준다.

장애인가구의 장애로 인한 월 평균 추가비용은 2017년 기준으로 165.1천 원으로 조사된다. 추가비용의 주요 항목을 살펴보면 의료비가 65.9천 원 정도로 가장 많았고, 부모사후 및 노후대비비 22.9천 원, 보호간병비 20.6천 원, 교통비 20.5천 원 순으로 많았다.

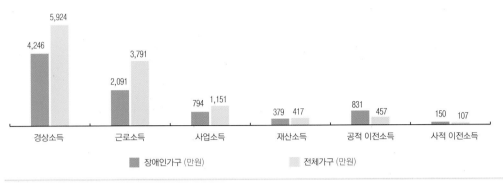

그림 1-9. 장애가구 소득원천별 연평균 가구소득(전체가구 비교, 2020년)
출처: 2021 장애통계연보, 한국장애인개발원, 2021

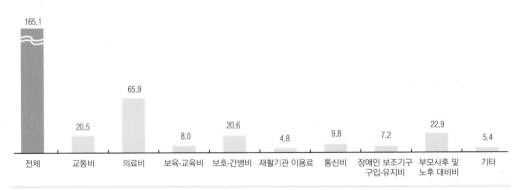

그림 1-10. 장애로 인한 월 평균 추가 소요비용(2017년)
출처: 2021 장애통계연보, 한국장애인개발원, 2021

5. 장애인직업

　　장애인의 경제활동참가율은 2020년 기준 37.0%로서 전체인구의 63.0%보다 낮고, 실업률은 5.9%로 전체인구의 4.5%보다 높으며, 고용률은 34.9%로서 전체인구의 60.2%보다 낮게 조사된다. 이는 결국 장애인구의 경제활동 참여수준이 낮음을 나타낸다. 성별로 보면 여성의 경제활동참가율과 고용률이 남성에 비해 반 정도밖에 안 됨을 알 수 있으며, 연도별로 보면 실업률은 남성과 여성 모두 감소세임을 알 수 있다.

　　우리나라 장애인 의무고용에 대해 살펴보면 2020년 현재 국가와 지방자치단체 및 공공기관의 장애인의무고용률은 3.4%, 민간 상시 50인 이상의 근로자 고용기업은 소속 근로자 총수의 2.9%에 해당하는 근로자를 장애인으로 고용하도록 되어 있다. 의무고용현황을 살펴보면 2020년 고용률은 3.08%로서 매년 증가하는 추세를 보여준다.

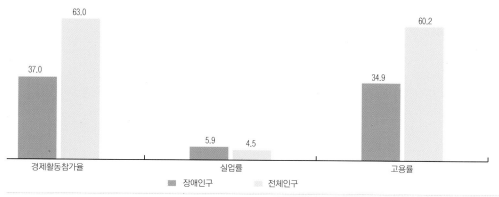

그림 1-11. 장애인 경제활동상태(전체인구 비교, 2020년)
출처: 2021 장애통계연보, 한국장애인개발원, 2021

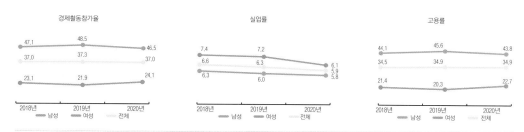

그림 1-12. 장애인 경제활동상태(성별 비교, 연도별)
출처: 2021 장애통계연보, 한국장애인개발원, 2021

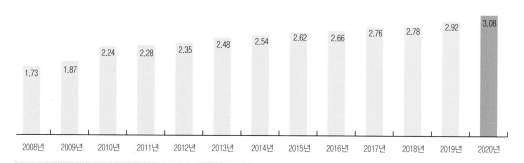

그림 1-13. 우리나라 연도별 장애인 의무고용률
출처: 2021 장애통계연보, 한국장애인개발원, 2021

토론(생각해 볼 문제)

- 장애는 개인의 문제로 극복의 대상인가? 아니면 개인을 둘러싼 사회적, 환경적 장벽의 산물인가? 장애인의 사회적 참여와 평등을 저해하는 요인들을 어떻게 개선해 나갈지 토론해 보자.
- 우리나라의 법적장애범주 및 유형분류는 국제적 장애분류체계와 비교하여 어떤 문제점이 있는가? 개선 방향에 대해서 토론해 보자.
- 우리나라 장애인의 삶의 질은 비장애인과 비교하여 어느 정도라고 생각하는가? 장애인의 삶의 질 향상을 위한 국가와 사회의 책임은 무엇인지 토론해 보자.

[참고문헌]

1. 김윤태. 장애우의 건강권과 보건의료인의 역할. In: 장애우 의료입문. 장애우권익문제연구소; 2003.
2. WHO. Disability prevention and rehabilitation. WHO; 1981.
3. United Nations. World programme of action concerning disabled persons. UN; 1983.
4. 세계보건기구. WHO 세계장애보고서. 한국장애인재단; 2012.
5. WHO. 국제 기능·장애·건강분류(ICF). 보건복지부; 2004.
6. 보건복지부. 2021년 장애등록심사 관련 법령 및 규정집. 2021.
7. 보건복지부. 2021년 장애인복지 사업안내 1권. 2021. Available from: http://www.mohw.go.kr/react/jb/sjb0406vw.jsp?PAR_MENU_ID=03&MENU_ID=030406&page=1&CONT_SEQ=364035
8. 국민연금공단. 자문의사 심사 가이드북. 국민연금공단 장애심사실; 2022.
9. 보건복지부. 장애정도판정기준. 2021. Available from: http://www.mohw.go.kr/react/jb/sjb0406vw.jsp?PAR_MENU_ID=03&MENU_ID=030406&page=1&CONT_SEQ=365248
10. 김동아, 공헌식, 김미경 외. 똑똑~ 장애인건강권 이해하기. 보건복지부 국립재활원, 중앙장애인보건의료센터; 2020.
11. 김현지, 김용진, 오윤지 외. 2021 장애통계연보. 한국장애인개발원; 2021.
12. 김성희, 이민경, 오욱찬 외. 2020년 장애인 실태조사. 보건복지부, 한국보건사회연구원. 2020.
13. 국립재활원 재활연구소. 2019년도 장애인 건강보건통계(2020년 장애인 사망원인 포함) 및 통계설명자료 공개. 2021. Available from: https://www.nrc.go.kr:2451/research/board/boardView.do?no=18117&fno=37&depart_no=&menu_cd=05_02_00_01&board_id=NRC_NOTICE_BOARD&bn=newsView&search_item=&search_content=&pageIndex=1
14. 제인 맥스웰, 줄리아 왓츠 벨서, 달리나 데이비드. 세계 장애인 여성의 건강 핸드북. 보건복지부 국립재활원, Hesperian; 2019.
15. 쥬디 로저스. 장애여성의 임신·출산 가이드. 보건복지부 국립재활원, 중앙장애인보건의료센터; 2020.
16. 김동아, 안은미, 백유진 외. 여성장애인 진료를 위한 장애친화 산부인과 매뉴얼. 보건복지부 국립재활원, 중앙장애인보건의료센터; 2021.
17. 한국장애인재활협회. 장애인권리협약 종합보고서. 2005.

- 장애인이 정당하게 누려야 할 권리에 대해 이해할 수 있다.
- 장애인 인권 향상을 위한 국제사회의 노력에 대해 설명할 수 있다.
- 장애인의 권리보장을 위해 제정된 국내 주요 법령과 관련 정책에 대해 설명할 수 있다.

사례

다음은 척수장애인 A씨와 B씨가 겪은 사례이다. 다음의 사례에서 제시된 상황과 같은 문제점을 개선하기 위해 제정 및 시행된 국내 법령과 관련 정책에는 어떤 것이 있을까?

전신마비 판정을 받은 척수장애인 A씨(53세)는 건강검진을 받기 위해 서울시에 있는 한 건강검진센터를 찾았다가 여러 어려움을 겪었다. 유방암검사를 위한 기기가 휠체어 높이까지 내려오지 않자 A씨는 직원의 부축을 받아 몸을 일으킨 채 30여 분간을 씨름했다. 하지만 "촬영을 해도 제대로 찍히지 않을 것 같다."는 직원의 말에 A씨는 검사를 중도 포기했다.

하반신마비 척수장애인 B씨(40세)는 청력검사를 위해 동네 이비인후과 의원을 찾았지만, 건물 입구에 휠체어 경사로가 있지 않아 지나가던 행인의 도움을 받아 건물 안으로 겨우 들어갈 수 있었다. 하지만 청력검사를 위한 방음박스에 휠체어가 들어가지 못해 B씨는 결국 검사를 받지 못하고 집으로 돌아올 수밖에 없었다. B씨는 "남들에겐 당연한 검사도 내가 하려면 너무 불편하고 힘이 든다."며 한숨을 내쉬었다.

1 장애인 인권 향상을 위한 국제사회의 노력

인권은 인간으로서 당연히 누려야 할 권리로 나이, 성별, 종교, 국적, 피부색, 장애유무 등 어떠한 조건에서도 자유롭고 평등하게 살아갈 수 있는 권리를 말한다. 모든 인간은 폭력으로부터 자유롭고, 공정한 재판을 받으며, 선거에서 공평한 한 표를 행사할 수 있다. 또한 누구나 의료적 혜택을 받고, 누구나 교육 받을 수 있으며, 정당한 대우 또한 받을 권리가 있다. 이것을 '인권'이라고 하며 이 권리는 장애가 있다고 해서 변하는 것이 아니다.

장애인 인권 향상을 위한 국제사회의 노력은 1948년 채택된 세계인권선언에서부터 시작되었다고 볼 수 있다. 이후 1970년대에 들어서 장애인의 인권 향상을 위한 국제사회의 구체적인 노력이 시작되었는데 1971년의 정신지체인 권리선언, 1975년의 장애인 권리선언이 있을 수 있겠다. 그 후 1981년 '세계 장애인의 해' 선포, 1993년부터 10년 단위로 추진되고 있는 아·태 장애인 10년, 그리고 비교적 최근에 채택된 UN장애인권리협약 및 지속가능발전목표(UN-SDGs)의 결의까지 장애인 인권 향상을 위한 국제사회의 노력은 계속되고 있다.

이 절에서는 장애인의 인권 향상을 위해 국제사회에서 어떠한 노력을 지속적으로 추진해 왔는지, 그 주요 활동들에 대해 살펴보겠다.

■ 표 2-1. 장애인 인권 향상을 위한 국제사회의 노력

연도	활동내용
1948년	세계인권선언
1971년	정신지체인 권리선언
1975년	장애인 권리선언
1981년	세계 장애인의 해 선포
1983~1992년	UN세계장애인 10년 선포
1993~2002년	제1차 아·태 장애인 10년
2003~2012년	제2차 아·태 장애인 10년
2006년	UN장애인권리협약
2013~2022년	제3차 아·태 장애인 10년(인천전략)
2015년	지속가능발전목표(UN-SDGs) 결의

1. 세계인권선언[1]

　　세계인권선언은 모든 인간의 천부적이고 기본적인 권리를 존중하는 UN헌장의 취지를 반영하여 UN인권위원회에서 작성된 것으로, 1948년 제3차 UN총회에서 채택되었다. 세계인권선언의 제1조는 "모든 사람은 태어날 때부터 자유로우며 존엄성과 권리에 있어서 평등하다."는 내용으로 인권의 근본 개념을 명시하고 있다.

　　그러나 세계인권선언은 여성과 아동과 같은 사회적 취약계층에 대한 시민적 권리는 충분히 반영되지 못했으며, 특히 장애인과 사회적 소수자에 대한 언급이 부족했다는 한계가 있다.

2. 정신지체인 권리선언[2]

　　지적장애인도 사회구성원으로서 일반적인 사회생활을 영위할 수 있고, 이들에게도 사회 정의와 평등의 규범이 필요하다는 것을 강조하기 위해 1971년 정신지체인 권리선언[1]이 공표되었다. 정신지체인 권리선언은 정신지체인의 제반 권리를 보장하는 정책을 국가가 시행해야 한다는 국가 책무의 원칙을 제시하였는데 총 7개의 조항[2]으로 구성되어 있다.

---

1)　정신지체인 권리선언은 오늘날 지적장애인 권리선언으로 명명하기도 한다.
2)　7개 조항은 ①정신지체인의 동등한 기본적 권리, ②건강 및 재활서비스를 받을 권리, ③안정된 경제생활을 보장받을 권리, ④생존권과 노동권, ⑤가족들과 함께 살 권리, ⑥자격 있는 후견인을 가질 권리, ⑦착취, 남용과 학대로부터 보호받을 권리에 대한 내용을 포함하고 있다.

그중 제2항은 '건강 및 재활서비스를 받을 권리'로 "지적장애인은 그 상태가 아무리 심하다 할지라도 그의 능력과 기능성을 최대한도로 발전시킬 수 있도록 적절한 의학적 조치와 교육, 훈련, 재활 및 지도를 받을 권리를 가진다."고 선언하고 있다.

3. 장애인 권리선언[3]

UN은 1975년 신체장애인, 정신 및 지적장애인을 포함한 모든 장애인의 권리에 대해 선언했는데, 이 선언을 통해 장애인도 비장애인과 마찬가지로 인간으로서의 존엄과 가치, 자유를 가지고 있음을 천명하고 그에 상응하는 모든 대우를 받을 수 있는 권리를 강조했다.

장애인 권리선언을 통해 각종 복지 시책이 하나의 권리로 받아들여지는 계기가 되었지만, 안타깝게도 이러한 노력은 단지 선언의 수준으로만 그치고 실제 UN 회원국들의 실행을 이끌어내지 못했다는 한계가 있다.

4. '세계 장애인의 해' 선포[4]

장애인 권리선언이 단순히 선언의 수준으로 그쳤다는 한계로 인해 UN 회원국들의 보다 적극적인 실천을 이끌어낼 수 있는 수단이 필요하게 되었다. UN은 1981년을 '세계 장애인의 해'로 선포하고 국제사회의 관심을 높여 각 회원국의 장애인 정책 개발을 촉구하기 시작했다. 1981년 세계 장애인의 해 주제는 장애인의 "완전한 참여와 평등"이었으며, 우리나라도 이것을 기념하여 '세계 장애인의 해' 기념우표를 발행하기도 하였다.

5. UN세계장애인 10년[5]

1982년 12월 3일 UN 총회에서는 '장애인에 관한 세계 행동 계획'을 채택하였고, UN 회원국 및 장애인 관련 조직이 세계 행동 계획에서 권고하는 활동을 잘 이행할 수 있는 기간(10년)을 제공하였다. UN은 세계장애인 10년(1983~1992년)이라는 선포를 통해 국제사회와 UN 회원국의 장애인 정책 개발을 위한 적극적인 노력을 진행하였다. 이 10년간의 기간 동안 UN 회원국은 장애인 정책과 관련된 구체적인 목표 및 세부적인 행동 계획을 마련하기도 하였다.

UN세계장애인 10년 동안 국제사회가 장애인 정책 개발을 위한 여러 노력을 진행해 온 것처럼 우리나라도 이 시기에 장애인 정책의 기초를 다지기 위한 여러 법령을 제정 및 시행하였다. 1981년에는 우리나라 최초의 장애인복지법인 「심신장애자복지법」을 제정하였는데, 이 법은 1989년에 「장애인복지법」으로 전면 개정되었다. 1990년에는 「장애인고용촉진 등에 관한 법률」이 제정되었다.

6. 아시아·태평양 장애인 10년 행동계획

아시아·태평양 지역(이하, 아태 지역)에는 전 세계 장애인의 2/3가 거주하고 있다. 이러한 이유로 아태 지역은 그동안 국제 장애 인권 실천을 추진하는 장소로 기능하기도 하였다.

아태 지역에서 UN세계장애인 10년의 성과가 미흡했다는 결과가 나오자, UN아태경제사회위원회(UN ESCAP)는 UN세계장애인 10년을 계승하고 확대·발전하기 위한 노력으로 1993년에 아태 장애인 10년 행동계획을 수립 및 추진하게 되었다.

제1차 아태 장애인 10년(1993~2002년)은 "아태 장애인의 완전한 참여와 평등에 관한 선언"을 슬로건으로 중국의 주도하에 추진되었다. 구체적으로 국가장애인조정위원회 설치, 입법, 정보, 사회적 인식, 접근과 커뮤니케이션, 교육, 훈련과 고용, 장애예방, 재활서비스, 보조기기, 자조조직, 지역협력 및 지원 등의 실천원칙을 포함하였다. 제1차 아태 장애인 10년은 최초로 아태 지역에서 장애인 정책 및 제도의 발전을 이끌어 냈다는 것에 의의가 있다.[6]

제2차 아태 장애인 10년(2003~2012년)은 일본의 주도하에 추진되었다. "통합적, 장벽 없는, 권리에 기반한 사회"를 슬로건으로, 실천전략으로써 '비와코 새천년 행동계획(Biwako Millennium Framework for Action Towards an Inclusive, BMF)'의 7개 목표를 수립하였다. 비와코 새천년 행동계획은 광범위한 과제를 포괄하여 장애인의 권리기반 및 역량강화를 새롭게 강조하였다. 이 시기에 장애인 단체 활동이 활발하게 진행되었고, 그러한 활동은 'UN장애인권리협약' 제정에도 많은 기여를 하였다.[7]

2013년에는 태평양 지역 정부 대표들이 우리나라 인천에 모여 제3차 아태 장애인 10년 행동계획을 수립하고 출범시켰다. 이 회의는 아태 지역 정부 관계자뿐만이 아니라 UN, 국제단체, 각국의 장애인단체 및 시민사회 단체들이 참여하였다. 이 회의를 개최하면서 한국은 새로운 아태 장애인 10년의 주도국이 되었으며, 아태 장애인 권리 실현을 위한 '인천 전략(Incheon Strategy to 'Make the Right Real' for Persons with Disabilities in Asia and the Pacific)'을 수립하게 되었다. 앞서 살펴본 제2차 아태 장애인 10년(비와코 새천년 행동계획)이 장애인의 광범위한 과제를 포함하였다면, 제3차 아태 장애인 10년(인천 전략)은 장애인의 취약한 분야에 집중했다는 점이 특징이다. 또한 "권리를 실현하자"라는 슬로건에 맞게 선언보다는 실천을 강조하여 10개 목표, 27개 세부목표, 62개 이행 측정지표를 구성하고 검증 가능한 계량화된 지표를 도입하였다.[8]

■ 표 2-2. 아시아·태평양 장애인 10년 행동계획 비교

	제1차 아태 장애인 10년	제2차 아태 장애인 10년	제3차 아태 장애인 10년
기간	1993~2002	2003~2012	2013~2022
제안국 겸 주도국	중국	일본	한국
슬로건	아태 장애인의 완전한 참여 와 평등에 관한 선언	통합적, 장벽 없는, 권리에 기반한 사회	권리를 실현하자
행동과제	12개 영역	7개 목표, 107개 하위목표 (비와코 새천년 행동계획)	10개 목표, 27개 세부목표, 62개 이행측정지표 (인천 전략)
특징 및 한계	– 최초의 장애관련 국제 지역단위 계획 – 선언적, 제한적 – 이행을 위한 지원과 평 가 시스템 부족 – 중국의 지원 미비	– 포괄적이고 광범위한 목표 제시 – 한국, 호주, 싱가포르에서 장애인 차별금지법 제정 – 일본의 인적, 조직적, 재정 적 지원 활발	– 취약한 분야를 선정, 집 중화된 목표 설정 – 목표의 실천과 실현을 강조 – 검증 가능한 계량화된 지 표 도입 – 한국의 인적, 조직적, 재 정적 지원 활발

■ 표 2-3. 제3차 아태장애인 10년(인천 전략) 목표

목표	세부목표
1. 빈곤 감소 및 고용 전망의 증진	– 장애인의 극심한 빈곤을 해소한다. – 일할 수 있고 또 일하기를 원하는 근로 연령의 장애인을 위한 일자리 와 고용을 늘린다. – 정부가 재정 지원을 하는 직업훈련과 기타 고용지원 프로그램에 대한 장애인의 참여를 증진한다.
2. 정치 과정 및 의사결정에 대한 참여의 증진	– 정부의 의사결정기구에서 장애인의 대표성을 보장한다. – 정치 과정에 대한 장애인의 참여를 증진하기 위해 정당한 편의를 제 공한다.
3. 물리적 환경, 대중교통, 지식, 정보 및 의사소통에 대한 접근성의 향상	– 국가 수도에서 공공에 개방된 물리적 환경의 접근성을 향상시킨다. – 대중교통에 대한 접근성 및 이용성을 향상시킨다. – 정보 및 의사소통 서비스에 대한 접근성과 이용성을 향상시킨다. – 적합한 보조기구나 생산품이 필요하나 이를 갖지 못한 장애인의 비율 을 반으로 줄인다.
4. 사회적 보호의 강화	– 재활을 포함한 모든 보건의료 서비스에 대해 모든 장애인의 접근성을 향상시킨다. – 사회 보호 프로그램에서 장애인의 수혜범위를 늘린다. – 지역사회에서 자립적으로 생활하는 장애인, 특히 중복장애인, 광범위 장애인, 그리고 다양한 장애를 가진 개인들을 지원하는 활동보조, 동 료상담 등의 서비스 및 프로그램을 강화한다.

목표	세부목표
5. 장애 아동에 대한 조기개입 및 교육의 확대	– 출생부터 취학 전까지 장애 아동을 위한 조기발견 및 조기개입 조치를 향상시킨다. – 초중등 교육 취학률에서 장애 아동과 비장애 아동의 격차를 반으로 줄인다.
6. 성평등과 여성의 역량강화 보장	– 장애 소녀 및 여성이 주류의 개발 기회에 동등하게 접근할 수 있도록 한다. – 정부의 의사결정기구에서 장애여성의 대표성을 보장한다. – 모든 장애 소녀 및 여성이 비장애 소녀 및 여성과 동등하게 성 및 생식보건서비스에 접근할 수 있도록 보장한다. – 장애 소녀 및 여성을 모든 형태의 폭력과 학대로부터 보호하기 위한 조치를 늘린다.
7. 장애포괄적인 재난 위험 감소 및 관리의 보장	– 장애 포괄적인 재난 위험 감소 계획을 강화한다. – 재난에 대응할 때 장애인에게 적시에 적절한 지원을 제공하는 조치의 이행을 강화한다.
8. 장애 데이터의 신뢰성 및 비교가능성 개선	– 장애인이 접근할 수 있는 형태로 신뢰할 수 있고 국제적으로 비교가 가능한 장애통계를 생산하여 배포한다. – 인천 전략의 목표와 세부목표의 이행 성과를 측정하기 위해서, 새로운 아태장애인 10년의 중간 시점인 2017년까지 신뢰할 수 있는 장애통계를 구축한다.
9. 장애인권리협약 비준 및 이행과 협약과 국내법의 조화 촉진	– 새로운 아태장애인 10년의 중간 시점(2017)까지 10개의 아태지역 정부가 추가로 장애인권리협약을 비준 또는 가입하고, 종료시점(2022년)까지 또 다른 10개의 정부가 협약을 비준 또는 가입한다. – 장애인의 권리를 옹호하고 보호하기 위한 차별금지조항, 기술적 표준 및 기타 조치를 포함하는 국내법을 제정하고, 장애인권리협약과 국내법의 조화를 위해 장애인을 직·간접적으로 차별하는 내용의 국내법을 개정 또는 폐지한다.
10. 하위지역 간 협력의 강화	– 인천 전략의 이행을 지원하기 위한 ESCAP 다자간 기금 또는 기타 계획 및 프로그램에 기여한다. – 아태 지역의 개발협력기구는 그 정책과 프로그램에 장애포괄성을 강화한다. – UN지역위원회는 장애이슈 및 장애인권리협약의 이행에 대한 지역 간의 경험과 모범사례 공유를 강화한다.

출처: United Nations ESCAP Homepage (https://www.maketherightreal.net/incheon-strategy/goal-10)

아태 장애인 10년 행동계획이 진행되는 동안 국내 장애인 정책은 어떻게 발전되었을까?

제1차 아태 장애인 10년(1993~2002년)이 진행되는 동안 국내에서는 국무총리실 직속기구로 장애인복지대책위원회가 설치되어(1996년) 보건복지부·교육부·노동부의 세 개 부처를 중심으로 장애인복지발전 중기 계획을 수립하였다. 또한 1997년에는 「장애인·노인·임산부 등의 편의증진 보장에 관한 법률」이 제정되었고, 1998년에는 대한민국 장애인 인권선언이 채택되었다.

제2차 아태 장애인 10년(2003~2012년) 동안에 우리나라는 국제사회 권고사항을 실천하기 위해 많은 노력을 기울였고, 그 노력에 힘입어 국내 장애인 정책은 비약적으로 발전하게 되었다. 2005년에는 「장애인기업활동 촉진법」 및 「교통약자의 이동편의 증진법」을 제정하였고, 2007년에는 「장애인차별금지 및 권리구제 등에 관한 법률」 및 「장애인 등에 대한 특수교육법」을 제정하였다. 이처럼 이 시기에 우리나라는 다양한 법령의 제정을 통해 장애인 권리 향상을 위한 노력을 지속하였다.

제3차 아태 장애인 10년 동안에 이루어진 국내 장애인 관련 정책에서 눈여겨볼 점은 2019년 7월 1일부터 장애등급제가 단계적으로 폐지되었다는 점이다. 장애등급제는 1988년 도입되어 장애인 복지 서비스 확대에 도움을 주었으나, 의학적 판정 기준에 따라 획일적인 복지서비스를 제공한다는 한계가 있었다. 2019년에 우리 정부가 장애등급제를 단계적으로 폐지한다고 발표하면서 6등급으로 나뉘었던 장애등급을 없애고 장애인을 경증과 중증으로만 구분하도록 하였다. 장애등급제 폐지를 통해 그동안 복지서비스를 등급별 차등적으로 제공한 것을 없애고 장애인 개별 수요자 중심의 맞춤형 지원 서비스 체계를 추진하게 되었다.

지난 2022년 10월 19일-21일까지 인도네시아 자카르타에서는 제3차 아태 장애인 10년의 이행을 평가하는 정부 간 고위급 회의가 진행되었다. 이 자리에서 UN아태경제사회위원회 62개 회원국과 장애계 대표들은 향후 10년간의 계획을 담은 제4차 아태 장애인 10년(2023-2032, 자카르타 선언)을 선포하였다. 이 선포에 따라 아시아태평양지역 정부와 장애계는 2032년까지 지역 내 최초의 장애포괄개발 목표를 내세운 '인천전략'을 지속해서 이행하기로 했다. 또한 해당 행동계획을 속도감 있게 추진하기 위해 ▲UN 장애인권리협약(CRPD)과 국내법의 조화, ▲의사결정 과정에서 전 연령대의 다양한 장애를 가진 사람들의 의미 있는 참여 보장, ▲여러 유형의 장애인과 여성, 아동 및 노인 장애인의 고유의 욕구에 특별히 관심을 가지는 포괄적 접근, ▲장애포괄적 공공조달 정책 채택과 민간영역의 참여 조치, ▲장애정책 과정에서의 성인지적 접근, ▲양질의 비교가능한 데이터 생성 등 6개 정책과제를 위한 행동에 박차를 가하기로 했다. 아태 장애인 10년(2023-2032)에 관한 자카르타 선언문(영문/국문)은 한국장애인개발원 홈페이지에서 확인할 수 있다.

7. UN장애인권리협약(UNCRPD)[9]

2006년 12월 13일 제61차 UN총회에서 장애인의 포괄적 권리를 보장하는 국제인권조약이 192개 회원국의 만장일치로 통과되었다. 우리나라는 2008년 12월에 국회에서 장애인권리협약을 비준하여 다음 해인 2009년 1월 10일부터 국내법과 동일한 효력을 갖게 되었다. 그러나 우리나라는 상법 제732조의 내용("15세 미만자, 심신상실자 또는 심신박약자의 사망을 보험사고로 한 보험계약은 무효로 한다.")이 장애인권리협약 제25조 마항[3]의 내용과 충돌한다는 이유로 해당 조항의 비준을 유보한 상태로 비준하였다는 한계가 있다.

장애인권리협약은 모든 장애인이 모든 인권을 동등하게 누릴 권리를 존중하고 확인해야 할 국가의 의무와 법적 책임을 명확히 한 것으로, 전문과 본문 50개의 조항으로 구성되어 있다. 이 중 제3조(일반원칙)에서는 장애인의 인권 존중을 위한 8대 원칙을 제시하고 있다.

■ 표 2-4. UN장애인권리협약 제3조(일반원칙)

1	천부적인 존엄성, 선택의 자유를 포함한 개인의 자율성 및 자립에 대한 존중 원칙
2	비차별 원칙
3	완전하고 효과적인 사회참여 및 통합 원칙
4	장애가 갖는 차이에 대한 존중과 인간의 다양성 및 인류의 한 부분으로서의 장애인의 인정
5	기회의 균등 원칙
6	접근성
7	남녀의 평등
8	장애 아동의 점진적 발달능력 및 정체성 유지 권리에 대한 존중

또한 제25조(건강)에서는 장애인이 장애를 이유로 차별 없이 달성할 수 있는 최고 수준의 건강을 향유할 권리가 있음을 인정하고, 당사국은 의료 관련 재활을 포함하여 성별을 고려한 의료서비스에 대한 장애인의 접근을 보장하는 모든 적절한 조치를 취하며, 특히 다음의 사항을 이행할 것을 규정하고 있다.

---

3) 건강보험 및 국내법에 따라 허용되는 생명보험의 제공 시 장애인에 대한 차별을 금지하며, 이러한 보험은 공평하고 합리적인 방식으로 제공된다.

※ UN장애인권리협약 제25조(건강)

① 성적, 생식적 보건 및 인구에 기초한 공공보건프로그램을 포함하여 다른 사람에게 제공되는 것과 동일한 범위, 수준 및 기준의 무상 또는 감당할 수 있는 비용의 건강관리 및 프로그램을 장애인에게 제공한다.
② 적절한 조기 발견과 개입을 포함하여 장애인이 특히 장애에 기인하여 필요로 하는 의료서비스와 아동 및 노인에게 발생하는 장애를 포함하여 추가적인 장애를 최소화하고 예방하기 위하여 고안된 서비스를 제공한다.
③ 농촌 지역을 포함하여, 장애인이 속한 지역사회와 가능한 한 인접한 곳에서 이러한 의료서비스를 제공한다.
④ 공공 및 민간 건강관리 윤리기준에 대한 훈련과 홍보를 통하여, 특히 장애인의 인권, 존엄성, 자율성 및 필요에 대한 인식 증진에 따른 자유로운 사전 동의를 기초로, 건강전문가로 하여금 장애인에게 다른 사람과 동등한 질의 의료서비스를 제공하도록 요구한다.
⑤ 공평하고 합리적인 방식으로 제공되는 건강보험 및 국내법에 따라 허용되는 생명보험의 제공 시 장애인에 대한 차별을 금지한다.
⑥ 장애를 이유로 한 건강관리, 의료서비스 또는 식량과 음료의 차별적 거부를 금지한다.

　장애인권리협약을 비준한 가입국은 협약을 이행할 의무가 있으며, 이행에 대한 정기보고서를 제출할 의무가 있다. 또 그 보고서에 대해서 장애인권리협약위원회가 심의 후에 채택하는 최종 견해를 이행할 의무를 지게 된다.

8. 지속가능발전목표(UN-SDGs)[10]

　2015년 제70차 UN총회에서 지속가능한 발전을 위한 국제적인 약속으로 지속가능발전목표(Sustainable Development Goals, SDGs)를 채택했다. 지속가능발전이라 함은 현재의 필요만 충족시키는 발전이 아닌 미래 세대의 필요를 함께 충족시킬 수 있는 발전, 그리고 사회 및 경제 발전과 환경보호를 함께 발전시키려는 미래지향적인 의미를 포함하는 것이다. 이 목표를 구성하기 위해 전 세계의 UN회원국이 모여 2016년부터 2030년까지 달성해야 할 17개 목표 및 169개 세부목표를 구성하였다.

　지속가능발전목표는 모든 인류가 현재뿐만이 아니라 미래에도 지속적으로 발전하기 위한 노력을 약속한 것으로 장애인만을 대상으로 하는 노력은 아니지만, 경제와 사회가 발전하면서 누릴 수 있는 혜택을 누구나 평등하게 누려야 한다는 점에서 장애인에게도 상당한 의미가 있다.

　지속가능발전목표의 모든 조항은 장애인을 포함하고 있는데, 특히 장애인을 특별히 더 소외시키지 말아야 할 것을 강조한다. 특별히 눈여겨 볼 필요가 있는 세부목표를 소개하면 표 2-5와 같다.

■ 표 2-5. 지속가능발전목표 중 장애 또는 장애인이 포함된 세부목표

세부목표 4.5	2030년까지 교육에서의 성 불평등을 해소하고 장애인, 토착민, 취약한 상황에 처한 아동을 포함한 취약계층이 모든 수준의 교육과 직업훈련에 평등하게 접근하도록 보장한다.
세부목표 4.a	아동, 장애, 성 인지적인 교육시설을 건립하고 개선하며 모두를 위한 안전하고 비폭력적이며, 포용적이고 효과적인 학습 환경을 제공한다.
세부목표 8.5	2030년까지 청년과 장애인을 포함한 모든 여성과 남성을 위해 완전하고 생산적인 고용과 양질의 일자리 및 동일 가치 노동에 대한 동일 임금을 달성한다.
세부목표 10.2	2030년까지 나이, 성별, 장애 여부, 인종, 민족, 출신, 종교, 혹은 경제적 또는 기타 지위와 관계없이 모든 사람의 사회 · 경제 · 정치적 포용을 강화 · 증진한다.
세부목표 11.2	2030년까지 취약계층, 여성, 아동, 장애인 및 고령자의 필요에 특별한 주의를 기울이면서, 특히 대중교통 확대를 통하여 모두를 위한 안전하고 저렴하며 접근이 용이하고 지속가능한 교통체제에 대한 접근을 제공하고 도로안전을 향상한다.
세부목표 11.7	2030년까지 특히 여성과 아동, 노인 및 장애인을 위해 안전하고 포용적이며 접근이 용이한 공공녹지공간에 대한 보편적 접근을 보장한다.
세부목표 17.18	2020년까지 최빈국, 군소도서개도국을 포함한 개발도상국에 양질의, 시의적절하고, 신뢰가능하며, 세분화된(소득, 성별, 연령, 인종, 민족, 이주상태, 장애 여부, 지리적 위치 및 기타 국가별 맥락에 따라) 데이터의 가용성을 대폭 향상하기 위해 역량강화 지원을 확대한다.

2 장애인 권리보장을 위한 국내 주요 법령 및 정책

　우리나라 「헌법」에서는 모든 국민이 인간으로서의 존엄과 가치를 실현할 수 있는 몇 가지 기본적인 권리를 규정하고 있다. 「헌법」제10조에 따라 모든 국민은 인간으로서의 존엄과 가치를 가지며, 행복을 추구할 권리를 가진다. 또한 제34조에서는 우리나라 국민의 사회적 기본권을 규정하고 있는데, 인간다운 생활을 할 권리를 규정하고 있으며(제34조 제1항), 국가의 사회보장 및 사회복지 증진 노력의 의무(제34조 제2항)와, 신체장애자 및 질병·노령·기타의 사유로 생활능력이 없는 국민에 대한 국가의 보호를 규정하고 있다(제34조 제5항).[1]

　장애인과 관련된 법으로 1981년에 「심신장애자복지법」이 처음 제정된 이후 장애인의 권리 증진과 지원을 위한 관련 법령의 제정이 점차 확대되고 있는 중이다. 현재 우리나라는 장애인의 권리보장을 위해 표 2-6과 같은 법령을 제정 및 시행하고 있다. 이 절에서는 장애인 권리보장을 위한 국내 주요 법령 및 정책에 대해 살펴보고자 한다.

■ 표 2-6. 장애인 권리보장을 위한 국내 주요 법령

연도		법령
1980년대	1981년	「심신장애자복지법」 제정
	1989년	「심신장애자복지법」이 「장애인복지법」으로 명칭 변경
1990년대	1990년	「장애인고용촉진등에관한법률」 제정
	1995년	「정신보건법」 제정
	1997년	「장애인 · 노인 · 임산부등의편의증진보장에관한법률」 제정
	1998년	대한민국 「장애인인권헌장」 채택 및 선포
2000년대	2000년	「장애인고용촉진등에관한법률」이 「장애인고용촉진 및 직업재활법」으로 명칭 변경
	2005년	「교통약자의 이동편의 증진법」 제정 「장애인기업활동 촉진법」 제정
	2007년	「장애인차별금지 및 권리구제 등에 관한 법률」 제정 「장애인 등에 대한 특수교육법」 제정
	2008년	「중증장애인생산품 우선구매 특별법」 제정
2010년대	2010년	「장애인연금법」 제정
	2011년	「장애인활동 지원에 관한 법률」 제정 「장애아동 복지지원법」 제정
	2012년	「장애인 · 고령자 등 주거약자 지원에 관한 법률」 제정
	2014년	「발달장애인 권리보장 및 지원에 관한 법률」 제정
	2015년	「장애인 건강권 및 의료접근성 보장에 관한 법률」 제정 「장애인 · 노인 등을 위한 보조기기 지원 및 활용촉진에 관한 법률」 제정
	2016년	「정신보건법」이 「정신건강증진 및 정신질환자 복지서비스 지원에 관한 법률」로 명칭 변경 「한국수화언어법」 제정 「점자법」 제정
2020년대	2021년	「노인 · 장애인 등 사회복지시설의 급식안전 지원에 관한 법률」 제정

1. 「장애인복지법」[12]

　「장애인복지법」은 1981년 제정된 「심신장애자복지법」에서부터 시작되었다. 1989년 심신장애자라는 용어를 장애인으로 수정하면서 법을 전면 개정하였고, 현재의 「장애인복지법」으로 명칭을 변경하였다. 그 이후에도 1999년과 2007년 전부개정을 통해 관련 규정을 재편하였다.

　1981년의 「심신장애자복지법」은 심신장애자의 재활 및 보호에 관하여 필요한 사항을 정함으로

써 주로 심신장애자복지시설에 관한 내용을 규정하였다. 이 법의 제정 이후 정부는 보건사회부[4] 내에 재활과를 신설하여 장애인복지 전담부서로서 역할하게 하였다.

1989년「장애인복지법」으로 명칭변경 및 전부개정을 통해 장애인의 자립 및 보호에 관하여 필요한 사항을 규정하였다. 구체적으로 장애인복지에 관한 사항을 심의·건의하기 위하여 보건사회부에 중앙장애인복지위원회를 설치하고(제6조), 장애인등록제[5]를 신설하였다(제19조).

1999년「장애인복지법」이 전부개정되면서 장애 범주 확대를 위한 법적 근거가 마련되었다. 개정된「장애인복지법」제2조 제1항에 따라 장애인의 정의를 "신체적·정신적 장애로 인하여 장기간에 걸쳐 일상생활 또는 사회생활에 상당한 제약을 받는 자"로 확대시켰다. 또한 장애인복지 종합정책을 수립하고 관계부처 간의 의견을 조정하며 그 정책의 이행을 감독하고 평가하기 위하여 국무총리 소속하에 장애인복지조정위원회를 설치하고(제11조), 장애인의 선거권 행사의 편의를 위한 조치(제23조), 장애인사용자동차 등에 대한 지원(제35조), 장애아동부양수당 및 보호수당(제45조) 등의 내용을 규정하였다.

2007년 시행된 전부개정을 통해서는 장애인의 인간다운 삶과 권리보장을 강조하여 장애인의 사회활동 참여증진에 중점을 두었다. 구체적으로 여성장애인의 권익보호(제7조), 중증장애인의 자립생활지원(제54조), 활동보조인 등 서비스 지원(제55조)을 위한 대책을 강조하였다. 또한 장애수당(제49조), 장애인보조기구(제65조) 등 복지서비스를 확대하였다.

또한 우리사회에 남아있는 장애인에 대한 차별 및 편견을 개선하기 위해 2016년부터는 국가 및 지방자치단체에서 어린이집, 유치원, 초·중·고교, 대학교, 공공기관, 지방공사 및 지방공단, 특수법인에 소속된 직원을 대상으로 장애인 인식개선 교육을 시행하고 있다.

2. 장애인정책종합계획[13]

장애인정책종합계획은「장애인복지법」에 따라 우리나라 장애인 정책의 청사진을 제시하는 핵심 계획으로, 보건복지부뿐만이 아니라 관련 정책기관이 모여 5년마다 계획을 수립하는 범정부 차원의 종합계획이다.

---

4) 오늘날의 보건복지부를 말한다.
5) 「장애인복지법」(1989.12.30. 전부개정), 제19조(장애인 등록) ①장애인, 그 법정대리인 또는 대통령령으로 정하는 보호자는 장애상태 기타 보건사회부장관이 정하는 사항에 관하여 서울특별시장·직할시장 또는 도지사에게 등록하여야 한다.

1998년 제1차 계획[6]이 수립·시행된 이후 2018년부터 2022년까지 제5차 장애인정책종합계획이 추진되었다. 또한 2023년 3월 9일 보건복지부는 2023년~2027년까지 추진할 '제6차 장애인정책종합계획'을 발표하였다.

■ 표 2-7. 장애인정책종합계획 추진연혁

구분	1차('98~'02)	2차('03~'07)	3차('08~'12)	4차('13~'17)	5차('18~'22)	6차('23~'27)
목표	장애인의 완전한 사회참여와 평등보장	장애인이 대등한 시민으로 통합적 사회실현	장애인의 권리에 기반한 참여확대와 통합사회 실현	장애인과 비장애인이 더불어 행복한 사회 실현	장애인의 자립생활이 이루어지는 포용사회	장애인의 사회적 배제 해소와 삶의 질 향상
세부과제	3대 분야 71개 세부과제	7대 분야 103개 세부과제	4대 분야 58개 세부과제	4대 분야 71개 세부과제	5대 분야 71개 세부과제	9대 분야 74개 세부과제
주요정책	장애범주 확대, 장애인 고용지원	장애수당 확대, 장애아 무상보육, 문화바우처 도입	장애인연금 도입, 장애인활동 지원 서비스 도입	장애등급제 개편 및 맞춤형 서비스 지원체계 시범사업	장애등급제 폐지 및 맞춤형 종합지원체계 구축	지역사회 기반 장애인 보건의료체계 강화
참여부처	3개 부처	5개 부처	12개 부처	12개 부처	12개 부처	12개 부처

장애인정책종합계획의 수립 및 시행은 「장애인복지법」에 그 근거를 두고 있다. 「장애인복지법」 제10조 제2항에 따르면 보건복지부 장관은 장애인의 권익과 복지증진을 위하여 관계 중앙행정기관의 장과 협의하여 5년마다 장애인정책종합계획을 수립·시행하여야 한다. 종합계획에는 ①장애인의 복지에 관한 사항, ②장애인의 교육문화에 관한 사항, ③장애인의 경제활동에 관한 사항, ④장애인의 사회참여에 관한 사항, ⑤장애인의 안전관리에 관한 사항, ⑥그 밖에 장애인의 권익과 복지증진을 위하여 필요한 사항을 포함해야 한다고 규정하고 있다.

3. 「장애인고용촉진 및 직업재활법」[14]

「장애인고용촉진 및 직업재활법」은 장애인이 능력에 맞는 직업생활을 통해 인간다운 생활을 할 수 있도록 장애인의 고용촉진 및 직업재활을 꾀하는 것을 목적으로 한다. 이 법은 1990년도에 「장애인고용촉진 등에 관한 법률」로 제정되었고, 2000년도에 「장애인고용촉진 및 직업재활법」으로 명칭을 변경하였다.

---

6) 1998년 장애인복지발전 5개년 계획이라는 이름으로 시작되었지만, 오늘날에는 장애인정책종합계획이라는 이름으로 추진되고 있다.

이 법에 따라 국가와 지방자치단체는 장애인의 고용촉진 및 직업재활에 관하여 사업주 및 국민의 이해를 높이기 위하여 교육·홍보 및 장애인 고용촉진 운동을 지속적으로 추진하고, 장애인의 특성을 고려한 직업재활 조치를 강구해야 한다. 또 장애인의 고용촉진을 위하여 필요한 시책을 추진하고, 특히 중증장애인과 여성장애인에 대한 고용촉진 및 직업재활을 중요시해야 할 책임이 있다.

이 법의 제28조에 따라 우리나라는 장애인을 일정비율 이상 고용하도록 하는 장애인 고용의무 제도를 추진하고 있다. 국가와 지방자치단체, 상시 50명 이상의 근로자를 고용하고 있는 사업주에게 근로자 중 장애인을 일정 비율 이상 고용하도록 의무를 부과하고, 미 준수 시 부담금을 부과하고 있다.

■ 표 2-8. 장애인 의무고용률

기준연도		2018년	2019년	2020년	2021년	2022년	2023년
국가 및 지자체	공무원	3.2%	3.4%	3.4%	3.4%	3.6%	3.6%
	비공무원	2.9%	3.4%	3.4%	3.4%	3.6%	3.6%
공공기관		3.2%	3.4%	3.4%	3.4%	3.6%	3.6%
민간기업		2.9%	3.1%	3.1%	3.1%	3.1%	3.1%

출처: 한국장애인고용공단 고용의무제도 (https://www.kead.or.kr/emplyobsys/cntntsPage.do?menuId=MENU0648)

4. 「장애인·노인·임산부 등의 편의증진 보장에 관한 법률」[15]

「장애인·노인·임산부 등의 편의증진 보장에 관한 법률」은 장애인들이 일상생활에서 안전하고 편리하게 시설과 설비를 이용하고 정보에 접근할 수 있도록 보장함으로써 이들의 사회활동 참여와 복지 증진에 이바지함을 목적으로 한다.

이 법은 장애인들의 편의시설 이용, 정보에 쉽게 접근할 수 있는 접근권을 인정하면서 편의시설을 설치하여야 하는 대상시설 및 편의시설의 설치기준을 규정한다. 또한 편의시설 설치에 관한 실태조사 실시, 장애인등이 많이 이용하는 공공건물 및 공중이용시설에 휠체어, 점자안내책자, 보청기기 등을 비치하여 장애인등이 해당 시설을 편리하게 이용할 수 있도록 규정하고 있다.

5. 장애인인권헌장[16]

1975년 UN총회에서 채택된 세계 장애인 권리선언을 근거로, 우리나라의 특수성을 반영한 대한

민국「장애인인권헌장」이 1989년에 공포되었다. 장애인인권헌장은 장애인들이 장애를 이유로 사회의 여러 분야에서 차별 대우를 받는 것에 대해 비장애인과 동등한 대우를 요청하는 선언문이다.

장애인인권헌장은 전문과 13개의 조항으로 구성되어 있다. 전문에서는 "국가와 사회는 헌법과 국제연합의 장애인 권리선언의 정신에 따라 장애인의 인권을 보호하고 완전한 사회참여와 평등을 이루어 더불어 살아가는 사회를 만들기 위한 여건과 환경을 조성하여야 한다."고 명시하고 있다. 또한 13개 조항에서는 ①장애인이 장애를 이유로 차별 받지 않아야 하는 내용, ②의료 및 사회복지서비스 등의 보장, ③시민권과 정치적 권리, ④자유로운 이동과 시설이용에 필요한 편의를 제공 받을 권리, ⑤능력 개발을 위해 필요한 교육을 받을 권리, ⑥직업선택, ⑦여가활동 참여, ⑧가족과 함께할 권리, ⑨사회로부터 학대 받지 않을 권리, ⑩재산 보호, ⑪여성장애인이 임신·출산 등에 있어 필요한 보호와 지원을 받을 권리, ⑫혼자 힘으로 의사결정이 힘든 장애인을 위한 지원, ⑬국가 정책결정의 참여 등 장애인이 누려야 할 모든 권리에 대해 명시하고 있다.

6.「장애인차별금지 및 권리구제 등에 관한 법률」[17]

장애를 이유로 한 차별을 금지하고 장애를 이유로 차별 받은 사람의 권익을 구제함으로써 장애인의 완전한 사회참여와 평등권 실현을 통하여 인간으로서의 존엄과 가치를 구현하기 위해 2007년에「장애인차별금지 및 권리구제 등에 관한 법률」(이하, 장애인차별금지법)이 제정되었다.

이 법은 고용, 교육, 재화와 용역의 제공 및 이용, 사법·행정절차 및 서비스와 참정권, 모·부성권, 성(性), 장애여성 및 장애아동 등 모든 생활 영역에서 장애를 이유로 한 차별을 금지하고, 장애인의 인간으로서의 존엄과 가치의 구현을 목적으로 한다. 또한 이 법은 장애인의 실질적인 권리보장을 달성하기 위해 적극적으로 차별이 시정되어야 한다는 내용을 담고 있다.

그렇다면 장애인차별금지법에서 금지하고 있는 '차별'은 무엇을 의미하는 것일까? 장애인차별금지법 제4조에서는 차별행위에 대해 다음과 같이 규정하고 있다.

※「장애인차별금지법」제4조(차별행위)

① 이 법에서 금지하는 차별이라 함은 다음 각 호의 어느 하나에 해당하는 경우를 말한다.
1. 장애인을 장애를 사유로 정당한 사유 없이 제한·배제·분리·거부 등에 의하여 불리하게 대하는 경우
2. 장애인에 대하여 형식상으로는 제한·배제·분리·거부 등에 의하여 불리하게 대하지 아니하지만 정당한 사유 없이 장애를 고려하지 아니하는 기준을 적용함으로써 장애인에게 불리한 결과를 초래하는 경우
3. 정당한 사유 없이 장애인에 대하여 정당한 편의 제공을 거부하는 경우
4. 정당한 사유 없이 장애인에 대한 제한·배제·분리·거부 등 불리한 대우를 표시·조장하는 광고를 직접 행하거나 그러한 광고를 허용·조장하는 경우. 이 경우 광고는 통상적으로 불리한 대우를 조장하는 광고효과가 있는 것으로 인정되는 행위를 포함한다.
5. 장애인을 돕기 위한 목적에서 장애인을 대리·동행하는 자(장애아동의 보호자 또는 후견인 그 밖에 장애인을 돕기 위한 자임이 통상적으로 인정되는 자)에 대하여 제1호부터 제4호까지의 행위를 하는 경우. 이 경우 장애인 관련자의 장애인에 대한 행위 또한 이 법에서 금지하는 차별행위 여부의 판단 대상이 된다.
6. 보조견 또는 장애인보조기구 등의 정당한 사용을 방해하거나 보조견 및 장애인보조기구 등을 대상으로 제4호에 따라 금지된 행위를 하는 경우

한편, 이 법을 적용함에 있어서 차별 여부를 판단할 때는 장애인 당사자의 성별, 장애의 유형 및 정도, 특성 등을 충분히 고려하여야 한다(제5조). 또 국가 및 지방자치단체는 장애인 및 장애인 관련자에 대한 모든 차별을 방지하고 차별 받은 장애인 등의 권리를 구제할 책임이 있으며, 장애인 차별을 실질적으로 해소하기 위해 이 법에서 규정한 차별 시정에 대하여 적극적인 조치를 취하여야 한다. 또한 장애인 등에게 정당한 편의가 제공될 수 있도록 필요한 기술적·행정적·재정적 지원을 해야 한다(제8조).

그렇다면 만약 장애인이 인권침해나 차별을 받았다면, 또는 장애인이 차별당하는 것을 목격했다면 어떻게 하는 것이 좋을까? 이 경우 차별을 당한 장애인 또는 그 사실을 목격했거나 알고 있는 사람은 국가인권위원회에 그 내용을 진정할 수 있다(제38조).

7.「발달장애인 권리보장 및 지원에 관한 법률」[18]

발달장애인은 장애 특성상 스스로 자신의 권리를 주장하거나 옹호하기가 힘들어 인권의 사각지대에 놓여있게 될 가능성이 높다. 이에 2014년 발달장애인의 사회참여를 촉진하고, 권리를 보호하며, 인간다운 삶을 지원하기 위해「발달장애인 권리보장 및 지원에 관한 법률」을 제정하게 되었다.

이 법은 발달장애인의 생애주기별 복지욕구를 고려하여 발달장애인의 권리를 보장하고 사회참

여를 활성화하기 위한 내용을 담고 있다.

구체적으로 자신의 주거지의 결정, 의료행위에 대한 동의나 거부, 타인과의 교류, 복지서비스의 이용 여부와 서비스 종류의 선택 등을 스스로 결정할 수 있도록 보장하고 있으며, 더 나아가서는 발달장애인뿐만이 아니라 그 가족 및 보호자까지도 지원하기 위한 내용을 담고 있다.

8. 「장애인 건강권 및 의료접근성 보장에 관한 법률」[19]

장애인은 우리나라 전체 인구에 비해 고혈압, 당뇨병 등의 만성질환 유병률이 높고, 그에 따른 의료비 지출도 높다. 하지만 예방적 건강관리 서비스를 이용하는 수준은 전체 인구에 비해 낮은 편이다. 2020년 장애인 실태조사 결과에 따르면 최근 2년간 건강검진 및 암검진을 받아본 경험이 있는 장애인 비율은 각각 70.4%, 46.9%로 나타났다.[20] 직접 비교하기는 어렵지만 이는 2019년 건강보험 대상자 기준 건강검진 수검률 74.1% 및 암검진 수검률 55.8%에 비해 낮은 수준이다.[21] 더욱이 장애 정도가 심한 중증장애인일수록 건강검진 및 암검진 수검률은 더 낮은 경향을 보인다.

건강검진이나 암검진을 받고 있다고 응답한 장애인들도 사실 모든 검진 서비스를 다 이용하고 있는 것은 아니다. 앞선 [사례]에서 살펴본 척수장애인 A씨와 B씨의 경우처럼, 많은 장애인이 장애 특성에 따라 일부 검진은 받지 못하고 '패스'되는 경우도 허다하다. 휠체어를 이용하는 척수장애인이나 누워서 생활하는 와상장애인은 장애친화시설과 장애친화검진기기가 잘 갖추어져 있지 않은 의료기관에서는 검진을 받기 어렵다.

그동안 우리나라는 「장애인복지법」, 「장애인차별금지 및 권리 구제 등에 관한 법률」 등 장애인의 권리 향상과 복지 증진을 위한 다양한 법률 및 제도들을 제정 및 시행해 왔다. 그러나 장애 특성을 고려한 의료서비스 및 공공의료정책의 제공 등 장애인의 건강권 및 의료접근성을 보장하기 위한 제도 마련의 필요성이 지속적으로 제기되었다. 이에 2015년 12월 29일 「장애인 건강권 및 의료접근성 보장에 관한 법률」(이하, 「장애인건강권법」) 제정을 통해 우리나라 장애인의 건강권 보장을 위한 지원, 장애인 보건관리체계 확립 및 의료접근성 보장에 관한 내용을 공포하였고, 공포 2년 뒤인 2017년 12월 30일에 본격적으로 시행하였다.

1) 장애인건강권법의 주요 내용

2020년 장애인 실태조사 결과에 따르면 우리나라 장애인이 건강검진을 받지 않는 주요 이유로 '검진기관까지의 이동이 불편해서(18.4%)', '의사소통의 어려움이 있어서(3.6%)', '검진기관에 동행할 사람이 없어서(2.7%)', '검진기관에 장애인을 위한 검진시설 및 장비부족으로 이용이 불편해서(2.6%)' 등 많은 장애인이 의료기관의 장애인 접근성 문제를 지적하였다.[22]

장애인의 의료서비스 이용 접근을 어렵게 만드는 요인으로는 크게 환경적 장벽, 구조적 장벽, 과정상의 장벽으로 나누어 살펴볼 수 있다. 환경적 장벽은 쉽게 말해 장애인이 이용하기 불편한 의료기관의 시설 및 비장애인 위주의 검사장비를 말하고, 구조적 장벽은 의료서비스 가격과 환자의 소득관계, 즉 의료비의 지불능력을 의미한다. 또한 과정상의 장벽은 의료진의 장애에 대한 인식 부족으로 장애인에 대한 선입견을 가지고 있는 태도를 들 수 있겠다.[23,24]

「장애인건강권법」의 주요 추진 목표는 장애인의 의료서비스 이용 접근을 어렵게 만드는 요인을 줄이고, 장애인과 비장애인 간 건강 격차를 줄이는 것에 있다. 구체적으로 이동의 제한 및 교통의 제약으로 의료기관에 가기 어려운 문제, 의료진과의 의사소통이 원활하지 않아 제대로 의료서비스를 받지 못하는 문제, 또는 장애친화적이지 않은 시설 및 장비로 검사를 제대로 받을 수 없는 문제 등을 해소하고 장애인의 건강관리를 위한 여러 서비스를 제공하는 것이다. 또 다른 추진 목표로는 장애인의 퇴원 이후의 삶을 지원해주기 위한 장애인 사회복귀 지원의 강화 및 지역사회 인프라의 확충에 있다.

「장애인건강권법」의 주요 내용 중 하나는 '장애인 건강보건관리종합계획의 수립'이다. 「장애인건강권법」제6조에 따르면 국가는 장애인의 건강보건관리에 관한 종합대책을 5년마다 수립하고, 우리나라 국민에 대한 건강증진종합계획 및 실행계획을 수립·시행함에 있어서 장애인 건강보건관리 종합계획을 포함하도록 규정하고 있다. 장애인 건강보건관리종합계획에는 다음의 사항이 포함되어야 한다.

※ 장애인 건강보건관리종합계획에 포함되어야 할 사항(「장애인건강권법」 제6조 제2항)

1. 장애인 건강보건관리사업의 목표와 방향에 관한 사항
2. 장애인 건강보건관리사업의 추진계획 및 방법에 관한 사항
3. 장애인 건강보건관리에 필요한 전문인력의 육성 및 교육·훈련에 관한 사항
4. 장애 유형 및 정도, 성별 특성 등에 따른 장애인 건강보건관리에 관한 사항
5. 모성권 보장 등 여성장애인의 건강보건관리에 관한 사항
6. 그 밖에 장애인의 건강증진 및 장애인 건강보건관리를 위하여 필요한 사항

또한 「장애인건강권법」은 장애인의 건강을 관리하기 위한 건강보건관리 전달체계와 재활의료 전달체계의 내용을 함께 규정하고 있으며, 그 외에도 장애인 건강 주치의 사업, 장애인 건강검진사업, 재활운동 및 체육, 장애인 건강권 교육사업 등 장애인의 건강관리를 위해 제공되는 여러 개별 서비스에 대한 내용을 규정하고 있다.

지금부터는 「장애인건강권법」에 따라 수행되고 있는 주요 정책 및 제도에 대해 하나씩 살펴보겠다.

2) 장애인 건강보건관리 전달 체계 구축

「장애인건강권법」에서는 지역사회 보건의료-복지 서비스 제공 주체들 간의 연계 및 조정을 통해 장애인들이 자신이 속한 지역사회 자원을 활용하여 건강하고 주체적인 삶을 살 수 있도록 하는 내용을 포함하고 있다. 이를 위해 장애인보건의료센터 설치와 보건소 지역사회중심재활사업 확충 등 중앙정부-시·도-시·군·구가 연계하는 건강보건관리 전달체계를 구축하고 있다.[25]

(1) 중앙장애인보건의료센터

중앙장애인보건의료센터는 지역장애인보건의료센터, 권역재활병원, 관련 전문 의료기관, 보건소 지역사회중심재활사업 등과 연계해 장애인 건강보건관리 전달체계의 컨트롤 타워로서의 역할을 수행한다. 2021년 국립재활원이 중앙장애인보건의료센터로 재지정 받아 그 역할을 수행하고 있다. 「장애인건강권법」제19조에 따른 중앙장애인보건의료센터의 역할은 다음과 같다.

> ※「장애인건강권법」제19조에 따른 중앙장애인보건의료센터의 역할
>
> 1. 장애인 건강보건관리사업의 기획 및 장애인 건강보건관리 전달체계의 구축
> 2. 장애인 건강보건 관련 정보·통계의 수집·분석 및 제공
> 3. 장애인의 진료 및 재활
> 4. 장애인 건강보건관리에 관한 연구
> 5. 지역장애인보건의료센터에 대한 지원 및 평가
> 6. 장애인건강보건 관련 사항의 홍보
> 7. 장애의 예방·진료·재활 등에 관한 신기술·가이드라인의 개발 및 보급
> 8. 장애인 건강보건관리 서비스를 제공하는 인력의 교육·훈련
> 9. 장애인 건강보건 관련 국제협력
> 10. 여성장애인의 임신과 출산 시 장애 유형에 맞는 전문의료서비스 제공
> 11. 그 밖에 보건복지부 장관이 필요하다고 인정하는 사업

(2) 지역장애인보건의료센터

지역장애인보건의료센터는 광역시·도 단위 지원 기관으로, 「의료법」제3조 제2항 제3호에 따른 병원급 의료기관 중 장애인 건강보건관리에 관한 업무를 잘 수행할 수 있는 기관을 지정하고 운영하도록 한다. 지역장애인보건의료센터는 장애인 건강보건관리 및 재활의료사업, 여성장애인 모성보건사업, 보건의료인력 및 장애인가족 교육, 건강검진·진료·재활의료서비스 제공 등의 역할을 수행한다.[26]

※「장애인건강권법」제20조에 따른 지역장애인보건의료센터의 역할

1. 장애인에 대한 건강검진, 진료 및 재활 등의 의료서비스 제공
2. 해당 지역의 장애인 건강보건의료 및 재활의료사업에 대한 지원
3. 해당 지역의 장애인 관련 의료 종사자에 대한 교육·훈련
4. 여성장애인의 임신과 출산 시 장애 유형에 맞는 전문의료서비스 제공
5. 그 밖에 보건복지부 장관이 필요하다고 인정하는 사업

(3) 보건소 지역사회중심재활사업

보건소는 장애인 건강보건관리 전달체계에 있어 시·군·구 단위의 지원 기관으로, 현재 전국 254개의 보건소가 지역사회중심재활(Community Based Rehabilitation, CBR)사업을 수행하고 있다. CBR이라는 명칭은 세계보건기구(WHO)에서 재활인프라가 없는 중·저개발 국가를 대상으로 지역사회 자원의 활용을 통해 장애인의 재활서비스 접근을 개선하는 전략을 발표한 것에서부터 시작되었다.[27] 우리나라는 전국의 모든 지역을 대상으로 지역별 큰 격차 없이 효율적으로 사업을 수행하기 위해 보건소를 중심으로 CBR 사업을 수행하고 있다. CBR 사업을 통해 보건소는 장애인 건강보건관리사업, 장애인 사회참여사업, 장애발생 예방사업 등 여러 다양한 사업을 추진하고 있다. 또한 「장애인건강권법」이 시행된 이후부터는 지역사회의 다양한 기관들과의 연계를 통해 장애인의 재활 촉진 및 사회참여를 증진시켜 장애인이 보다 건강한 삶을 누릴 수 있도록 하는 핵심 기관으로 발전해 나가고 있다.

(4) 재활의료기관의 지정 및 운영

그동안 우리나라 재활의료 환경은 장애인의 재활서비스에 대한 요구를 충분히 충족시키기 어려웠고, 장애인이 아급성기 전문재활의료기관에서 지역사회로 복귀하는 데 있어 필요한 연계 시스템과 프로그램이 부족한 실정이었다. 이러한 문제로 기능 회복시기에 적절한 재활치료를 받지 못해 장애가 고착되거나, 재활 후 지역사회로 복귀하는 장애인의 비율이 그다지 높지 않았다. 회복기 집중재활을 통한 장애기능 개선과 회복, 그리고 장애인의 성공적인 사회복귀를 위한 재활의료전달체계 구축을 위해 「장애인건강권법」제18조에서는 재활의료기관을 지정하여 운영하도록 규정하고 있다. 재활의료기관의 지정 및 운영을 통해 팀 접근(team approach) 방식이 많이 강조되었는데, 의사, 간호사, 물리치료사, 작업치료사, 심리치료사, 사회복지사 등이 서로 협업을 통해 통합재활기능평가를 수행하고, 이를 통해 환자의 상태를 서로 공유하면서 환자의 퇴원계획 및 퇴원 이후의 삶을 준비할 수 있게 되었다. 또한 '지역사회연계관리치료' 수가 신설을 통해 퇴원 이후 환자가 건강하게 사회에 복귀할 수 있는 여러 활동 등을 수행할 수 있게 되었다.

(5) 권역재활병원 지정 및 운영

권역재활병원은 「장애인복지법」제18조(의료와 재활치료)에 근거하여 설치된 것으로 급성기 치료 후 잔존 장애에 대한 진단 및 평가와 재활치료를 통해 장애를 최소화하고, 장애인의 신체적·정신적 기능을 최대화시켜 조기 사회복귀와 독립적 생활이 가능하도록 지속적인 서비스를 제공하는 역할을 수행한다.[28] 「장애인건강권법」시행 이후에는 지역장애인보건의료센터와의 연계를 통해 장애인 건강보건관리 전달체계를 지원하는 기관으로서의 역할을 수행하고 있다.

3) 장애인 건강보건관리 서비스

(1) 장애인 건강 주치의 제도

장애인에게 지속적이고 포괄적인 건강관리 서비스를 제공하기 위해 장애인 건강 주치의 제도가 도입되었다. 「장애인건강권법」제16조에 따르면 국가 및 지방자치단체는 장애 정도가 심하여 건강에 대한 특별한 보호가 필요한 중증장애인에 대하여 장애인 건강 주치의 제도를 시행할 수 있다고 규정하고 있으며, 제도의 대상이 되는 중증장애인의 범위 및 내용 등에 대한 사항을 대통령령으로 정하고 있다. 사업의 내용을 살펴보면, 장애인 건강 주치의 교육을 이수한 의사는 일반건강관리 또는 주 장애관리 건강 주치의로 등록하여 중증장애인에게 만성질환 또는 장애 관련 건강관리를 지속적이고 포괄적으로 제공할 수 있다. 장애인 건강 주치의 제도를 통해 제공될 수 있는 서비스의 종류는 다음과 같다.

■ 표 2-9. 장애인 건강 주치의 사업에서 제공하는 서비스 종류

포괄평가 및 계획수립	장애인의 만성질환 또는 장애 관련 건강문제를 포괄적으로 평가하고, 효율적으로 관리할 수 있도록 연간 관리계획을 수립하여 종합계획서 제공
교육 및 상담	장애인의 건강관리능력을 향상시키기 위해 표준화된 교육 및 상담 매뉴얼에 따라 건강 주치의가 1대1 대면으로 장애인과 최소 10분 이상 교육 및 상담 진행
환자관리	거동불편 등 사유로 내원이 어려운 경우 건강 주치의가 주기적으로 전화로 비대면 교육 및 상담을 제공하며, 환자의 상태, 약물복용 여부, 합병증 유무 등을 확인
방문 서비스	통원이 어려운 중증 장애인을 대상으로 방문진료 및 방문간호 서비스 제공
맞춤형 검진바우처 제공	장애인 건강주치의 사업에 참여하는 고혈압, 당뇨병 환자(장애인)에게 질환별 검사 제공
협력기관 간 진료의뢰 회송	건강주치의가 중증장애인의 건강문제를 해결하기 위해서 전문 분야 또는 타 진료 분야에 의뢰하고 그 결과를 회신 받아 관리하는 서비스

출처: 국립재활원 (http://www.nrc.go.kr/chmcpd/html/content.do?depth=pi&menu_cd=02_04_01)

2020년 추진된 장애인 건강 주치의 2단계 시범사업부터는 구강 영역으로까지 확대되어 '장애인

치과 주치의 시범사업'을 함께 진행하고 있다. 이 사업은 중증장애인이 치과 주치의로 등록 및 신청한 치과의사를 선택하여 구강관리서비스를 지속적으로 제공 받을 수 있는 것으로 현재 일부 지역에서만 시범적으로 운영되고 있다.[29]

장애인 건강 주치의 시범사업은 「장애인건강권법」에 의해 추진되고 있는 사업이지만, 아직까지는 이 사업에 대한 장애인의 인식이 전반적으로 부족한 상황이다. 따라서 제도 정착을 위한 홍보 확대 등의 노력이 필요하며, 장애인의 특성과 요구를 반영한 제도의 활성화 방안이 요구되고 있다.

(2) 장애친화 건강검진사업

그동안 장애인은 비장애인 위주의 시설 및 검사장비, 또 장애에 대한 의료진의 이해 부족 등으로 건강검진을 제대로 받을 수 없는 상황이었다. 장애친화 건강검진사업은 「장애인건강권법」 시행 초기 그 필요성에 대해 장애인들이 가장 많이 호소했던 사업이다. 장애인이 일반건강검진, 암검진 등 국가건강검진을 안전하고 편리하게 받을 수 있도록 「장애인건강권법」 제7조에서는 장애친화 건강검진기관을 지정하여 운영하도록 규정하고 있다. 장애친화 건강검진기관에서 제공되는 건강검진 항목은 국민건강보험공단에서 실시하는 국가건강검진 항목과 동일하며, 장애 정도가 심한 중증장애인 대상으로는 장애유형별 건강검진 보조 지원서비스를 제공하기도 한다.

■ 표 2-10. 장애유형별 건강검진 보조 지원서비스

장애유형	지원서비스
지체·뇌병변장애	– 휠체어 사용자의 동선과 눈높이에 맞는 진료 및 편의시설 구비
청각장애	– 의료진과 의사소통을 위해 수어 통역(사전예약 필요) 지원 – 필담(문자)이 가능한 진료시간 확보
시각장애	– 보호자를 동반하지 않아도 시각장애 수검자가 안전하게 검사를 받을 수 있도록 안내 인력이 이동과 의사소통 지원
발달장애	– 검사받기가 무섭다면 가족(보호자)과 함께 검사 가능 – 아프거나 힘든 검사를 무리하게 강요하지 않음 – 의사와 간호사들이 환자의 눈높이에 맞춰 쉽게 설명하고, 검진 과정 등에 주의를 기울임

출처: 국립재활원 중앙장애인보건의료센터 (http://www.nrc.go.kr/chmcpd/html/content.do?depth=pi&menu_cd=02_05_02_01)

(3) 장애인 건강권 교육

장애인의 의료접근성을 높이기 위해서는 장애인이 이용하기 편리한 시설 및 검사장비를 갖춘 병원 환경을 구축하는 것도 중요하지만, 무엇보다도 장애인을 만나는 의료진들의 장애인에 대한 인식 및 태도를 개선하는 것이 우선되어야 한다. 실제로 많은 장애인들이 '의료진의 장애특성 이해 및 배려부족(34.8%)'으로 인해 의료기관 이용 및 진료를 받는 과정에서 불편함을 느끼는 것으로 조사되었다.[30] 또한 장애인 및 장애인 가족, 시설생활 지원 담당자 대상 인터뷰를 통해 장애인의 의료 서비스 접근경험 및 소외문제를 조사한 연구에서도 장애인에 대한 의료진의 인식과 태도 문제를 지적하였다.[31] 「장애인건강권법」제14조에서는 장애인을 진료하는 의료진 등을 대상으로 장애인 건강권 관련 인식 향상을 위해 장애인 건강권 교육을 실시할 수 있다고 규정하고 있다. 또한 보건복지부는 장애인 건강권 교육의 확대 방안으로 장기적으로는 의료 인력을 양성하는 대학 교육과정에 장애이해 교육내용을 포함하는 방안도 검토 중이다.[32]

※ 「장애인건강권법」제14조(장애인 건강권 교육)

① 국가와 지방자치단체는 장애인 건강권 관련 인식 향상을 위하여 다음 각 호의 어느 하나에 해당하는 사람을 대상으로 장애인 건강권에 관한 교육을 실시할 수 있다.
1. 장애인의 진료·재활 등을 담당하는 의료인
2. 장애인 관련 시설 종사자 및 장애인 관련 보조인력
3. 여성장애인의 임신, 출산 등을 담당하는 의료인
4. 그 밖에 보건복지부령으로 정하는 장애인 관련 업무 담당자
② 제1항에 따른 교육의 실시 시기·내용·방법 등에 필요한 사항은 보건복지부령으로 정한다.

※ 「장애인건강권법」시행규칙 제6조(장애인 건강권 교육)

① 법 제14조 제1항 제4호에서 "보건복지부령으로 정하는 장애인 관련 업무 담당자"란 장애인의 진료·재활 등을 담당하는 다음 각 호의 사람을 말한다.
1. 「의료기사 등에 관한 법률」에 따른 의료기사
2. 「약사법」에 따른 약사 및 한약사
3. 「의료법」에 따른 간호조무사
4. 「응급의료에 관한 법률」에 따른 응급구조사
② 법 제14조 제1항에 따른 장애인 건강권 교육(이하 이 조에서 "장애인 건강권 교육"이라 한다)에는 다음 각 호에 관한 사항이 포함되어야 한다.
1. 장애의 정의 및 장애 유형, 모성권 보장 등 성별 특성에 대한 이해
2. 장애인과의 의사소통
3. 장애인에 대한 진료·상담·검사 시의 유의사항
4. 장애인 건강권 관련 법령·정책 및 제도
③ 장애인 건강권 교육은 집합 교육, 인터넷 강의 등을 활용한 원격 교육 및 체험 교육 등의 방법으로 할 수 있다.

토론(생각해 볼 문제)

다음의 사례는 「장애인차별금지법」에서 말하는 차별 중 어떤 차별에 해당되는지 생각해봅시다.

[사례1] 시각장애인 A씨는 가족과 함께 놀이동산에 놀러갔다. 그러나 즐거움도 잠시, 롤러코스터를 탑승하려고 했으나 직원에 의해 저지당했다. 해당 직원은 "안전상의 이유로 시각장애인은 롤러코스터에 탑승할 수 없다."고 설명했다. 비장애인인 동반자가 있어도 탑승은 불가능했다. A씨는 이날 세 종류의 놀이기구에서 탑승을 거부당했다.[7]

[사례2] 청각장애인 B씨는 대기업 대졸 신입사원 채용에 응시했는데, 회사가 토익(TOEIC) 시험에서 900점 이상의 점수를 요구했다. 토익(TOEIC) 시험은 영어 듣기평가가 포함된 시험이다.[8]

[사례3] 국가인권위원회가 서울시 종로구에 있는 전자기기 전문 판매점에 휠체어 이용자를 위한 경사로 설치를 권고했으나 본사가 이를 불수용했다고 밝혔다.[9]

[사례4] 장애인 다섯 명이 장애 비하 발언을 한 네 명의 국회의원들을 상대로 위자료를 청구하는 장애차별구제 청구소송을 서울중앙지방법원에 제출했다. 네 명의 국회의원들은 '외눈박이', '꿀 먹은 벙어리', '집단적 조현병', '절름발이'와 같은 표현을 공식 석상이나 개인 SNS 등에서 표현한 것으로 밝혀졌다.[10]

---

7) 이는 직접차별로서 장애인차별금지법 제4조 제1항 제1호 "정당한 사유 없이 제한, 배제, 분리, 거부 등에 의하여 불리하게 대우하는 것"을 말한다.

8) 이는 간접차별로서 형식적으로는 공정한 기준을 적용하더라도 장애인에게는 불리한 결과를 발생하는 것을 말한다. 이 사례는 장애인차별금지법 제4조 제1항 제2호의 차별에 해당한다.

9) 이는 정당한 사유 없이 장애인에 대하여 정당한 편의 제공을 거부한 것으로 장애인차별금지법 제4조 제1항 제3호의 차별에 해당한다.

10) 이는 광고에 의한 차별로서 정당한 사유 없이 장애인에 대한 제한, 배제, 분리, 거부 등 불리한 대우를 표시, 조장하는 광고를 직접 행하거나 허용하는 행위를 말한다. 이 사례는 장애인차별금지법 제4조 제1항 제4호의 차별에 해당한다.

[참고문헌]

1. United Nations. Universal Declaration of Human Rights－Korean (Hankuko). 2022. Available from: https://www.ohchr.org/en/human-rights/universal-declaration/translations/korean-hankuko

2. United Nations. Declaration on the Right of Mentally Retarded Persons. Available from: https://www.ohchr.org/en/instruments-mechanisms/instruments/declaration-rights-mentally-retarded-persons

3. United Nations. Declaration of the Rights of Disabled Persons. Available from: https://www.ohchr.org/en/instruments-mechanisms/instruments/declaration-rights-disabled-persons

4. United Nations. The International Year of Disabled Persons 1981. Available from: https://www.un.org/development/desa/disabilities/the-international-year-of-disabled-persons-1981.html

5. United Nations. United Nations Decade of Disabled Persons 1983-1992. Available from: https://www.un.org/development/desa/disabilities/united-nations-decade-of-disabled-persons-1983-1992.html

6. United Nations ESCAP. Asian and Pacific decade of disabled persons, 1993-2002: the starting point. Available from: https://repository.unescap.org/handle/20.500.12870/4381

7. United Nations ESCAP. Asian and Pacific decade of disabled persons, 2003-2012: Biwako millennium framework for action: towards an inclusive, barrier-free and rights-based society for persons with disabilities in Asia and the Pacific. Available from: https://repository.unescap.org/handle/20.500.12870/2802

8. United Nations ESCAP. Incheon Strategy. Available from: https://www.maketherightreal.net/incheon-strategy

9. 장애인권리협약 공식 번역문. Available from: http://hrlibrary.umn.edu/instree/K-disability-convention.html

10. 환경부. 유엔지속가능발전목표. Available from: http://ncsd.go.kr/api/UN-SDGs.pdf

11. 국가법령정보센터. 「대한민국헌법」. Available from: https://www.law.go.kr/LSW/lsInfoP.do?efYd=19880225&lsiSeq=61603#0000

12. 국가법령정보센터. [장애인복지법]. Available from: https://www.law.go.kr/LSW/lsInfoP.do?efYd=20220622&lsiSeq=238111#0000

13. 관계부처 합동(2018). 「장애인의 자립생활이 이루어지는 포용사회」를 위한 제5차 장애인정책종합계획(안)(2018~2022). Available from: https://www.mohw.go.kr/react/jb/sjb030301vw.jsp?PAR_MENU_ID=03&MENU_ID=0319&CONT_SEQ=344647&page=1

14. 국가법령정보센터. 「장애인고용촉진 및 직업재활법」. Available from: https://www.law.go.kr/LSW/lsInfoP.do?efYd=20220712&lsiSeq=239371#0000

15. 국가법령정보센터. 「장애인·노인·임산부 등의 편의증진 보장에 관한 법률」. Available from: https://www.law.go.kr/LSW/lsInfoP.do?efYd=20220728&lsiSeq=234305#0000

16. 국가기록원. 장애인인권헌장(보건복지부공고 제1998-248호). Available from: http://theme.archives.go.kr/viewer/common/archWebViewer.do?singleData=Y&archiveEventId=0050753591

17. 국가법령정보센터. 「장애인차별금지 및 권리구제 등에 관한 법률」. Available from: https://www.law.go.kr/LSW/lsInfoP.do?efYd=20210630&lsiSeq=224955#0000

18. 국가법령정보센터. 「발달장애인 권리보장 및 지원에 관한 법률」. Available from: https://www.law.go.kr/LSW/lsInfoP.do?efYd=20220622&lsiSeq=238101#0000

19. 국가법령정보센터. 「장애인 건강권 및 의료접근성 보장에 관한 법률」. Available from: https://www.law.go.kr/LSW/lsInfoP.do?efYd=20210630&lsiSeq=224951#0000

20. 김성희, 이민경, 오욱찬 외. 2020년 장애인 실태조사. 보건복지부, 한국보건사회연구원. 2020. pp. 219, 221.

21. 국민건강보험(2021). 2019 건강검진통계연보. Available from: https://www.nhis.or.kr/nhis/together/wb-haec07000m01.do?mode=view&articleNo=10803730&article.offset=0&articleLimit=10

22. 김성희, 이민경, 오욱찬 외. 2020년 장애인 실태조사. 보건복지부, 한국보건사회연구원. 2020. pp. 221.

23. Scheer J, Kroll T, Beatty P, et al. Access barriers for persons with disabilities: the consumer's perspective. J Disabil Policy Stud 2016;13:221-30.

24. Penchansky R, Thomas JW. The concept of access: definition and relationship to consumer satisfaction. Med Care 1981;19:127-40.

25. 보건복지부 국립재활원. 장애인건강권 이해하기. 2020.

26. 지역장애인보건의료센터 수행기관 현황. Available from: http://www.nrc.go.kr/chmcpd/html/content.do?depth=pi&menu_cd=02_03

27. World Health Organization (WHO), World Bank: World Report on Disability. Geneva: WHO; 2011

28. 국회 보건복지위원회. 권역재활병원 운영실태 및 개선방안. 2018.

29. 보건복지부. 장애인 치과 주치의 시범사업 지침. 2020.

30. 임종한. 장애인 건강권 증진방안에 관한 연구. 국가인권위원회 발간자료 2014.

31. 이숙향, 홍주희, 염지혜. 발달장애인의 의료서비스 이용 및 자기결정 경험을 통한 의료서비스 개선 및 지원요구 고찰. 지체·중복·건강장애연구 2018;61:45-78.

32. 보건복지부 보도자료. 장애인과 비장애인 간 건강 격차 해소한다. Available from: http://www.mohw.go.kr/react/al/sal0301vw.jsp?PAR_MENU_ID=04&MENU_ID=0403&CONT_SEQ=341102

3

장애인의 건강현황

- 장애인의 건강현황을 파악하기 위한 주요 자료원을 학습한다.
- 장애인의 주요 건강현황을 비장애인과 비교하여 파악한다.
- 장애인의 건강의 유형별, 연령별 차이에 대해 이해한다.

사례

- **사례 1**   의과대학생 A는 최근 장애인의 건강 문제를 다룬 프로그램을 보고, 국내 장애인에게 자주 문제가 되는 질병이 무엇인지, 또 비장애인과 어떤 차이가 있는지 궁금해졌다. 이를 알기 위해 신뢰할 수 있는 자료원에는 무엇이 있을까?

- **사례 2**   52세 뇌병변 장애인 B씨는 거동이 불편하여 하루 대부분을 누워 있다. B씨에게 약 한 달 전부터 속쓰림 증상이 시작되었으며, 증상은 갈수록 심해져 최근에는 일상 생활에 영향을 줄 정도가 되었고 체중도 7 kg이 감소하였다. 검사를 위해 병원을 방문하고 싶었으나 내시경이 가능한 병원까지의 장거리 이동이 부담스러워 근처 약국에서 증상 완화를 위한 약을 복용하고 있는 상황이다. B씨처럼 장애인이 진료받기를 원함에도 불구하고 적절한 의료서비스를 받지 못하는 원인에는 무엇이 있을까?

1
장애인 건강 현황 및 건강 조사를 위한 주요 자료원

1. 건강보험자료 및 장애인 건강보건통계

장애인의 건강실태를 파악하기 위한 자료원으로는 장애인 실태조사와 같은 면접조사기반의 자료원과 함께 청구기반의 자료원인 건강보험자료 등을 활용할 수 있다. 특히 우리나라에서는 장애인 정보가 등록되어 있고, 해당 정보가 건강보험자료에서 확인 가능하기 때문에 장애인 건강을 파악하는 데 청구자료가 매우 유용하다. 일례로 국립재활원에서는 건강보험자료 등을 기반으로 장애인 건강보건통계를 구축하고 있으며, 이는 국가승인통계이기도 하다. 이에 따르면 장애인의 일반 건강검진 수검률은 64.6%로 비장애인의 수검률 74.0%에 비해 9.4% 낮은데, 19세 미만인 경우를 제외하고, 전 연령층에 있어 비장애인에 비해 낮은 수준으로 나타났으며, 고령인 경우 그 차이가 감소하기는 하지만 여전히 비장애인에 비해서는 낮은 수준으로 나타났다.

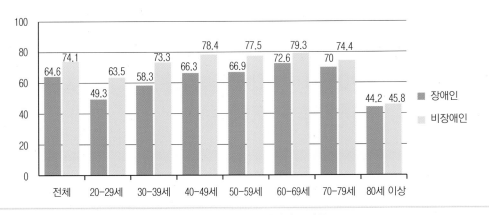

그림 3-1. 연령별 일반건강검진 수검률
출처: 국립재활원. 2022 장애인 건강보건통계 컨퍼런스 자료집(저자가 재구성)

　한편 수검률에서는 유형별 차이가 크게 나타나며, 지체장애인과 안면장애인의 건강검진 수검률은 70% 수준으로 높게 나타나는 반면, 내부장애인과 정신장애인은 상태적으로 수검률이 낮게 나타나는데, 자폐성 장애인(42.9%), 신장장애인(44.2%), 정신장애인(44.3%) 등이 낮게 나타났다. 한편 뇌병변장애인의 경우 외부장애인이지만 수검률이 44.0%로 나타나 다른 외부장애인에 비해 검진율이 더 낮게 나타났다. 한편 성별 구분을 할 경우 일반건강검진과 암검진 모두 여성의 수검률이 남성보다 더 낮게 나타났다.

　한편 2018년 기준으로 장애인의 건강행태를 조사한 결과는, 흡연의 경우 현재 흡연율은 비장애인이 장애인보다 낮은 수준을 보이는데, 장애인의 경우 18.4%, 비장애인의 경우 21.8%로 나타났다. 특기할 만한 것은 40대 이상 집단의 경우 비장애인에 비해 장애인의 흡연율이 높게 나타나는 것으로 40-49세의 경우 34.0% 대 27.0%, 50대의 경우 26.8% 대 19.7%로 비장애인 집단에 비해 높게 나타났다. 고강도 신체활동실천율의 경우 15.4% 대 18.7%로 나타나 비장애인 집단의 신체활동실천율이 높게 나타났고, 근력운동 역시 17.4% 대 23.6%로 비장애인 집단이 더 높게 나타났다. 다만 다른 운동과는 달리, 중강도 신체활동의 경우에는 비장애인에 비해 장애인 활동률이 더 높게 나타난다.[2]

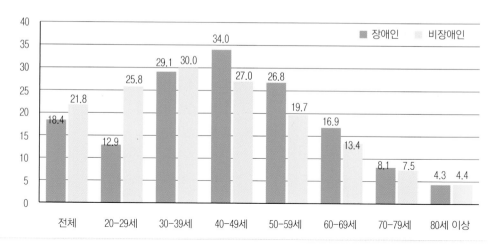

그림 3-2. 장애인과 비장애인의 현재 흡연율

한편 2019년 기준 장애인의 의료이용 다빈도 질환은 치은염 및 치주질환(K05), 급성기관지염(J20), 등통증(M54), 본태성(원발성)고혈압(I10), 무릎관절증(M17) 등의 순인데, 이는 비장애인에서 다빈도 질환이 치은염 및 치주질환, 급성기관지염, 등통증, 혈관운동성 및 알러지성 비염(J30), 치아우식(K02)으로 나타나는 것과 비교해보면 전체적으로는 유사한 경향을 보였다.

한편 2018년 기준, 비만 유병률은 2018년 기준 장애인은 43.9%[3], 비장애인은 38.3%로 나타나 장애인 집단이 더 높게 나타났고, 이는 전연령 집단에서 동일하였다. 전체적으로 비만율이 가장 높게 나타난 연령군은 30-39세로 47.2%로 나타났다.

고혈압의 경우에도 유병률이 46.5%로[2] 장애인이 비장애인 집단에 비해 더 높게 나타났는데, 이 역시 전연령군에서 동일하게 나타났다. 다만, 장애의 원인 중 뇌병변장애인등의 경우 장애 자체와 고혈압이 관련있을 수 있으므로 이에 대해서는 선후관계에 대한 추가적인 연구가 필요하다. 당뇨 유병률의 경우 장애인은 22.0%, 비장애인은 10.7%로 나타나 약 2배가 더 높게 나타났으며, 가장 유병률이 높은 집단은 70-79세로 유병률이 29.0%로 나타났다.

장애인 건강보건통계는 매년 새로 보고되며, 이를 이용하여 최신의 건강현황을 파악할 수 있다. 한편 건강보건통계의 내용에 제시되지 않는 내용을 분석하고 파악하고자 하는 경우에는 건강보험 청구자료를 국민건강보험공단[4] 또는 건강보험심사평가원[5]에 신청할 수 있다. 한편 소득수준 또는 건강검진, 건강행태에 관련된 정보를 얻기 위해서는 건강보험공단에 자료를 신청하여야 한다. 자료원을 이용하기 위해서는 기관생명윤리위원회의 심의와 자료제공기관의 승인을 얻어야 한다.

2. 장애인 실태조사

장애인 건강보건통계의 경우, 의료이용 또는 건강검진을 기반으로 구축된 자료원이라면, 장애인 실태조사는 직접적인 심층조사로 장애인복지법을 기반으로 수행된 단면조사라 할 수 있다.

1980년부터 5년 또는 3년 간격으로 수행되고 있으며 가장 최신의 결과는 2020년 수행된 연구 결과이다. 성, 연령, 장애등록연도, 등록장애유형, 장애정도, 가구규모, 세대구성 등과 함께 15개 장애유형별 발생시기 등을 조사하고, ADL 정도나 경제상태 등 다양한 항목을 포함하고 있어 장애인 실태를 파악하는데 기본적인 연구라 할 수 있다. 2020년의 경우 등록장애인을 대상으로 하였으며, 기존의 연구는 가구내 미등록 장애인도 파악하였으나 2020년의 COVID-19의 유행으로 인해 이전의 연구와는 차이를 보였다.[6]

특기할만한 항목으로 미충족 의료항목이 있는데, 이는 최근 1년간 의료기관에 가고 싶을 때 가지 못한 경험을 조사하는 것으로 장애인 건강보건통계처럼 의료이용을 기반으로 한 자료에서는 파악하기 어려운 부분이 있다. 미충족 의료비율은 2017년 17.0%에 비해 32.4%로 평소에 비해 2배 정도 높게 나타났는데, 이는 코로나의 유행과 관련있을 수 있다. 유형별 비율로는 지체장애인이 33.3%, 뇌병변장애인이 37.2%로 상대적으로 높게 나타났고, 지적장애인의 경우 28.9%로 오히려 낮게 나타난 바 있다.

■ 표 3-1. 미충족 의료의 발생 사유

(단위:%, 명)

구분	지체장애	뇌병변장애	시각장애	청각장애	언어장애	지적장애	자폐성장애	정신장애	신장장애	심장장애	호흡기장애	간장애	안면장애	장루요루장애	뇌전증장애	전체
경제적 이유	23.4	25.5	18.2	16.8	12.7	17.1	7.9	15.0	13.2	17.0	29.7	12.8	10.3	11.5	21.1	20.8
의료기관까지 이동이 불편함	32.5	44.7	22.9	24.4	12.1	18.6	16.8	22.6	23.7	23.3	38.7	16.4	18.3	38.2	26.8	29.8
의료진의 장애에 대한 이해 부족	0.2	0.4	0.5	3.7	2.9	1.2	5.1	1.7	–	–	–	–	4.6	–	2.7	0.9
의사소통의 어려움	0.2	0.6	–	12.1	15.5	11.0	8.5	9.2	1.9	–	–	–	4.5	–	3.9	3.3
시간이 없어서	7.4	3.9	8.5	7.2	5.0	8.8	5.4	5.4	12.8	15.5	7.4	8.0	25.7	17.5	7.7	7.3
의료기관의 장애 고려 의료시설 및 장비 불편	0.6	1.5	2.3	1.3	3.7	0.3	15.1	–	–	–	–	4.9	–	5.0	1.9	1.1
동행할 사람이 없어서	5.3	8.5	6.7	5.8	14.7	10.5	9.9	14.9	7.3	2.4	5.7	2.8	–	3.5	11.7	6.8
어떤 의료기관에 가야할지 몰라서	0.7	1.0	0.9	1.7	3.3	6.9	–	5.2	5.1	3.4	–	–	4.1	0.3	–	1.6
의료기관에 예약하기 힘들어서	0.6	–	0.4	1.1	1.7	0.3	2.2	1.3	1.9	4.8	–	10.2	–	5.5	–	0.7
증상이 가벼워서	20.9	9.7	30.3	19.4	25.8	9.9	16.8	12.2	26.0	19.5	6.6	19.9	21.1	14.6	13.3	19.3
의료기관에서 오래 기다리기 싫어서	4.3	1.9	3.3	3.8	–	8.6	8.8	5.8	3.8	12.5	–	16.2	5.5	2.4	2.8	4.3
기타	3.9	2.4	6.2	2.8	2.6	6.8	3.6	6.8	4.2	1.6	11.9	8.9	5.9	1.3	8.0	4.1
계	100.0	100.0	100.0	100.0	100.0	100.0	100.0	100.0	100.0	100.0	100.0	100.0	100.0	100.0	100.0	100.0
전국추정수	404,856	93,261	82,885	121,408	4,962	62,138	8,107	31,286	24,482	1,611	3,724	2,973	874	4,660	1,809	849,037

출처: 김성희, 이민경, 오욱찬 외. 2020년 장애인 실태조사. 보건복지부, 한국보건사회연구원. 2020.

미충족 의료의 사유로는 경제적 접근성의 문제인 이동의 불편함이 29.8%로 가장 높게 나타났으며, 경제적 사유는 20.8%로 그 다음으로 나타났다. 한편 의사소통의 어려움 등은 청각장애, 언어장애 등에서 높게 나타나 유형별로 의료이용의 불편함에 차이가 있는 것으로 나타났다.[6]

한편 장애인 건강주치의의 이용 의향은 45.8%로 50%를 넘지 않아, 필요성 인식 및 구체적인 인센티브의 제공이 필요한 것으로 나타났다.

장애인 본인이 인식하는 만성질환의 유병률은 3개월 기준으로 볼 때 70.6%로 나타나 매우 높은 수준으로 나타났으며, 개별 질환으로는 고혈압이 57.8로 절반 이상을 차지하는 것으로 나타났고 당뇨는 28.6%, 골관절염은 21.7%로 나타났다. 이 결과는 의료이용과는 별도로, 실제로 인식하고 있는 질병 상태를 측정하는 것으로 의료이용을 기반으로 하는 건강보험청구자료 및 이를 기반으로 한 장애인 건강보건통계와는 보완적인 관계라고 할 수 있다. 한편 고혈압, 당뇨, 골관절염과 같은 질환은 비장애인에도 흔한 질환이지만 전체적인 유병률이 더 높은 수준으로 나타나 장애인 건강관리의 필요성을 시사한다.

주관적 건강상태에 대한 조사결과 역시 유사한 시사점을 제시하는데, 2020년 기준 장애인 중 주관적 건강상태가 좋음으로 응답한 비율은 14.0%에 불과해 전체 인구집단의 32.4%에 비해 매우 낮은 반면 나쁨으로 응답한 비율은 48.7%로 나타나 전체 인구집단의 15.6%에 비해 3배 이상 높게 나타났다. 유사하게 우울감 경험률 역시 18.2%로 나타났는데 이는 전체 인구집단의 10.5%에 비해 높은 값이다. 한편 장애인 중 자살생각을 한 비율은 11.1%로 나타났다.

장애인 실태조사의 경우, 한국보건사회연구원의 보건복지데이터포털에 원시자료를 신청할 수 있으며, 이를 통해 추가적인 내용을 분석할 수 있다.[7]

3. 한국의료패널과 장애인 삶 패널

장애인 건강보건통계가 대규모 집단을 대상으로 포함하지만 검진이나 의료이용을 한 집단을 대상으로 하고, 장애인 실태조사가 면접조사로서 직접 조사지만 단면연구라는 특성을 가진 데 반해서 한국의료패널이나 장애인 삶 패널 등은 추적조사를 통해 장애인의 건강행태의 변화를 파악하는 데 도움을 줄 수 있다.

한국의료패널의 경우, 전체 인구집단을 대상으로 보건의료비용과 의료비 지출수준을 파악하기 위해 설정된 패널로, 1기 의료패널의 경우, 2007년 추출되어, 2019년까지 조사되었으며 2013년에 추가 표본이 설정되었으며, 2019년 기준 조사대상자 수는 17,160명이었다.[8] 2기의 경우 2020년부터 시작되었으며 2021년 기준 가구원수는 14,847명이다. 의료패널의 경우에는 건강보험공단 자료가 건강보험공단에서 급여한 내역을 포함하는 데 반해 비급여를 포괄하고 있다는 점에서 장애인이 의료에 대한 지출한 비용에 대해 포괄적인 내용을 포함하고 있다는 차이점이 있다. 의료패널의 경우 장애인이 조사대상 중 일부로 포함되어 있는데, 크게 장애판정도 받고 장애등록도 된 경우, 장애판정은 받았으나 미등록인 경우, 장애가 있음에도 미판정이면서 미등록인 경우 등으로 나눌 수 있으며, 장애판정과 등록이 모두 된 경우는 약 1,000명 정도로 전체 대상자의 6.14%로 나타난다. 이 대상자를 기준으로 의료수요 및 의료이용 등을 조사할 수 있으며, 전체적인 조사내용 구성은 그림 3-3과 같다. 한편, 장애인 삶 패널은 장애등록 이후 삶의 변화를 파악하기 위해 구성된 자료로, 2015년에서 2017년에 장애등록을 마친 6,121명을 표본으로 하고, 장애인과 가구원을 대상으로 2018년부터 조사가 시작되었다. 2020년 기준 조사완료자는 5,259명으로 표본 유지율은 85.9%로 나타난다.[9]

　2020년 장애인 삶 패널 조사 결과, 전반적인 건강상태 응답비율은 매우 나쁘다 4.8%, 나쁜편이다 43.4%, 좋은편이다 50.5%, 매우좋다 1.4%로 나타나 좋다는 비율이 51.8%로 나쁘다의 48.2%보다 약간 높은 수준으로 나타났다. 한편 이 비율은 성별로 차이를 보여 여성은 나쁘다는 비율이 52.3%로 더 높게 나타난 반면, 남성의 경우 좋다는 비율이 55.0%로 더 높게 나타났다. 유형별로는 지적 및 자폐성 장애인은 좋다는 비율이 72.9%로 높게 나타난 반면, 뇌병변장애인은 37.6%, 내부/안면 장애인은 35.8%로 낮게 나타났다. 장애 정도에서는 중증의 경우 54.4%로 나쁘다는 비율이 더 높았고 경증의 경우 더 좋다는 비율이 55.5%로 높게 나타났다.

■ 표 3-2. 한국의료패널의 장애인 현황

	2010	2011	2012	2013	2014	2015	2016	2017	2018
(1)장애판정 +등록	913 (5.10%)	944 (5.54%)	880 (5.54%)	839 (5.56%)	1,073 (5.58%)	1,039 (5.73%)	1,020 (5.85%)	1,039 (6.05%)	1,045 (6.14%)
(2)장애없음	16,972 (94.90%)	16,046 (94.19%)	14,949 (94.18%)	13,957 (94.06%)	18,091 (94.13%)	17,057 (94.08%)	16,373 (93.97%)	16,111 (93.76%)	15,929 (93.80%)
(3)장애판정 +미등록	0	8 (0.05%)	11 (0.07%)	11 (0.07%)	14 (0.07%)	14 (0.08%)	10 (0.05%)	10 (0.06%)	8 (0.05%)
(4)장애보유, 미판정 +미등록	0	37 (0.22%)	32 (0.02%)	32 (0.22%)	41 (0.21%)	20 (0.11%)	24 (0.13%)	24 (0.14%)	26 (0.15%)
Missing	0	0	0	0	0	0	0	0	0
Total	17,885	17,035	15,872	14,839	19,219	18,130	17,424	17,184	17,008

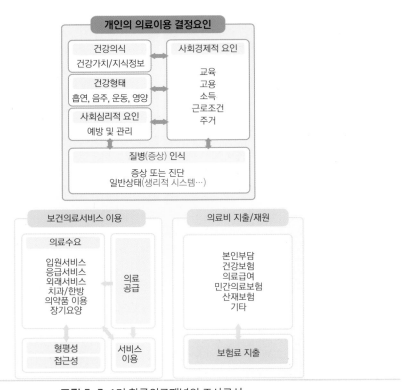

그림 3-3. 1기 한국의료패널의 조사구성

출처: 한국의료패널 (https://www.khp.re.kr:444/web/survey/contents.do)

3개월 이상으로 한 만성질환 유병률은 60.3%로 나타나, 장애인 실태조사에 비해서는 상대적으로 낮은 정도로 나타났다. 한편 운동의 경우 운동하지 않음이 44.3%로 높게 나타났고, 특히 여성은 47.4%로 더 높게 나타나, 운동 개선의 필요성을 시사하였다.

그림 3-4. 장애인 삶 패널조사의 구성체계

출처: 한국장애인개발원. 2020 장애인 삶 패널조사 (https://www.koddi.or.kr/data/research01_view.jsp?brdNum=7412305)

한편 민간의료보험 가입률은 31.5%로 나타났는데, 남성의 가입률이 32.9%로 여성의 가입률 29.7%에 비해 높게 나타났으며, 유형 중에서는 지체 장애의 가입률이 42.0%로 상대적으로 높게 나타났다. 이때 가입거부율은 4.2%로 나타났다.

또한 장애인의 건강관리를 위해 강화되어야 할 부분의 우선순위로는 1개를 선택할 경우 건강검진비 지원이 60.9%로 나타나 가장 높았으며, 그 다음으로는 이동지원, 체육시설 이동지원, 검진센터 내 전문요원 제공 등의 순으로 나타났다. 한편 전문요원의 제공이 필요하다고 한 유형은 지적/자폐성 장애인이 9.6%로 가장 높았고, 뇌병변장애인이 8.5%로 나타났다. 또한 의료적 부분에서 가장 필요한 것이 무엇인지에 대한 응답으로 가장 높게 나타난 것은 치료비 지원으로 72.4%로 가장 높게 나타났으며, 그 다음으로는 이동 지원(10.3%), 정보제공(9.0%), 의료진의 장애인식 증가(6.5%) 등이 높은 비율로 나타났다.

■ 표 3-3. 의료적 재활과 치료를 위해 강화되어야 하는 부분

(단위: 명, %)

구분		추정수	치료/의료비 지원	이동 지원	의료진의 장애인식 증가	병원 내 장애인 편의 시설 확충	치료/재활에 대한 교육 및 정보 제공	기타	없음	계
전체		251,277	72.4	10.3	6.5	1.6	9.0	0.0	0.1	100.0
성별	남성	142,540	72.0	10.2	7.1	1.8	8.6	–	0.1	100.0
	여성	108,737	73.0	10.5	5.7	1.3	9.5	0.0	0.0	100.0
장애 유형	지체	49,532	72.9	11.5	5.9	1.0	8.7	–	–	100.0
	뇌병변	42.177	71.2	12.3	3.7	1.2	11.4	–	0.1	100.0
	시각	21,557	72.6	12.4	5.4	2.3	7.2	–	–	100.0
	청각/언어	73,818	76.2	7.1	7.3	1.7	7.5	0.0	0.0	100.0
	지적/자폐성	23,852	60.1	12.3	11.2	2.1	13.9	–	0.3	100.0
	정신	8,894	66.1	12.3	11.5	1.4	8.6	–	0.2	100.0
	내부/안면	31,447	75.4	10.1	5.0	2.0	7.2	–	0.2	100.0
장애 정도	중증	92,616	68.7	12.2	6.8	1.8	10.4	–	0.2	100.0
	경증	158,661	74.6	9.3	6.4	1.5	8.2	0.0	0.0	100.0

출처: 한국장애인개발원. 2020 장애인 삶 패널조사 (https://www.koddi.or.kr/data/research01_view.jsp?brdNum=7412305)

장애인 삶 패널에서는 정신적 건강 관련 문항으로 1년간 자살에 대해 깊이 생각해 본적이 있다

는 비율은 4.4%로 나타나 장애인 실태조사의 결과와 차이를 보였는데, 지체장애인이 6.1%로 상대적으로 높은 수준으로 나타났고, 사유로는 육체적, 정신적 건강문제가 66.9%로 가장 높게 나타났고 그 다음이 경제적 어려움 등의 순으로 나타났다. 한편 조사대상자의 가구원을 대상으로 한 조사 결과는 자살생각 비율은 2.2%이며, 자살생각의 사유로는 건강문제가 36.5%로 가장 높고, 장애인 가족 돌봄으로 인한 스트레스가 26.9%, 빈곤 등 경제적 어려움의 비율이 21.7%로 나타났는데, 여성의 경우 장애인 가족 돌봄으로 인한 스트레스가 36.1%로 남성의 18.6%에 비해 높게 나타나 성별 차이가 있는 것으로 나타났다.

한국의료패널 및 장애인 삶 패널의 경우 한국장애인개발원[10] 및 한국의료패널[11] 홈페이지에서 자료를 신청할 수 있다.

4. 사망률과 조기사망

국립재활원에서는 장애인 건강보건통계의 일환으로 사망관련 통계를 제시하고 있다. 이는 장애인등록정보와 통계청 사망원인 자료의 결합을 통해 구성한 것으로, 2018년 기준으로 살펴볼 때 조사망률은 인구 10만명당 2927.7로 장애인을 포함한 전체인구집단을 기준으로 할 때의 값인 인구 10만 명당 582.5명에 비해 5.0배 높은 것으로 나타났다. 한편 연령표준화사망률을 기준으로 할 때도 2.6배 더 높게 나타나서, 조사망률에 비해 낮은 수준이기는 하지만 여전히 격차를 보였다. 한편, 전체 유형 중, 연령표준화 시에 평균보다 높게 나타나는 것은 호흡기, 심장, 장루, 요루 장애인 등은 사망률이 상대적으로 높고, 시각, 청각, 안면장애의 경우에는 평균보다 낮은 수준으로 나타났다.[1,12]

한편 오인환 등은 사망원인자료를 분석하여 장애인을 대상으로 조기사망으로 인한 질병부담을 Years of life lost의 형태로 추정하였는데, 조기사망으로 인한 YLL은 517337 DALYs로 나타났고, 전체 인구집단의 YLL의 23.4%를 차지하는 것으로 나타났다. 이는 전체 인구집단의 조기사망으로 인한 손실의 3.8배 높은 것으로 장애인의 조기사망으로 인한 질병부담이 비장애인에 비해 높은 수준임을 의미한다. 장애인의 경우 주요 질병부담질환은 허혈성 뇌졸중, 허혈성 심질환, 출혈성 뇌졸중, 당뇨, 자살을 포함한 자해 등의 순으로 나타났는데, 이는 심뇌혈관 질환의 순위가 전체인구집단에 비해 높은 수준임을 의미한다.

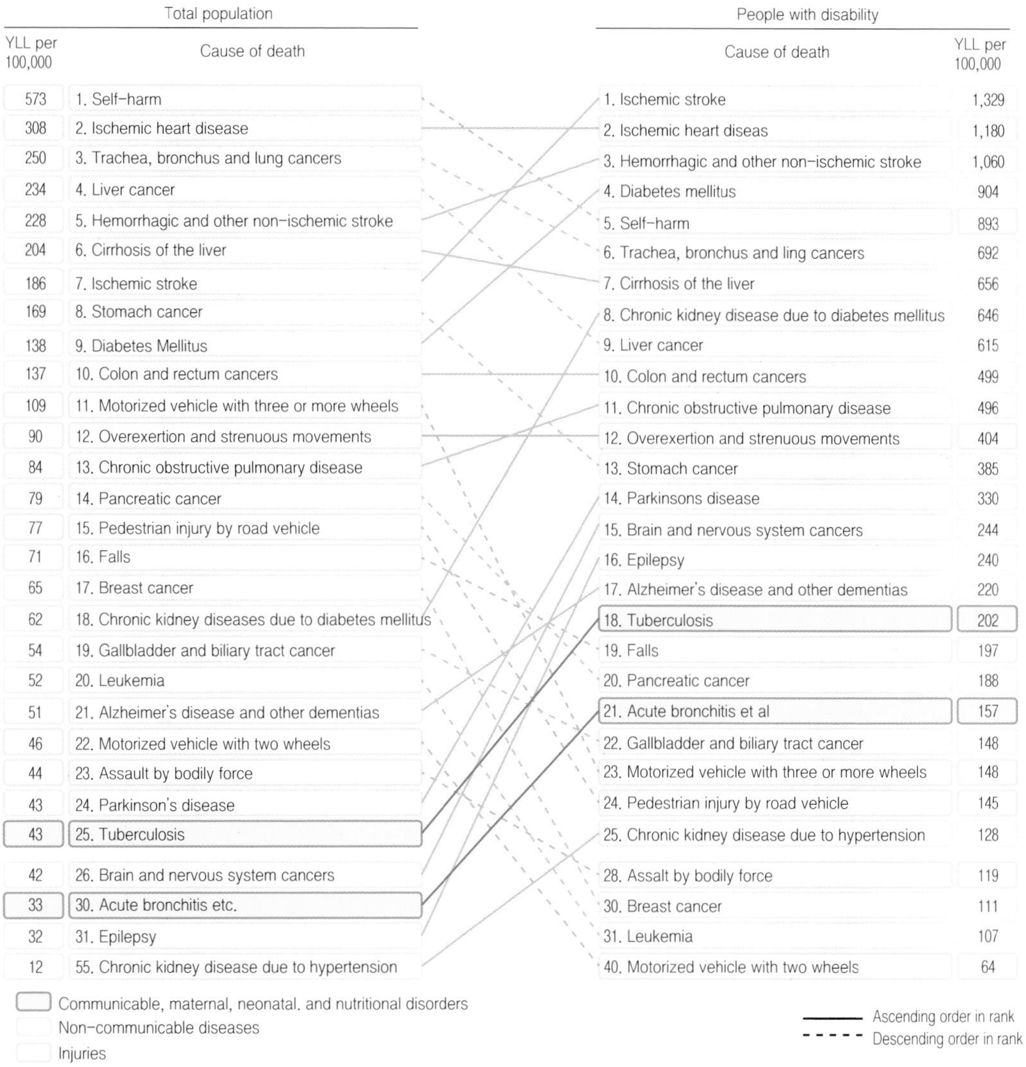

Total population

YLL per 100,000	Cause of death
573	1. Self-harm
308	2. Ischemic heart disease
250	3. Trachea, bronchus and lung cancers
234	4. Liver cancer
228	5. Hemorrhagic and other non-ischemic stroke
204	6. Cirrhosis of the liver
186	7. Ischemic stroke
169	8. Stomach cancer
138	9. Diabetes Mellitus
137	10. Colon and rectum cancers
109	11. Motorized vehicle with three or more wheels
90	12. Overexertion and strenuous movements
84	13. Chronic obstructive pulmonary disease
79	14. Pancreatic cancer
77	15. Pedestrian injury by road vehicle
71	16. Falls
65	17. Breast cancer
62	18. Chronic kidney diseases due to diabetes mellitus
54	19. Gallbladder and biliary tract cancer
52	20. Leukemia
51	21. Alzheimer's disease and other dementias
46	22. Motorized vehicle with two wheels
44	23. Assault by bodily force
43	24. Parkinson's disease
43	25. Tuberculosis
42	26. Brain and nervous system cancers
33	30. Acute bronchitis etc.
32	31. Epilepsy
12	55. Chronic kidney disease due to hypertension

People with disability

Cause of death	YLL per 100,000
1. Ischemic stroke	1,329
2. Ischemic heart diseas	1,180
3. Hemorrhagic and other non-ischemic stroke	1,060
4. Diabetes mellitus	904
5. Self-harm	893
6. Trachea, bronchus and ling cancers	692
7. Cirrhosis of the liver	656
8. Chronic kidney disease due to diabetes mellitus	646
9. Liver cancer	615
10. Colon and rectum cancers	499
11. Chronic obstructive pulmonary disease	496
12. Overexertion and strenuous movements	404
13. Stomach cancer	385
14. Parkinsons disease	330
15. Brain and nervous system cancers	244
16. Epilepsy	240
17. Alzheimer's disease and other dementias	220
18. Tuberculosis	202
19. Falls	197
20. Pancreatic cancer	188
21. Acute bronchitis et al	157
22. Gallbladder and biliary tract cancer	148
23. Motorized vehicle with three or more wheels	148
24. Pedestrian injury by road vehicle	145
25. Chronic kidney disease due to hypertension	128
28. Assalt by bodily force	119
30. Breast cancer	111
31. Leukemia	107
40. Motorized vehicle with two wheels	64

◻ Communicable, maternal, neonatal, and nutritional disorders
◻ Non-communicable diseases
◻ Injuries

—— Ascending order in rank
----- Descending order in rank

그림 3-5. 인구집단 및 장애인의 조기사망으로 인한 질병부담 순위

출처: Kim YE, Lee YR, Yoon SJ, et al. Years of Life Lost due to Premature Death in People with Disabilities in Korea: the Korean National Burden of Disease study Framework. J Korean Med Sci 2019;34:e22.

토론〈생각해 볼 문제〉

- 장애인의 질병의 현황은 비장애인과 어떤 차이가 있을까?
- 장애인의 건강을 증진시키기 위해 추가적으로 조사되어야 할 정보는 무엇이 있을까?

[참고문헌]

1. 국립재활원. 2022 장애인 건강보건통계 컨퍼런스 자료집. 저자가 재구성 Available from: http://www.nrc.go.kr/research/board/boardView.do;jsessionid=FdKcNhMPLHtF1yBBOghDP7yLMJmuMViwLXrNaozzFdataVaU7WN8xMMogo59mtBr.mohwwas2_servlet_engine30?no=18289&fno=37&menu_cd=05_02_00_01&board_id=NRC_NOTICE_BOARD&bn=newsView&bno=&pageIndex=1&search_item=&search_content=

2. 국립재활원. 장애인 건강보건통계. Available from: http://www.nrc.go.kr/portal/html/content.do?depth=dl&menu_cd=09_03_03

3. 국립재활원. 장애인 건강이슈 통계로 말하다. Available from: https://www.korea.kr/news/pressReleaseView.do?newsId=156504185

4. 국민건강보험공단. 건강보험자료공유서비스. Available from: https://nhiss.nhis.or.kr/bd/ay/bdaya001iv.do

5. 건강보험심사평가원. 보건의료빅데이터개방시스템. Available from: https://opendata.hira.or.kr/home.do

6. 김성희, 이민경, 오욱찬 외. 2020년 장애인 실태조사. 보건복지부, 한국보건사회연구원. 2020.

7. 한국보건사회연구원 보건복지데이터 포털. Available from: https://data.kihasa.re.kr/kihasa/main.html

8. 한국의료패널. 조사내용. Available from: https://www.khp.re.kr:444/web/survey/results.do

9. 한국장애인개발원. 2020 장애인 삶 패널조사. Available from: https://www.koddi.or.kr/data/research01_view.jsp?brdNum=7412305

10. 한국장애인개발원. Available from: https://www.koddi.or.kr/

11. 한국의료패널. Available from: https://www.khp.re.kr:444/

12. 보건복지부 국립재활원. 2018년도 장애인 건강보건통계. 2021.

13. Kim YE, Lee YR, Yoon SJ, et al. Years of Life Lost due to Premature Death in People with Disabilities in Korea: the Korean National Burden of Disease study Framework. J Korean Med Sci 2019;34:e22.

장애인 보조기기의 이해

- 우리나라 보조기기법에서 규정하고 있는 보조기기의 정의, 종류, 보조기기센터의 역할과 기능에 대해 설명할 수 있다.
- 장애유형별로 사용 가능한 보조기기의 종류와 특징에 대해 설명할 수 있다.
- 우리나라의 보조기기 지원제도의 현황, 지원대상, 지원 보조기기, 지원기준에 대해 설명할 수 았다.

사례

- **사례 1** 직업이 컴퓨터 프로그래머인 A씨는 취미로 즐기는 자전거 라이딩 도중 불의의 사고로 제5경추 손상을 입어 머리 움직임을 제외한 모든 신체의 수의적인 움직임이 불가능한 척수장애를 입게 되었다. 그는 이제 6개월간 병원치료를 마치고 집으로 퇴원을 앞두고 있다. 예기치 않은 장애로 이전과는 다른 삶을 살아야 하는 A씨는 퇴원 후 일상적인 삶과 직업생활에 대해 큰 두려움을 가지고 있다. '남아 있는 잔존 신체기능을 활용하여 어떤 활동을 할 수 있을까? 나는 현재의 직업을 계속 유지할 수 있을까? 내가 사용할 수 있는 보조기기는 어떤 것이 있을까? 그리고 그 보조기기를 이용하여 나는 어떤 활동을 할 수 있을까? 내가 돌아가는 집은 장애로 인해 활동에 제약이 있는 나에게 적합한 환경인가? 내가 집에서 편하게 생활하기 위해서는 어떻게 집 환경을 바꿔야 할까?'. A씨의 이러한 궁금증과 걱정에 대해 병원 내에서 알려주는 사람이 없어 더 막막하기만 했다. 그러던 중 A씨는 지역보조기기센터를 알게 되었고 본인이 거주하고 있는 B 지역의 보조기기센터에 본인이 우려하고 있는 내용으로 상담을 진행하였다. B 지역 보조기기센터의 보조공학사는 A씨와의 상담/평가, 집 환경 평가를 통해 A씨가 사용할 수 있는 보조기기에 대한 정보와 보조기기를 활용하여 A씨 스스로 할 수 있는 활동내용을 조언하였다. 또한 필요한 보조기기를 확보할 수 있는 공적급여제도와 신청방법도 제공하였다. 또한 퇴원 후 거주하게 될 집의 환경 평가를 통해 A씨가 편하게 지낼 수 있는 주택 개조에 대한 자문도 제공하였다. 지역보조기기센터가 알려준 정보 중 A씨가 가장 크게 기뻐한 것은 현재의 잔존기능(머리 움직임)으로도 컴퓨터를 사용할 수 있는 보조기기에 대한 정보와 그 보조기기를 사용할 경우 사고 전 직업인 프로그래머의 직업을 유지할 수 있다는 사실이었다.

- **사례 2** 중증의 근위축성 측색경화증(ALS) 환자인 A씨는 장애 정도가 심해져 침대에 누운 상태에서 눈만 깜빡일 뿐 스스로 할 수 있는 것은 아무것도 없었다. 자신의 불편함을 다른 사람에게 알릴 방법도, 하루 종일 자신을 돌보는 가족에게 미안한 마음을 전할 방법도 없어 천정만 바라보며 눈만 깜빡일 수밖에 없었다. 그러던 중 A씨는 눈동자의 움직임으로 컴퓨터를 사용할 수 있는 안구 마우스 보조기기에 대한 정보를 알게 되었고, A씨가 거주하는 지역보조기기센터에 안구 마우스 대여서비스를 요청하였다. 지역보조기기센터의 도움으로 안구마우스 사용 훈련을 받고 기기를 대여 받은 A씨는 눈동자의 움직임만으로 완벽하게 컴퓨터를 사용할 수 있게 되었다. 또한 A씨는 음성합성엔진(TTS: Text to Speech)이 탑재된 보완대체의사소통(AAC)프로그램을 컴퓨터에 설치하여 의사소통도 가능하게 되었다. A씨는 자신의 의사표현, 가족과의 일상적인 대화 그리고 그동안 표현할 수 없었던 가족에 대한 고마움을 마음껏 표현하였다. ALS 질환 특성상 A씨의 신체기능은 점점 퇴화되고 있다. 그러나 A씨는 이제 안구 마우스와 AAC 프로그램을 사용하기 전과 너무나도 다른 삶을 살아가고 있다. 더 이상 침대에 누워 천장만 바라보는 삶이 아닌 자신에게 주어진 시간과 환경에서 자신이 할 수 있는 일상적 활동을 하며 그만의 삶을 살아가고 있다.

1. 보조기기 개론

1. 보조기기 정의 및 범주

보조기기 및 보조기기 서비스에 대한 정의는 「장애인·노인 등 보조기기 지원 및 활용촉진에 관한 법률」(이하 보조기기법) 제3조 제2호, 제3호에 명시되어 있다.

> 2. "보조기기"란 장애인 등의 신체적·정신적 기능을 향상·보완하고 일상활동의 편의를 돕기 위하여 사용하는 각종 기계·기구·장비로서 보건복지부령으로 정하는 것을 말한다.
> 3. "보조기기 서비스"란 장애인 등이 보조기기를 확보하고 효율적으로 활용할 수 있도록 제공되는 일련의 지원을 말한다.

미국의 「보조공학법(Assistive Technology Act」(2004)에는 "장애인의 기능을 증진·유지·향상시키기 위해 사용되는 것으로 상업적으로 판매되는 구매할 수 있거나, 개조·변형하거나 주문 제작하여 상용되는 모든 품목, 장비 또는 제품 시스템"으로 정의하고 있고, 보조기기 서비스는 '보조기기의 선택, 획득, 사용을 위해 장애가 있는 개인이 보조기기를 사용할 수 있도록 지원하는 모든 서비스'로 정의하고 있다.

보조기기에 대한 용어는 과거에도 그렇고 개별법이 제정된 현재에도 다양한 명칭으로 현장과 제도에서 사용되고 있다. 이러한 용어의 혼용은 장애인 당사자를 포함하여 관련 업무를 수행하고 있는 전문가에게도 혼란을 야기하고 있다.

■ 표 4-1. 부처별 보조기기 관련 용어

행정기관	법률명	용어
보건복지부	보조기기법 제3조	보조기기
	장애인복지법 제66조	장애인 보조기기
	국민건강보험법 제51조	보조기기
	의료급여법 제13조	보조기기
	노인장기요양보험법 제23조	복지용구
과학기술정보통신부	지능정보화기본법	정보통신 보조기기
교육부	장애인 등에 대한 특수교육법 제31조	학습 보조기기 및 보조공학기기
고용노동부	산업재해보상보험법 제40조	재활 보조기구
	장애인 고용촉진 및 직업재활법 제21조	보조공학기기
국가보훈처	국가유공자 등 예우 및 지원에 관한 법률 제43조	보철구

　보조기기 종류는 보조기기법에 근거하여 주무부처인 보건복지부가 보조기기 범주 및 세부 품목을 포함하는 보조기기 품목의 지정 등에 관한 규정을 고시한다. 이 품목고시에는 장애인 보조기기에서 제외되는 요건들도 명시하고 있다.

　첫째, 의약품 및 식품. 둘째, 장애인 재활 전문인력이나 보조인, 장애인 보조견 등 생물체와 이들에 의해 제공되는 서비스. 셋째, 보건의료인력에 의해서만 사용되는 의료용구(단, 의사의 처방·지도로 장애인 개인이 사용할 수 있는 의료용구는 포함). 넷째, 장애인·노인·임산부 등의 편의 증인 보장에 관한 법률에서 대상시설에 설치되는 편의시설(단, 장애인의 주택이나 개인적 용도로 사용되는 시설은 포함) 등이다.

■ 표 4-2. 현행 장애인 보조기기 품목분류체계(2020년 9월 개정)

분류 체계		중분류(127), 소분류(791) 품목 수 및 예시
영역(3)	대분류(13)	
생명활동 보조기기	04 측정, 지원, 훈련 또는 신체기능 대체용 보조기기	- 17개의 중분류, 64개의 소분류 품목 - 인공호흡기, 혈액순환치료기, 혈액투석장치, 주사기, 멸균장비, 통증경감자극기, 지각 훈련 등
	09 자기관리활동 및 참여용 보조기기 (15, 18, 21, 24, 27, 30)	- 17개의 중분류, 49개의 소분류 품목 - 기관절개 관리용 보조기기, 인공항문, 대소변처리기, 대소변 흡수용 보조기기(기저귀) 등
보조기 및 의지	06 신경근골격계 또는 움직임 관련 기능 지지(보조기) 및 해부학적 구조를 대체하기 위해 신체에 부착되는 보조기기(의지)	- 8개의 중분류, 103개의 소분류 품목 - 척추보조기, 배 보조기, 팔 보조기, 다리 보조기, 기능적 전기자극과 복합형 보조기, 팔 의지, 다리 의지, 기타 의지 등

분류 체계		중분류(127), 소분류(791) 품목 수 및 예시
영역(3)	대분류(13)	
일상활동 보조기기	05 기술 교육 및 훈련용 보조기기	– 11개의 중분류, 51개의 소분류 품목 – 의사소통 치료 및 훈련, 배변훈련, 인지 훈련 등
	09 자기관리활동 및 참여용 보조기기 (03, 06, 07, 09, 12, 33, 36, 39, 45, 54)	– 10개의 중분류, 84개의 소분류 품목 – 의복, 신체보호용 기기, 화장실 보조기기, 욕실 보조기기, 샤워용 보조기기, 손발 관리, 머리 감기, 머리 건조기, 면도, 성활동 보조기기
	12 개인 가동성 및 수동과 관련된 활동 및 참여 보조기기	– 16개의 중분류, 98개의 소분류 품목 – 목발, 지팡이, 보행기, 휠체어, 휠체어 액세서리, 장애인용 특수차량 및 액세서리, 자전거 등
	15 가정활동 및 참여 보조기기	– 6개의 중분류, 45개의 소분류 품목 – 조리대, 식기류, 청소용품 등
	18 인공적 실내외활동 지지용 가구, 설비 및 기타 보조기기	– 12개의 중분류, 75개의 소분류 품목 – 의자, 팔걸이, 침대류, 승강장치 등
	22 의사소통 및 정보관리용 보조기기	– 14개의 중분류, 88개의 소분류 품목 – 시각보조기, 청각보조기, 그리기 및 쓰기, 의사소통 보조기기, 전화 및 컴퓨터 통신, 경보 표시 등 신호전달기기, 컴퓨터 입/출력장치 등
	24 물건 및 장치의 제어, 운반, 이동 및 조작용 보조기기	– 8개의 중분류, 39개의 소분류 품목 – 용기 따는 기구, 위치 조정용 기기, 운반기기 등
	27 물리적 환경요소의 제어, 개조, 측정 보조기기	– 2개의 중분류, 17개의 소분류 품목 – 환경개선용(공기청정기 등), 측정용 보조기기(자, 저울, 온도계 등)
	28 작업활동 및 취업 참여용 보조기기	– 9개의 중분류, 42개의 소분류 품목 – 작업장 비품(책상, 작업대), 운반용 보조기기, 검사 및 관찰용 보조기기, 작업장 내 기계 및 공구, 작업장 안전 보조기기 등
	30 레크레이션 및 레저용 보조기기	– 9개의 중분류, 24개의 소분류 품목 – 장애인용 장난감, 스포츠용 보조기기, 연주 및 작곡, 영상 제작, 사냥 및 낚시 등

2. 보조기기법

세계적으로 보조기기와 관련된 법을 제정하고 시행하는 국가는 미국과 우리나라가 가장 대표적이다. 미국은 2004년 보조공학법「Assistive Technology Act」을 2004년도에 제정하고 이 법에 근거하여 보조공학기기와 서비스 지원을 향상시키고 있으며 주(州) 정부가 독자적으로 보조공학과 관련된 다양한 프로그램을 운영할 수 있는 근거를 제시하고 있다.

우리나라에서 시행되고 있는 보조기기법은 「장애인·노인 등을 위한 보조기기 지원 및 활용촉진에 관한 법률」로 2015년 12월 29일 공포 후 2016년 12월 30일부터 시행되었다. 이 법률은 보조기기의 지원, 중앙 및 지역보조기기센터의 역할, 보조기기 관련 전문인력, 보조기기 연구개발 및 활성화를 포함하여 보조기기와 관련된 국가와 지방정부의 책무, 기본 계획 수립, 다른 법률과의 관계에 대한 내용을 포함하고 있다.

■ 표 4-3. 장애인·노인 등을 위한 보조기기 지원 및 활용촉진에 관한 법률 주요 내용

본법	시행령	시행규칙
제1조 목적 제2조 기본이념 제3조 정의 제4조 국가와 지방자치단체의 책무 제5조 기본 계획 수립 등 제6조 다른 법률과의 관계	제1조 목적 제2조 보조기기 실태조사	제1조 목적 제2조 보조기기의 종류
제7조 보조기기 지원 및 활용 촉진 사업 제8조 보조기기 교부 등 제9조 보조기기 정보제공 제10조 보조기기의 품질관리 제11조 보조기기 및 이용자 정보관리 제12조 보조기기 업체의 의무	제3조 보조기기와 이용자 등에 관한 정보의 범위	제3조 보조기기의 교부 등의 신청 제4조 보조기기의 교부 등의 결정 제5조 보조기기의 교부 등의 절차 제6조 보조기기의 교부 등의 비용 지급기준 등 제7조 보조기기 정보제공의 내용과 방법
제13조 중앙보조기기센터 제14조 지역보조기기센터		제8조 중앙보조기기센터의 설치 · 운영 등 제9조 지역센터의 설치 · 운영 등
제15조 보조공학사 자격증 교부 등 제16조 결격사유 제17조 보수교육 제18조 자격취소 제19조 자격중지 제20조 수수료	제4조 보조공학사의 자격요건 제5조 보조공학사 국가시험의 시행 및 공고	제10조 보조공학사 자격발급 신청 등 제11조 보조공학사 자격등록 대장 제12조 보조공학사 자격증 재발급 신청 등 제13조 보수교육의 실시 제14조 보수교육의 계획 및 실적보고 등 제15조 보수교육 관계서류의 보존 제16조 행정처분의 기준 제17조 보조공학사의 국가시험 수수료
제21조 보조기기업체의 육성 · 연구 지원 등 제22조 보조기기연구개발의 지원 등		제18조 보조기기업체의 육성 · 연구 지원 등 제19조 우수업체의 지정 및 취소
제23조 압류 등 금지 제24조 권한위임 등	제6조 권한 등의 위임 · 위탁 제7조 민감정보 및 고유식별정보의 처리	

3. 보조기기 서비스 전달체계

장애 특성을 고려한 맞춤 보조기기 서비스를 수행하는 보조기기센터는 보조기기법 제13조(중앙보조기기센터)와 제14조(지역보조기기센터)에 근거하여 설치 및 운영되고 있다.

중앙보조기기센터는 「국립재활원」 내 설치 운영되고 있으며 그 역할은 보조기기법 제13조에 따라 보조기기 관련 정책 연구 및 개발, 전문인력에 대한 교육·연수 및 홍보, 보조기기 관련 정보의 수집·관리 및 데이터베이스 구축, 지역보조기기센터의 운영 및 관리지원, 보조기기 이용자 및 이용실태 모니터링, 국제관계협력 등을 수행하고 있다.

1. 보조기기 관련 정책의 연구 및 개발사업
2. 보조기기 전문인력에 대한 교육·연수 및 보조기기 정책 홍보
3. 보조기기 관련 정보의 수집·관리 및 데이터베이스 구축·제공
4. 지역보조기기센터의 운영 및 관리 지원
5. 보조기기 이용자 및 이용실태 관련 모니터링
6. 보조기기 관련 국제협력

지역보조기기센터는 각 지방자치단체 지역 내 설치 및 운영되고 있으며 전국 17개 광역시·도 중 서울시를 제외한 16개 광역시·도에 설치 및 운영되고 있다(2022년 기준). 지역보조기기 센터의 역할은 보조기기법 제14조에 따라 보조기기 관련 상담·평가·적용·자원연계 등 보조기기 서비스, 보조기기 전시·체험장 운영, 보조기기 정책 제공 및 교육·홍보, 보조기기 서비스 관련 지역연계프로그램, 보조기기 대여, 수리, 맞춤 개조와 제작 사업, 다른 법률에 따른 보조기기 교부 등에 대한 협조, 중앙센터 수행협력, 그 외 보건복지부장관이 정하는 사업 등으로 규정하고 있다.

■ 표 4-4. 전국 광역 보조기기센터 주소

연번	기관명	주소
1	부산광역시 보조기기센터	부산광역시 연제구 중앙대로 1150번길 15
2	대구광역시 보조기기센터	대구광역시 남구 성당로50길 33 대구대학교 평생교육원 1호관
3	인천광역시 보조기기센터	인천광역시 계양구 계양산로 35번길 12-37
4	광주광역시 보조기기센터	광주광역시 북구 하서로 590 호남권역재활병원 1층
5	대전광역시 보조기기센터	대전광역시 중구 문화로 266 대전충청권역의료재활센터 지하 1층
6	울산광역시 보조기기센터	울산광역시 남구 신정동 돋질로 131 1층
7	세종특별자치 보조기기센터	세종특별자치시 한누리대로 589, 301호

연번	기관명	주소
8	경기도 보조기기센터	경기도 의정부시 충의로 73 산광빌딩 302호
9	충청북도 보조기기센터	충청북도 청주시 흥덕구 1순환로 438번길 39-17 충북재활의원 3층
10	충청남도 보조기기센터	충청남도 천안시 서북구 월봉로 48 믿음관 1층
11	전라북도 보조기기센터	전라북도 전주시 완산구 서원로 394, 1층
12	전라남도 보조기기센터	전라남도 순천시 제일대학길 17(덕월동)
13	경상북도 보조기기센터	경상북도 경산시 진량읍 대구대로 201 점자도서관 1층 1103호
14	경상남도 보조기기센터	경상남도 창원시 의창구 봉곡로 97번길 85
15	제주특별자치도 보조기기센터	제주특별자치도 제주시 아봉로 433, 제주시각장애인복지관 2층
16	강원도 보조기기센터	강원도 춘천시 충열로 142번길 24-16

그림 4-1. 전국 시·도 광역보조기기센터

출처: 중앙보조기기센터 홈페이지

　　보조기기법에 의한 보조기기센터 외 지자체에서 직접 설치 및 운영하고 있는 보조기기센터도 있는데 지자체 보조기기센터는 법 시행 이전부터 설치 및 운영되어 사실상 국내 보조기기 정책 및 서비스를 선도해 왔다고 할 수 있다. 2004년도 설립된 경기도재활공학서비스연구지원센터는 국내 최초로 설립된 보조기기 전문센터로 전국 센터 중 가장 큰 규모로 운영되고 있고 서울시는 네 개의 권역별 보조기기센터를 운영하고 있다. 그 외로 인천의 자세유지 보조기기센터, 제주도 및 서귀포 등에서도 보조기기센터가 설치 및 운영되고 있다.

■ 표 4-5. 지자체 설립 보조기기센터 주소

지역	기관명	주소
경기	경기도재활공학서비스연구지원센터	경기도 수원시 권선구 서수원로 130 204호
서울	서울시 동남 보조기기센터	서울특별시 강동구 고덕로 201
	서울시 동북 보조기기센터	서울특별시 노원구 덕릉로 70 가길 96
	서울시 서남 보조기기센터	서울특별시 강서구 방화대로 45길 69
	서울시 서북 보조기기센터	서울특별시 마포구 월드컵북로 494
인천	자세유지보조기구센터	인천광역시 계양구 계양산로 35번길 12-37
제주	제주장애인보조공학서비스지원센터	제주시 아봉로 433, 제주시각장애인복지관 2층
	서귀포시 장애인 보조기기대여센터	서귀포시 칠십로 72번길 9 3층

2 보조기기의 종류

1. 이동 보조기기

이동(移動)은 '움직여 옮김' 또는 '움직여 자리를 바꿈'을 뜻하는 사전적 의미를 가지고 있다. 공간과 공간 사이의 물리적 이동은 인간이 다른 인간과의 상호작용 혹은 사회활동을 위한 필수적인 행위이자 당연한 권리이다. 특히 신체적 장애를 가진 사람들에게 이동권이란 우리가 속한 환경 안에서 본인이 원하는 곳으로 이동하는 데 불편함 없이 움직일 수 있는 권리를 말하며, 이동권 보장은 폭넓은 사회 참여와 개인의 삶의 질을 향상시키는 데 아주 중요한 역할을 한다. 우리나라의 보조기기 품목 분류체계 중 이동 보조기기는 보행을 포함하여 개인의 실내/외 이동을 위한 보조기기와 교통수단과 관련된 보조기기 등을 포괄하고 있으나 본 항목에서는 보행을 제외한, 개인 이동(personal mobility)에 사용되는 보조기기를 중점적으로 다루고자 한다(보행과 관련된 보조기기는 이어지는 "2. 보행 보조기기"에서 다룬다).

이동 보조기기 중 가장 보편적으로 많이 사용되고 있는 휠체어류에 대한 소개와 이동 보조기기 선택 시 사용자가 고려해야 될 사항에 대해서 알아보자.

1) 휠체어 선택 시 고려 사항

휠체어(wheelchair)는 보행이 어렵거나 불가능한 장애인 또는 환자들이 이동 또는 이송하는 데 사용하는 보조기기로 의자에 바퀴가 부착된 외형을 취하고 있다. 이는 휠체어의 기능이 단순한 이동의 역할뿐만 아니라 앉은 자세를 유지하게 하는 지지의 역할도 포함하고 있음을 뜻한다. 따라서 휠체어를 선택할 때는 이동을 위한 조작방법과 바른 자세를 유지하기 위한 착석자세 모두를 고려하여야 한다.

(1) 좌석의 너비(width)와 깊이(depth)

휠체어 좌석의 너비는 사용자의 양쪽 고관절이나 대퇴부의 가장 긴 길이보다 약 5 cm(좌·우 2.5 cm)정도 넓게 제작한다. 좌석의 폭이 너무 넓으면 몸이 좌우로 기울어지거나 휠체어 폭이 증가해 출입문 등에서 물리적 접근성이 낮고, 좌석 폭이 너무 좁을 경우에는 대퇴부 좌우 측면에 압박이 가해져 찰과상 또는 욕창 등이 발생할 우려가 있다.

좌석의 깊이는 엉덩이 뒷면부터 무릎 오금까지의 거리를 측정하고 측정된 길이에서 5 cm 정도 짧게 제작한다. 만약 사용자가 성장기에 있는 아동인 경우, 좌석 깊이가 조절되는 기능을 선택하는 것이 좋다. 좌석의 길이가 너무 길 경우 슬와부(무릎 후면)에 과도한 압력을 주게 되고 반대로 좌석 깊이가 짧을 경우 체중지지면적이 좁아져 엉덩이에 압력이 집중되어 욕창 발생의 위험이 생긴다.

(2) 등받이 높이(back height)

등받이의 높이는 둔부에서 견갑골의 아래 각에서 2~5 cm 정도 낮게 결정되지만, 휠체어 사용자의 상지운동기능 수준에 따라 높이를 다르게 결정한다. 상지기능이 양호한 사용자의 경우 등받이 높이를 낮게 하여 상지의 운동범위를 확보해 주고, 상지의 운동이 좋지 못하거나 체간지지능력이 낮은 경우 등받이 높이를 높여 착석의 안정감을 제공한다. 즉, 사용자의 운동기능과 활동 등을 고려하여 등받이 높이를 결정한다.

(3) 좌석 높이(seat height)

일반적으로 좌석의 높이는 바닥에서 착면까지의 높이를 측정하지만 사용자에게 적합한 높이 결정을 위해서는 발판의 높이도 함께 고려하여야 한다. 일반적으로 신발을 착용한 상태에서 무릎과 발목이 90도 굽힌 자세가 유지되는 높이로 결정한다. 발판이 높으면 무릎이 올라가게 되고 엉덩이 부위의 특정부분(좌골결절)에 압력이 집중되는 현상이 발생되고 발 받침대가 너무 낮을 경우 슬와부 대퇴 부위에 무게가 집중된다.

(4) 팔걸이 높이(armrest height)

둔부에서 팔꿈치 높이까지의 높이를 말하며, 어깨가 너무 올라가지 않는 상태에서 높이를 결정한다.

(5) 기타

그 외 휠체어 선택에 있어서 좌석 재질, 등받이 장력 조절, 등받이 각도 조절, 틸트(tilt in space)기능, 다리 받침대 올림기능 등 사용자의 상황에 따라 다양한 기능들을 고려해야 한다.

2) 수동휠체어(manual wheelchair)

휠체어는 일반적으로 동력 사용 유무에 따라 수동휠체어와 전동휠체어로 구분할 수 있는데, 수동휠체어는 다른 동력원을 사용하지 않고 탑승자 또는 보호자의 신체활동으로 움직이는 휠체어를 의미한다. 동력을 사용하는 전동휠체어에 비해 무게가 가볍고, 부피가 작아 휴대 및 보관이 용이한 장점이 있는 반면, 주행을 위해서 지속적인 사람의 힘을 필요로 한다. 수동휠체어는 휠체어의 구조(접이형과 비접이형), 사용용도(일상생활용과 스포츠용), 기능(보조자형, 자세변환형, 기립형 등)에 따라 그 종류를 분류한다. 본 항목에서는 휠체어 기능을 중심으로 수동휠체어의 종류를 분류하고 그 용도에 대해서 알아보고자 한다.

(1) 일반형 수동휠체어

수동휠체어의 기본형으로 휠체어의 주 재료로 스테인리스 또는 알루미늄이 사용된다. 큰 휠을 이용하는 자가추진이동과 등받이 뒤에 설치된 손잡이를 활용하여 보조자에 의한 이동이 가능하다. 개인적인 용도로 가장 많이 활용되며 비교적 가격이 저렴하여 병원이나 복지관 같이 장애인이 이용하는 시설 내에 비치되기도 한다.

그림 4-2. 일반형 수동휠체어

(2) 보호자형 수동휠체어

휠체어의 주 재질, 기능 등이 일반형과 유사하지만 바퀴의 크기가 작아 탑승자가 직접 추진할 수 없으며, 보조자에 의한 이동만 가능하다. 제품에 따라 손잡이 부위에 주행속도를 조절하는 보호자용 브레이크가 장착되어 있는 것도 있다. 일반형에 비해 부피 및 무게가 적어 휴대가 용이하다.

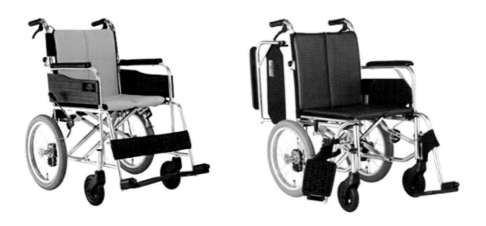

그림 4-3. 일반형 수동휠체어

(3) 활동형 수동휠체어

활동형 수동휠체어는 일반휠체어에 비해 등받이가 낮고 가벼운 재질을 이용하여 제작된 휠체어이다. 척수손상(흉추 이하)이나 절단장애인 등 상지의 기능과 체간조절기능이 양호한 장애인에게 적합하다. 등받이 높이가 낮아 지지면이 좁은 대신 상지의 활동성이 강화된다. 활동성을 최대화하기 위해 티타늄, 카본 또는 특수 합금 등을 이용하여 초경량형으로 제작되기도 하며, 사용자의 체격이나 기능 등을 고려하여 맞춤으로 제작하는 경우가 많다.

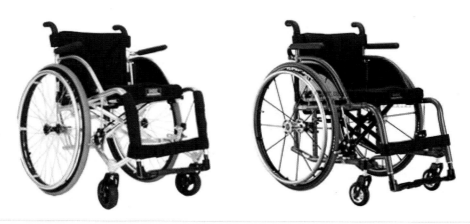

그림 4-4. 활동형 수동휠체어

(4) 리클라이닝형/틸팅형 수동휠체어

　　휠체어 사용자의 다양한 체위변환을 위해 등받이 각도가 90~180도 조절되는 리클라이닝형 휠체어와 등받이와 시트의 각도가 동시에 30~60도 조절되는 틸팅형 휠체어가 있다. 등받이 및 좌석 각도 조절이 가능한 휠체어는 체간과 머리 조절이 불가능하여 앉기 자세 유지가 어렵거나 욕창 등을 예방하기 위해 둔부의 압력을 분산시키기 위한 용도로 사용된다.

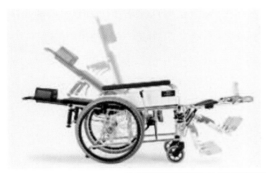

그림 4-5. 리클라이닝형(좌)/틸팅(우)형 수동휠체어

(5) 기립형 수동휠체어

　　일반형 휠체어 구조로 되어 있으나 유압 또는 전동 액추에이터를 활용하여 기립자세를 취할 수 있는 휠체어이다. 기립 동작을 통해 활동범위 증가, 하지의 근력 유지 및 골밀도 향상, 둔부 압력분산을 통한 욕창 예방 등 일상생활의 편의 증진과 의료적 예방 및 효과를 기대할 수 있다.

그림 4-6. 기립형 수동휠체어

(6) 스포츠형 휠체어

스포츠 종목에 따라 농구, 배드민턴, 테니스, 럭비, 펜싱, 휠체어 댄스 등에 따라 그 종류가 다양하며 방향 전환과 동적 움직임 간의 안전성을 확보하기 위해 뒷바퀴 캠버의 각이 큰 특징이 있다.

그림 4-7. 럭비 경기용(좌)/펜싱 경기용(중)/마라톤 경기용(우) 휠체어
출처: 강인학 외. "이동 보조기기 관리 및 수리 개론". 경기도재활공학서비스연구지원센터. 2021.

(7) 기타 휠체어

기타 사용환경, 장소에 따라 산악용 휠체어, 해변용 휠체어, 눈길용 휠체어 등 활동 영역과 장소 그리고 용도에 따라 다양한 특수 휠체어들이 있다.

그림 4-8. 산악용(좌)/해변용(중)/눈길용(우) 휠체어
출처: 강인학 외. "이동 보조기기 관리 및 수리 개론". 경기도재활공학서비스연구지원센터. 2021.

3) 전동휠체어(powered wheelchair)

전동휠체어는 휠체어를 직접 추진하기 힘들거나, 휠체어로 장거리를 이동하는 목적으로 사용된다. 수동휠체어와 달리 휠체어를 움직이기 위한 외부동력이 사용된다. 전동휠체어는 조이스틱 컨트롤러를 사용하여 이동과 방향 조절을 한다. 일반적으로 조이스틱 컨트롤러는 손을 이용하여 조작지만 중증장애인의 경우 머리, 턱, 호흡 등의 방법으로 휠체어를 조작할 수 있는 특수 컨트롤러를 사용하기도 한다. 전동휠체어의 종류에는 일반형 전동휠체어, 리클라이닝/틸팅형 전동휠체어,

기립전동휠체어, 수동/전동휠체어, 경량형 전동휠체어 등이 있다.

(1) 일반형 전동휠체어

대부분의 일반전동휠체어의 구조는 모터장치가 뒷바퀴에 부착되어 작동하는 후륜방식으로 되어 있다. 이때 앞바퀴는 캐스터 형태로 부착되어 조향 보조 역할을 담당한다. 휠체어 크기에 따라 회전 반경이 달라지며, 팔걸이와 발걸이의 분리 및 조절이 가능하나 무게와 부피로 인해 수동휠체어보다 차량 탑재가 어렵다.

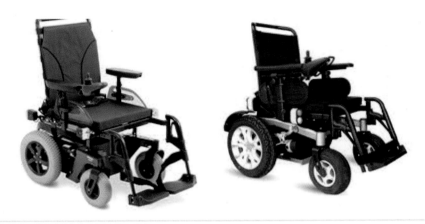

그림 4-9. 일반형 전동휠체어

(2) 리클라이닝/틸팅형 전동휠체어

리클라이닝형 전동휠체어는 등받이 각도가 90-170도까지 조절 가능하며, 틸팅형 전동휠체어는 등받이와 좌석의 각도가 30-50도가량 조절이 가능하다. 각도 조절이 가능한 전동휠체어는 사용자의 상황에 따라 자세 변경이 가능하고 둔부에 가해지는 압력을 분산시켜 욕창 예방을 기대할 수 있다.

그림 4-10. 리클라이닝형(우)/틸팅형(좌) 전동휠체어
출처: 강인학 외. "이동 보조기기 관리 및 수리 개론". 경기도재활공학서비스연구지원센터. 2021.

(3) 기립형 및 높낮이 조절 전동휠체어

　　기립형 전동휠체어는 일반 전동휠체어에서 기립자세로 변경할 수 있는 특수 기능의 휠체어이다. 기립상태에서 이동이 가능하여 사용자의 일상생활 활동범위를 확장시켜주고 기립자세를 통한 혈액순환, 관절 구축, 욕창 예방 등의 효과를 기대할 수 있다. 그 외 좌석의 높이를 조절할 수 있는 높낮이 조절형 전동휠체어도 일상생활의 활동범위를 확대시켜주는 효과를 기대할 수 있다.

그림 4-11. 기립형 전동휠체어, 높낮이 조절형 전동휠체어
출처 : 강인학 외. "이동 보조기기 관리 및 수리 개론". 경기도재활공학서비스연구지원센터. 2021.

(4) 기타 전동휠체어

　　기타 전동휠체어로는 수동휠체어의 장점과 전동휠체어의 장점을 결합한 하이브리드형 전동휠체어와 경량의 무게로 휴대성이 높은 경량형 전동휠체어 등이 있다. 하이브리드형 전동휠체어는 수동휠체어 프레임에 전동모터가 결합된 형태로, 무게와 부피를 최소화하면서도 동력을 이용한 이동이 가능하고 휴대성이 높다. 사용 조건에 따라 전동기능과 수동기능을 상호 전환시킬 수 있다. 경량형 전동휠체어는 자체 무게를 최소화하고 접이가 가능하여 차량 탑재 등 휴대가 용이하다. 그러나 일반전동휠체어에 비해 동력을 이용한 이동 가능거리가 짧고, 비포장길 등 지면의 상태에 따라 사용에 제약이 있다.

그밖에도 IT 기술 등이 발달함에 따라 Iot 기술을 결합하여 무선리모컨을 이용한 조작, 자율주행기능 등이 탑재되어 있는 첨단전동휠체어도 개발 중에 있다.

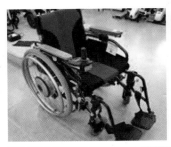 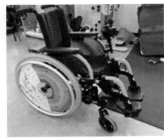 

그림 4-12. 수·전동 겸용(좌)/동력보조형(중)/휠로보(우) 전동휠체어

4) 전동스쿠터

전동스쿠터는 휠체어 형태가 아닌 4륜차의 구조로 되어 있고, 좌우 조향 핸들을 조작하여 추진 및 방향전환이 가능한 구조로 되어 있다. 전동휠체어에 비해 사용자의 체간조절능력, 손, 상지기능이 양호한 사람이 사용하기에 적합하다. 보편적으로 전동스쿠터는 장애인용이 아니라는 인식이 높아 일반 고령 사용자가 선호하는 경향이 있다.

전동스쿠터 종류는 일반형 전동스쿠터, 세바퀴형 전동스쿠터, 접이식/경량형 전동스쿠터, 2인용 전동스쿠터 등 무게, 형태에 따라 그 종류가 구분된다. 전동스쿠터는 주행 모터 하나에 좌우 바퀴가 연결되어 전·후진으로 움직이며, 핸들 조작을 통해 앞바퀴의 방향을 제어하면서 주행한다. 차체가 크기 때문에 회전 반경이 큰 단점은 있지만 거친 노면이나 경사진 실외환경에서 안정적인 주행이 가능한 장점이 있다.

세바퀴형 전동스쿠터는 일반형 전동스쿠터가 가지고 있는 단점(차체가 크고, 회전반경이 큰)을 보완하고자 앞바퀴가 외발이 된 전동스쿠터이다. 앞바퀴가 외발형태로 되어 있어 부피가 작고, 회전반경이 작아 접근성은 좋으나, 과도한 핸들 조작으로 전복되는 등 안전성에 문제가 있을 수 있다. 접이식/경량형 전동스쿠터도 기존 일반형 전동스쿠터의 단점을 대체하고자 활용된다. 접이식/경량형 전동스쿠터는 분리와 접이가 가능하여 휴대가 용이한 장점이 있는 반면, 작은 부피로 인한 안정성 문제가 있을 수도 있다.

2인용 전동스쿠터는 2인이 탑승 가능한 구조로 되어 있으며, 일반형보다 차체의 크기가 크지만 동승자와 함께 탑승 가능한 장점이 있다.

그림 4-13. 전동스쿠터(좌)/휴대 및 접이식 전동스쿠터(우)

2. 보행 보조기기

보행 보조기기는 근력과 관절의 움직임만으로 보행이 일부 가능한 사용자가 짧은 거리를 이동하거나 보행 훈련 시에 사용하는 보조기기이다. 보행 보조기 종류는 보행차, 보행보조차, 지팡이, 목발 등으로 구분할 수 있다. 보행보조기의 목적은 보행장애가 있는 장애인, 노인 또는 일시적 보행장애가 있는 사람이 사용하기도 하고, 뇌졸중이나 뇌손상, 또는 외상 후 회복 중에 보행 훈련을 하기 위한 목적으로 사용된다. 따라서 보행 보조기기의 종류는 보행 훈련을 주된 목적으로 사용하는 보조기기와 이동을 위한 보행을 목적으로 사용하는 보조기기로 구분할 수 있다. 그러나 훈련용과 이동용 보행 보조기기를 명확하게 구분할 수 없기 때문에 보조기기의 기능, 활용 목적, 사용 장소, 잔존 신체기능 등을 종합적으로 고려하여 필요에 맞는 보행 보조기기를 선택할 필요가 있다. 보행 보조기기는 기기를 조작하는 방법과 기기의 고유 기능에 따라 나뉘는데 한팔 조작형 보행 보조기기[1]와 양팔 조작형 보행용 보조기기[2]로 분류할 수 있다.

1) 한팔 조작형 보행용 보조기기

한팔 조작형 보행용 보조기기는 팔이나 손 중 하나로 각각 조작하며 단독 또는 쌍으로 사용된다. 보행 중 사용자의 체중을 지지하는 용도로 활용되고 지팡이와 목발이 대표적인 기기이다. 지팡이는 다른 보행 보조기기에 비해 부피가 작아 협소한 장소에서 사용이 가능하며 사용자의 체중을 받쳐 불편한 다리를 보조해 주거나 체중 부하를 분산시켜 자연스러운 보행이 가능하도록 도움을 준다. 사용자의 기능 수준에 따라 네발 형태의 지팡이, 좌석이 부착되어 있는 지팡이 등 다양한 종류의 지팡이를 선택할 수 있다. 목발(클러치, crutch)는 보행장애인뿐만 아니라 정형외과적인 손상을 입은 일반인들도 많이 사용하는 보행 보조기기로써 과거에는 재료가 거의 목재였지만 현재는 무게가 가볍고 내구성이 강한 알루미늄 재질로 제작되기도 한다. 목발 또한 보행자의 보행능력에 따라 겨드랑이에 끼워서 지지하는 일반적인 목발을 포함하여, 위팔 목발(상완 클러치), 아래팔 목발(전완 클러치), 아래팔지지 목발(전완지지대 클러치), 보조클러치 등 다양한 형태가 있다.

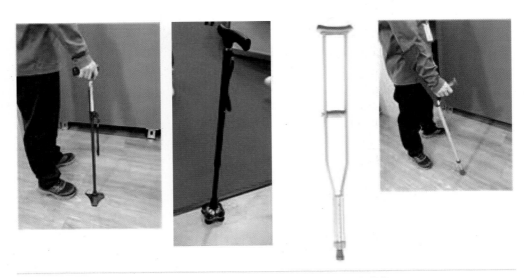

그림 4-14. 지팡이(단발/다발), 클러치(전완/전완지지)

2) 양팔 조작형 보행용 보조기기

양팔 조작형 보행 보조기기는 보행 시 양팔이나 상체를 지지하여 사용 가능한 보조기기를 말한다. 보조기기 품목고시기준으로 양팔 조작형 보행 보조기기는 보행보조차(보행틀, walking frames), 보행차(바퀴달린 보행차, rollators), 좌석형 보행차(walking chairs), 탁자형 보행차(walking tables) 등으로 분류되어 있으며, KC인증 제품안전 관리기준에서는 고령자용 보행차, 고령자용 보행보조차 등 두 개의 제품군으로 분류되고 있다.

(1) 보행보조차(walker, walking frame)

보행보조차는 사람이 걷거나 서 있는 동안 안전성, 균형, 체중지지가 가능하고, 팔의 보조로 보행이 가능하도록 보조해 주는 보조기기를 말한다. 보편적으로 이러한 제품군을 워커(walker)로 통칭하여 부르기도 한다. 워커는 네 개의 지지대가 연결된 사각 틀 구조로 되어 있어 팔을 지지하거나 잡은 상태에서 제품을 밀거나 들어 옮기면서 보행한다. 그래서 제품에 따라 지지대 끝부분 모두가 네 개의 고무팁으로 되어 있거나, 고무팁과 바퀴가 두 개씩 부착되어 있거나, 네 개 모두 바퀴로 되어 있는 제품들이 있다. 보행보조차의 종류는 편마비 환자가 한쪽 팔로 지지하여 사용할 수 있는 헤미워커(hemi-walker), 네 개의 지지대 중 앞쪽 지지대 두 개에 바퀴가 부착되어 보행의 속도를 제어할 수 있는 구동워커, 손잡이가 계단 형태의 2단 높이 구조로 되어 있어 앉은 자세에서 일어서기에 도움을 주는 2단 워커 등이 있다. 또한 양팔을 워커 지지대를 잡은 상태에서 체중의 무게중심을 후방으로 이동시켜 보행을 할 수 있도록 해 주는 후방지지워커도 있다. 후방지지워커는 뇌성마비장애를 가진 사람들이 보행 및 보행훈련에 많이 활용하는 보조기기이다.

그림 4-15. 워커, 구동워커, 2단 구동워커. 후방지지워커(순서대로)

(2) 보행차(rollator, walking tables)

보행차는 손잡이와 세 개 이상(보통 네 개)의 바퀴로 구성되어 보행 중 안정성과 균형감을 제공하여 밀거나 당김으로써 보행에 도움을 주는 보조기기이다.[3] 보행차는 보통 네 개의 바퀴가 달려있는데 뒷부분에 부착된 바퀴는 각도가 고정되어 있고, 앞쪽에 달려있는 바퀴는 회전각도를 조절할 수 있다. 이 기능을 활용하여 보행 시 보행안전성을 높이거나 방향 전환을 용이하도록 조절할 수 있다. 보행차는 보행보조차(워커)에 비해 구동성이 뛰어나 보행능력이 좋고 안정적인 자세와 움직임이 가능한 사용자에게 적합하다.[4] 보행차는 크게 세 가지 형태로 분류할 수 있다. 롤레이터(rollator)라고 불리는 보행차는 기기를 만드는 브랜드 이름이었지만 보행차를 대표하는 일반화된 명사로 취급되고 있다. 주로 유럽이나 미국 등 서양국가에서 주로 활용되고 있으며, 이 제품의 가장 큰 특징은 좌우로 분리된 손잡이로, 양손을 손잡이를 잡고 밀면서 이동한다. 다른 형태는 실버카라고 불리는 보행차이다. 실버카는 한국, 일본, 대만 등 주로 아시아권에서 많이 활용된다. 이 보행차의 가장 큰 특징은 손잡이가 가로일자형으로 되어 있어 한 손만 이용하여 밀어서 이동하거나 양손으로 자신이 편한 간격을 잡고 이동할 수 있다. 롤레이터와 실버카의 공통점은 이동 중 쉴 수 있도록 슬링 또는 좌석이 부착되어 있고, 물건을 담을 수 있는 바구니 또는 수납함이 있다. 탁자형 보행차는 보행차 앞쪽에 탁자(테이블)가 부착되어 있어 팔을 탁자 위에 올려 체중을 지지한 상태로 보행이 가능하다. 탁자형 보행차는 보행 중 몸이 앞쪽으로 기울어지고 체중의 지지가 필요한 사람에게 유용하다.

　　우리나라에서는 보행차와 보행보조차의 경계가 명확하지 않은 특징이 있다. 상업적으로 판매되고 있는 기기들 중 판매자의 판단에 따라 동일한 기기를 보행차로 팔기도 하고 보행보조차로 판매하기도 한다. 그래서 실제 서비스 현장에서는 보행차, 보행보조차라는 용어보다는 '전방워커, 후방지지워커, 롤레이터, 실버카 등'의 이름을 더 많이 사용한다.

그림 4-16. 실버카(좌)/롤레이터(중)/탁자형 보행차(우)

3. 자세 보조기기

　　자세유지를 위한 보조기기는 장애로 인해 바른 자세유지가 어려운 장애인들이 사용할 수 있는 보조기기로 앉은 자세와 선 자세를 유지하는 데 활용된다. 인간에게 바른 자세를 유지하도록 하는 것은 여러 가지 장점이 있다. 바른 신체정렬은 관절의 구축 및 변형을 최소화하고 장애로 인해 손상된 신체를 최대한 기능적으로 활용하도록 하여 개인의 능력을 향상시킬 수 있다. 집중되는 체중부하를 효과적으로 관리하여 욕창 등 2차 질환을 예방할 수 있을 뿐만 아니라 편안함과 안락함을 제공하여 신체부담을 최소화할 수 있다. 바른 자세를 유지하는 데 사용되는 자세 보조기기는 신체의 바른 정렬과 체간 및 머리의 안정성을 향상시키고, 불수의적인 움직임(비정상적 반사)을 감소시킬 수 있으며, 체중을 분산하여 욕창을 예방할 수 있다. 신체 전반의 기능 향상을 도와줌으로써 일상생활과 사회참여의 기회를 확대하는 효과가 있다.[5]

1) 착석(앉기) 보조기기

　　착석 보조기기는 바른 앉기 자세를 통해 전신의 안전감을 주는 동시에 팔다리의 운동성과 효과적인 체압 분산을 위해 사용한다. 착석 보조기기의 필요 여부를 결정하는 자세 조절의 가장 중요한 원리는 몸의 근위부의 안정성이 머리 또는 신체의 말단(원위부)의 움직임이나 조절을 용이하도록 해야 한다는 것이다. 골반이나 체간(근위부)이 안정된 상태에서 상지와 하지(원위부)를 사용할 수 있도록 해야 한다. 그래서 근위부와 원위부의 조절 수준에 따라 착석 자세 조절을 3단계로 구분하고 각 단계에 따라 착석 보조기기의 종류를 선택하도록 한다.[6]

- 1단계, 손이 자유로운 경우

  1단계는 근위부 지지를 위해서 손을 사용하지 않고 장기간 앉을 수 있는 상태를 의미한다. 이런 경우 자세보다는 활동(움직임)에 방점을 두고 착석 보조기기를 선택할 필요가 있다.

- 2단계, 손에 의존하는 경우

  2단계는 앉은 상태에서 근위부 지지를 위해 한 손 또는 양손을 사용해야 하는 상태를 의미한다. 이 경우 착석 보조기기는 기능적인 활동을 위해 손을 자유롭게 사용할 수 있도록 골반 또는 몸통(근위부)을 지지할 수 있는 보조기기를 선택한다.

- 3단계, 몸의 지지가 필요한 경우

  이 단계는 앉은 자세를 독립적으로 취할 수 없는 상태를 의미한다. 따라서 전신을 지지할 수 있는 착석 보조기기를 선택해야 한다.

착석 보조기기의 종류는 크게, 모듈러형(modualr type)과 몰딩형(molding type)으로 구분할 수 있다. 착석 보조기기는 휠체어나 장애인 유모차 등 이동 보조기기에 결합하거나, 목재나 철재로 된 의자 프레임에 결합하여 사용하기도 한다. 모듈러형 착석 보조기기는 좌판, 등판, 머리받침대, 샌들, 골반/체간 지지대, 각종 벨트 등으로 구성품들이 규격화되어 있고 모듈화되어 있다. 모듈러형 착석 보조기기의 가장 큰 장점은 각 구성품 중 필요한 부품만 교체가 가능하다는 점이다. 특히 성장기에 있는 아동의 경우 착석 보조기기를 성장에 맞춰 변경을 해야 하는데 모듈러형의 경우 필요한 부분만 교체할 수 있어 빠른 조치와 비용 절감이 가능하다. 반면 중증장애인의 경우 규격화된 형태가 맞지 않아 사용이 어려울 수 있다. 이런 경우에는 몰딩형 착석 보조기기를 사용할 수 있다. 몰딩형 착석 보조기기는 개인의 신체 특성을 고려하여 맞춤 제작된다. 특히 척추변형이나 골반의 뒤틀림 등 골격의 심한 변형이나 구축이 있는 중증장애인이 사용할 수 있도록 제작한다. 사용자의 장애 상태에 맞게 제작되기 때문에 착석 시 편안함과 신체변형도 예방할 수 있다. 그러나 과도한 자세변형을 교정하기 위한 맞춤 제작은 지양해야 한다. 몰딩형의 가장 큰 단점은 착석 보조기기 제작자의 숙련도에 따라 기기의 완성도, 기능, 품질 등의 차이가 있을 수 있으며 성장에 따른 보조기기 교체로 경제적 부담 증가와 제작시간이 길다는 것이다. 모듈러형, 몰딩형 등 맞춤 제작 형태의 보조기기 말고도 피더시트와 같은 기성화된 자세 보조기기도 있다.

그림 4-17. 모듈러형(좌)/몰딩형(중)/피더시트(우)

2) 기립자세유지 보조기기(기립 보조기기)

기립훈련은 신체의 적절한 근긴장도와 몸통의 안전성을 유지하고 신체의 정중선을 중심으로 신체 정렬을 유지할 뿐만 아니라 관절의 구축과 변형 등을 예방하는 효과가 있다. 장시간 착석으로 둔부에 집중되는 압력을 분산하고 사용자의 혈액순환을 촉진하여 욕창의 예방과 이미 발생한 욕창 관리에도 효과가 있다. 기립자세유지 보조기기는 독립적인 기립이 어렵거나 기립자세유지가 어려울 경우 다리와 몸통 그리고 상황에 따라 머리 등을 고정하여 기립자세를 유지할 수 있도록 도와주는 보조기기이다. 기립자세유지 보조기기는 신체기능의 중등도 즉 머리와 체간의 조절능력, 근긴장도를 고려하여 기립 보조기기를 선택한다. 기립 보조기기는 크게 전방지지형과 후방지지형으로 나눌 수 있는데 머리 조절과 상체기능, 근긴장도 수준에 따라 기기 유형을 선택할 수 있다. 일반적으로 머리 조절과 상체기능이 양호할 경우 전방지지형 기립 보조기기를 사용하고, 머리 조절이 불가능하고 상체의 근긴장도가 낮을 경우 후방지지형 기립 보조기기를 사용한다.

전방지지형 기립 보조기기는 가슴을 기립 보조기기에 지지한 상태에서 가슴, 골반, 무릎, 발을 고정하여 기립한다. 머리 조절 및 체간 조절이 가능하지만, 다리근육이 약하여 독립적인 기립이 어려울 경우 사용하며 기립기의 세움 각도에 따라 체중부하 정도가 변동된다. 기립기를 수직으로 세울 경우 사용자의 체중이 하지 쪽으로 그대로 부하되어 운동효과를 높게 기대할 수 있으나 사용자의 근피로도가 빠르게 증가한다. 반면 기립기의 각도를 전방으로 기울 경우 가슴과 하지로 체중이 분산되어 근피로도가 느리게 증가되지만 기립운동효과는 반감된다. 사용자의 근력과 운동 수준을 고려하여 수시로 기립각도를 조절하여 사용자에게 맞는 기립훈련을 해야 한다.

후방지지형 기립 보조기기는 기립기에 등을 지지한 상태로 머리와 가슴, 골반, 무릎, 발을 고정하여 기립할 수 있는 보조기기이다. 머리와 체간 조절을 스스로 조절하기 어려운 경우 사용한다. 사용방법은 기립기를 수평상태로 만든 다음 사용자를 그 위에 눕히고 가슴, 골반, 무릎, 발을 벨트로 고정시킨 후 수직에 가까운 각도로 변화시키면서 사용한다. 사용자에게 무리되지 않은 범위 내에서 하지에 체중이 부하될 수 있도록 조절한다. 이 밖에도 기립을 목적으로 사용하는 보조기기로는 전방과 후방을 겸용으로 사용할 수 있는 기립 보조기기, 기립상태에서 짧은 거리 이동이 가능한 이동식 기립기, 휠체어에 앉은 상태에서 기립기 사용이 가능한 벨트식 기립기, 틸팅테이블 등 다양한 보조기기들이 있으며, 재활현장에서 활용되고 있다.

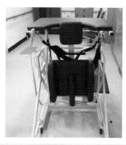

그림 4-18. 전방형, 후방형, 벨트식, 틸팅테이블(순서대로)

기립자세유지 보조기기를 사용할 때의 주의점은 사용자의 무릎관절이 이미 구축되어 있거나 근단축으로 완전히 펴지지 않은 상태에서 무리하게 사용할 경우 근조직이 손상될 수 있으므로 주의가 필요하다. 또한 심장 및 호흡, 순환기계통의 문제가 있는 경우에도 사용자의 혈압, 심박수, 기립성 저혈압 등의 징후가 나타날 수 있으므로 사용 시 주의가 필요하다.[7] 보조기기 사용 전 사용방법 및 주의사항을 충분히 숙지해야 하며 기립기에 사용자를 태우는 과정에서 낙상사고가 발생될 수 있으므로 신체부위를 고정하는 벨트, 나사 등이 완전히 채워져 있는지 확인해야 한다. 사용자의 신체기능 수준을 고려하여 기립각도와 시간을 결정해야 하며, 무리한 각도로 오랜 시간을 사용하기보다는 점차적으로 사용시간을 늘리고 기립각도를 수직에 가깝게 사용하는 것이 좋다. 기립 보조기기는 올바른 기립자세를 유지할 수 있도록 도와주고, 머리와 체간의 조절능력을 향상시키며, 관절에 체중부하를 유도하여 골밀도를 유지하고, 관절구축 및 근단축을 예방할 수 있다. 또한 기립자세유지를 통한 소화촉진, 내장기능 향상 그리고 긍정적인 심리 및 사회적 변화를 기대할 수 있다.[8]

4. 일상생활 보조기기

일상생활활동은 사람이 하루를 보내는 데 필요한 기초적 활동으로 개인 모두가 공통적으로 매일 반복하는 일련의 활동을 의미한다.[9] 일상생활활동의 목적은 인간의 삶에서 자기관리를 스스로 유지하고, 개인의 일들을 수행함으로써 자신의 역할과 자아성취를 이루는 데 있으며, 일상생활활동은 크게 기본적 일상생활활동(B-ADL: Basic Activities of Daily Living)과 수단적 일상생활활동(I-

ADL: Instrument Activities of Daily Living)으로 분류할 수 있다.

일상생활 보조기기는 일상생활을 하는 데 필요한 동작을 독립적이고 효율적으로 수행할 수 있도록 도와주는 보조기기를 말하는데 일상생활의 활동범위와 유형이 광범위한 만큼 이에 활용되는 보조기기 또한 다양하다. 본 항목에서는 목욕하기, 화장실 이용하기, 옷 입기, 식사하기, 기능적 이동 등 기본적인 일상생활활동에 사용되는 보조기기에 대해 알아보고자 한다.

1) 목욕 및 샤워를 위한 보조기기

목욕 및 샤워하기는 몸을 씻는 활동으로 몸에 비누칠하기, 헹구기, 몸 말리기, 몸 닦기 등 많은 동작들이 필요하다. 그러므로 목욕이나 샤워 중에는 관절운동범위와 체간의 안정성이 중요하며 이러한 신체기능이 확보되지 못할 경우 보조기기를 활용할 수 있다. 보조기기 사용자의 안전뿐만 아니라 보호자의 돌봄 부담도 감소시키는 장점이 있다.

목욕 및 샤워 시 사용되는 보조기기는 아래와 같다.

- **목욕의자:** 근력이 부족하거나 기립 및 앉기 자세를 유지하기 어려울 경우 앉아서 목욕을 할 수 있고 낙상사고 등을 예방할 수 있다. 목욕의자는 일반의자 형태의 보조기기와 등받이 각도 조절 목욕의자, 바퀴달린 목욕의자, 변기 겸용으로 사용할 수 있는 목욕의자 등 다양한 종류가 있다.
- **목욕용 리프트:** 욕조에 설치하여 목욕 시 편안하고 안전하게 욕조 안으로 들어가 입욕할 수 있는 보조기기로 욕조 진입이 어려운 사람에게 적합하다. 기기 특성상 전기를 이용하지만 수중에서 사용할 수 있도록 안전하게 설계되어 있으며 욕조 안에 두고 사용하거나 욕조 측면 벽에 설치하여 사용하는 등 사용환경에 따라 제품을 선택할 수 있다.
- **세면기:** 거동이 불편하여 머리 감기가 어려울 경우 사용하는 보조기기로 와상상태에서 세면할 수 있는 것과 휠체어에 앉은 상태에서 세면(머리 감기)할 수 있는 것이 있다.
- **목욕용품:** 목욕 시 관절의 움직임 제한으로 손이 잘 닿지 않는 신체 후면이나 발등을 씻을 때 사용할 수 있는 보조기기도 있다. 길거나 휘어진 손잡이에 스펀지, 솔 등을 부착하여 사용하는 보조기기와 흡착식으로 바닥에 고정해서 사용하는 보조기기 등이 있다.
- **기타 보조기기:** 목욕 및 샤워에 직접적으로 사용되지 않지만 안전사고 등을 예방할 수 있는 보조기기도 필요하다. 미끄럼방지 매트의 경우 욕실 바닥이나 욕조 안에서 미끄러지는 것을 예방할 수 있으며, 안전손잡이 또한 욕실 진입 시 발생할 수 있는 낙상 등의 안전사고를 예방할 수 있다.

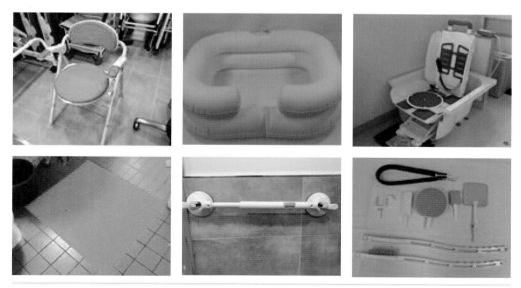

그림 4-19. 상: 목욕의자(좌), 세면기(중), 욕조용 리프트(우)/하: 미끄럼방지매트(좌), 안전손잡이(중), 목욕용 솔(우)

2) 화장실 사용을 위한 보조기기

대·소변 등 생리현상을 해결하기 위해서는 화장실로 이동 후 변기로 옮겨 앉기, 옷 내리기, 용변 후 뒤처리 등 일련의 활동이 필요하다. 화장실 사용을 위한 보조기기로는 화장실로의 이동을 최소화 하거나, 변기에 안전하고 편안하게 앉을 수 있도록 자세를 보조해 주는 기기 등이 있다.

- **대/소변수집장치:** 화장실로의 이동 없이 소변 등을 쉽게 처리할 수 있는 도구로 눕거나 앉은 자세에서 사용이 가능하다. 단순히 분뇨를 수집하는 기능의 보조기기도 있고, 대·소변을 자동으로 수집하고 비데기능까지 있는 보조기기도 있다.
- **이동변기:** 화장실로의 이동이 어렵거나 불가능한 경우 실내에서 사용할 수 있는 변기로 넓은 좌면과 팔걸이가 부착되어 안전한 배변활동이 가능하다. 이동변기의 종류에 따라 화장실의 변기와 결합하여 사용할 수 있는 것과 의자형태로 되어 있는 기기도 있다.
- **변기 높임 좌석 및 안전손잡이:** 사용자의 신장과 관절의 운동범위에 맞춰 변기시트를 높여주거나 몸을 지지해 주는 보조기기로 변기 이용 시 앉기와 서기 동작에 도움을 준다. 특히 변기 좌석이 높고 팔걸이가 부착되어 있는 보조기기의 경우 요통이나 엉덩관절치환술 같이 근골계질환으로 관절가동범위가 제한적인 사람이 사용할 경우 변기에 착석할 때 허리에 부담을 덜 수 있고 고관절에 가해지는 무게 실림을 감소시킬 수도 있다.

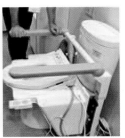

그림 4-20. 소변수집장치, 실내변기, 변기 리프트

3) 옷 입고 벗기

의복은 상·하의에 따라 입는 방법이 다르고 같은 종류의 옷이라 할지라도 옷에 따라 입는 방법이 다르기 때문에 옷을 갈아입는 활동에는 다양하고 섬세한 신체동작이 필요하다. 옷 입기에는 단추 채우기, 지퍼 올리기, 양말 및 스타킹 신기, 옷 고정하기, 옷걸이에 옷 걸고 내리기 등의 활동이 필요하며 활동을 보조하는 다양한 보조기기들이 있다.

- **단추 끼우기 보조기기(button hook):** 한손으로 단추를 채울 수 있도록 도와주는 보조기기로 사용자의 손기능에 따라 다양한 형태의 손잡이로 되어 있다.
- **지퍼 당김 보조기기(zipper hook):** 손근육의 운동 문제로 지퍼를 손으로 잡고 올리는 동작이 어려울 경우 지퍼 구멍에 고리를 걸어 쉽게 당기고 내릴 수 있도록 도와주는 보조기기이다.
- **양말착용 보조기기(socks aids):** 체간 및 상/하지의 기능 저하로 관절의 굽힘이 어려울 경우 굽힘 동작을 최소화하여 양말이나 스타킹 신기에 도움을 주는 보조기기이다.
- **옷 흘림 방지 집게(pants clamp):** 한 손만 사용할 수 있는 경우 바지를 입거나 추스를 때 바지가 아래로 흘러내리는 것을 방지하기 위해 사용하는 집게 형태의 보조기기이다.
- **옷걸이 막대(dreesing stick):** 휠체어 사용자나 상지의 운동범위가 제한되어 높은 위치의 옷을 걸고 내리는 동작이 어려울 경우 사용할 수 있는 보조기기이다.

그림 4-21. 단추/지퍼 보조기기, 양말신기 보조기기, 바지 집게, 옷걸이 막대

4) 식사하기

음식 관련 보조기기는 식사용 보조기기와 음식 준비에 사용되는 보조기기로 구분할 수 있으나 본 항목에서는 음식물을 섭취하는 데 사용되는 식사용 보조기기에 대해서 소개하고자 한다. 식사용 보조기기는 음식물을 담을 수 있는 용기와 용기에 담긴 음식물을 떠서 입으로 가져가는 데 사용하는 음식·음료 섭취용 보조기기로 구분할 수 있다. 최근에는 로봇기술을 응용한 로봇 식사 보조기기도 활용한다.

- **접시, 그릇 및 음식보호대:** 음식을 뜰 때 흘림을 방지하거나 그릇을 바닥에 고정시켜 주는 등 다양한 보조기기들이 있다.
- **음식 및 음료 섭취용 보조기기:** 상지의 수의적인 움직임에 제한이 있을 경우에도 스스로 음식을 섭취할 수 있도록 도와주는 보조기기로, 다양한 모양의 손잡이, 구부러진 숟가락/포크, 무거운 숟가락/포크, 한 손 사용 나이프, 쉬운 사용 젓가락 등 전통적인 수저 형태의 보조기기뿐만 아니라 파킨슨 등 지속적이 떨림이 있는 사용자 또한 사용할 수 있는 특수 기능의 숟가락 보조기기도 있다.

그림 4-22. 편한 숟가락, 흘림방지 그릇, 음료 섭취 보조, 로봇 식사 보조기기

5) 이승 보조기기

이승(移乘)의 의미는 '바꾸어 탐 또는 바꾸어 태움'의 의미로 일상생활활동 중 원거리 이동이 아닌 실내공간의 한 지점에서 다른 지점으로의 이동을 의미한다. 즉 휠체어에서 침대로 이동, 바닥에서 휠체어로 이동, 휠체어에서 변기 등의 이동을 의미하며 이러한 이동에 활용되는 보조기기를 이승 보조기기라 한다. 이승 보조기기는 사용자의 잔존 신체기능에 따라 본인 스스로 이동을 보조하는 성격의 보조기기와 보호자 또는 돌봄 제공자가 직접 조작하는 보조기기로 나눌 수 있다.

- **직접 사용할 수 있는 이승 보조기기:** 장애인 당사자가 직접 사용할 수 있는 이승 보조기기는 슬라이딩보드와 리프트체어가 있다. 슬라이딩보드 또는 트랜스퍼보드는 휠체어와 침대 간 이동 시 두 공간 사이에 거치하여 두 위치를 연결하고 그 위에 엉덩이를 올려 놓고 엉덩이를 미는 방법으로 사용한다. 리프트체어는 좌석이 바닥에서부터 의자 높이까지 수직방향으로 조절 가능

한 전동식 이승 보조기기이다. 사용자가 바닥에 있는 경우 리프트체어 좌석을 바닥으로 내린 상태에서 엉덩이 밀기로 좌석에 앉은 후 좌석 높이를 이승하고자 하는 다른 지점의 높이까지 올린다. 이후 같은 높이에서 엉덩이 밀기나 슬라이딩 보드를 이용하여 원하는 위치로 옮겨 앉는다. 보호자나 돌봄 제공자가 조작하여 사용할 수도 있다.

● **보호자 또는 돌봄 제공자 조작 이승 보조기기**: 보호자 또는 돌봄 제공자가 직접 조작하는 이승 보조기기는 장애인 등 돌봄을 받는 사람이 자발적인 움직임이 불가능한 경우 사용하며 보호자나 돌봄 제공자의 육체적 부담을 줄여줄 수 있다. 대표적인 보조기기는 이동식 리프트로 슬링이라는 포대기에 돌봄받는 사람을 완전히 감싼 후 동력의 힘으로 들어올려 원하는 장소로 이동 후 내려놓는다. 리프트 보조기기로는 사람을 들어올린 상태에서 이동이 가능한 이동식 리프트, 천장에 리프트를 설치하여 들어올리는 천장주행리프트, 와상상태에서 이동시킬 수 있는 와상형 리프트 등이 있다.

● **단차(수직)해소를 위한 이승 보조기기**: 실내의 작은 단차, 실외에서 실내 진입 간의 단차 또는 계단 등 일상적인 물리환경에 있는 크고 작은 단차를 해결하여 물리적 접근성을 향상시킬 수 있는 보조기기를 단차해소 보조기기 또는 승강용 보조기기라 한다. 대표적인 보조기기는 경사로(휴대용 경사로 포함), 수직승강리프트, 좌식형 계단리프트, 이동형 리프팅 플랫폼 등의 보조기기들이 있다.

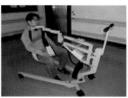

그림 4-23. 슬라이딩보드, 이동식 리프트, 천장주행리프트, 단차리프트(좌측부터 순서대로)

6) 개인위생 및 몸단장 보조기기

개인의 몸을 청결하게 하고 차림새를 단정하게 하는 치장활동도 중요한 일상생활활동이다. 체모손질(면도기 사용), 세수하기, 화장하기, 머리 말리기, 머리 손질하기, 손톱 깎기 등이 대표적인 활동이라 할 수 있는데 이러한 활동을 보조해 주는 보조기기들이 있다.

● **쥐기용 보조기기**: 칫솔, 면도기 등 특정 도구를 부착하여 손의 쥐기 동작을 보완할 수 있다.
● **손발톱 관리 보조기기**: 손톱, 발톱 등을 관리하는 데 사용하는 보조기기로 한 손으로 사용할 수 있는 손톱깎이, 돋보기가 부착된 손톱깎이, 전동손톱깎이 등이 있다.

● **머리 손질 보조기기**: 머리를 손질하는 데 사용할 수 있는 다양한 보조기기로 드라이어 거치대, 손잡이가 길거나 손잡이 각도를 유연하게 조절할 수 있는 브러시/빗 등이 있다.

그림 4-24. 쥐기 보조기기, 확대경 달린 손톱깎이, 긴 손잡이 빗(좌측부터 순서대로)

5. 정보접근 보조기기

정보화시대에 정보에 접근하지 못하는 상황이 발생된다면 어떻게 될까? 대부분의 장애인들은 신체적 장애로 인해 모든 활동에서 제약을 받고 있으며, 정보접근 또한 예외가 아니다. 정보의 의존도가 높은 현대사회에서 장애인의 정보접근 차별은 신체기능장애 외 정보장애라는 이중적 장애 환경을 만든다. 정보접근 보조기기는 활용 용도에 따라 정보를 입력하는 입력장치와 정보를 확인할 수 있는 출력장치로 구분할 수 있으며, 사용방법에 따라 잔존 신체기능을 활용하여 접근성을 향상시킬 수 있는 보조기기와 기존 방법을 대체할 수 있는 방법으로 접근성을 향상시킬 수 있는 보조기기로 구분할 수 있다.

1) 지체/뇌병변장애인을 위한 정보접근 보조기기

지체장애인/뇌병변장애인은 출력되는 정보를 확인하는 데는 문제가 없지만 키보드/마우스 입력장치를 사용하는 데 어려움을 겪는다. 이를 해결하기 위해 잔존기능을 이용하거나 다른 신체부위로 사용할 수 있는 특수 마우스, 특수 키보드를 사용한다.

(1) 특수 마우스

컴퓨터의 운영체제가 GUI (graphic user interface)환경으로 전환되면서 마우스 사용은 필수요건이 되었다. 일반적으로 사용되는 마우스는 마우스를 손으로 감싸듯이 움켜쥐고 손목과 어깨를 움직여 미세하고 정확한 조작을 한다. 특수 마우스는 이러한 표준 마우스 사용이 어려운 장애인들이 잔존기능을 활용하거나 상지가 아닌 다른 신체부위를 이용하여 컴퓨터를 사용할 수 있도록 해 준다.

● **트랙볼 마우스**: 트랙볼 마우스는 볼 마우스를 뒤집어 놓은 모양으로 제품 표면의 볼을 손가락으로 조정하여 마우스 커서를 제어한다. 마우스를 쥐거나 손목과 어깨의 움직임 없이 볼을 터치하

는 손가락으로만 마우스 이용이 가능하다.

- **조이스틱 마우스:** 기기 표면에 부착된 조이스틱을 움직여 마우스를 제어할 수 있다. 전동휠체어를 같은 방법으로 조정하기 때문에 전동휠체어 사용경험이 있거나 사용 중인 사람들에게 유용하다.

- **헤드 마우스:** 헤드 마우스는 머리의 움직임을 이용하여 마우스를 조작할 수 있는 특수 마우스로 머리가 움직이는 방향(상/하/좌/우)을 인식하여 마우스 움직임에 그대로 반영되는 특수한 마우스로 상지 사용이 불가능한 척수손상(경추)장애인에게 유용하다.

- **입술 마우스:** 입술의 움직임과 호흡(불기/빨기) 동작으로 마우스를 제어할 수 있는 특수 마우스이다. 기기 끝을 입으로 물고 입술을 움직여 마우스 포인트를 이동시키고 클릭 동작은 호흡의 불기와 빨기 동작으로 가능하다. 상지 사용이 불가능한 지체장애인에게 유용하다.

- **안구 마우스:** 눈동자의 움직임으로 마우스를 조작하는 특수 마우스로 카메라가 눈동자의 움직임을 추적하고, 눈동자가 움직이는 방향에 따라 마우스 포인터가 움직이는 특수 마우스이다. 사지마비의 최중증장애인에게 유용한 보조기기이다.

그림 4-25. 상: 트랙볼 마우스, 조이스틱 마우스, 터치패드 마우스/하: 립 마우스, 인테그라 마우스, 헤드 마우스, 안구 마우스

(2) 특수 키보드

키보드는 컴퓨터 사용 시 글자 등을 입력하는 중요한 도구로 컴퓨터 사용에 필수적인 입력장치이다. 일반적인 키보드는 가로 44 cm × 세로 13 cm의 직사각형 면적 내 106개의 키가 배열되어 있다. 비장애인의 경우 어렵지 않게 사용할 수 있는 크기지만 상지의 기민성이나 관절가동범위에 장애가 있는 경우 사용이 어렵다. 특수 키보드에는 장애인의 잔존기능을 활용하여 사용할 수 있는 다양한 형태의 키보드가 있다.

- **인체공학 키보드:** 인체공학적으로 설계되어 있는 특수한 키보드로 반복적인 동작으로 발생될

수 있는 손과 손목의 근긴장도를 감소시키는 효과가 있다. 키보드 모양과 배열이 다르거나 키보드가 좌우분리되어 있는 등 다양한 형태의 인체공학 키보드가 있다.

● **확대 키보드(큰 키보드)**: 확대 키보드는 표준 키보드에 비해 1.5~2배 크며, 키보드 사용 시 의도하지 않는 키를 누르는 등 상지의 기민성이 낮은 장애인에게 유용하다. 확대 키보드 사용 시 배열된 모든 키를 누를 수 있는지 상지의 운동범위를 확인해야 한다.

● **미니 키보드(작은 키보드)**: 미니 키보드는 상지의 기민성은 좋으나 상지운동범위가 제한되어 키보드의 모든 키를 누르지 못하는 장애인에게 유용하다. 미니 키보드는 표준 키보드의 1/2 수준의 크기이지만 표준 키보드와 동일하게 QWERTY 배열로 되어 있다.

● **한 손 사용 키보드**: 한 손 사용 키보드는 절단 등으로 한쪽 손을 완전히 사용하지 못하는 장애인에게 유용하다. 한 손으로만 키보드를 사용할 경우 특수키를 조합하여 두 개 이상의 키를 동시에 입력하는 동작이 불가능한데 한 손 사용 키보드는 사용자의 특성을 고려하여 한 손으로 키보드의 모든 입력이 가능하다. 기기 종류에 따라 기존 키보드와 배열이 아닌 한 손 사용에 최적화되어 있는 키보드와 키패드 형태로 열두 개의 키를 조합하여 글자를 입력할 수 있는 기기도 있다. 기기에 따라 능숙한 사용을 위해서는 충분한 연습이 필요한 기기도 있다.

그림 4-26. 인체공학 키보드, 확대 키보드, 미니 키보드, 한 손 사용자용 키보드(좌측부터 순서대로)

(3) 터치 모니터

스마트폰이 보편화되면서 터치방식의 입력은 일반화된 입력 방식이 되었다. 터치 입력방법의 장점은 정보의 출력과 입력이 하나의 장치로 가능하다는 점이다. 마우스를 사용할 때 정확한 동작이 어렵거나 시지각 문제로 마우스 커서의 위치 추적이 어려운 경우, 주의집중력이 낮은 장애인들에게 적합하다. 또한 마우스 포인터에 대한 개념을 학습하기 어려운 지적장애인의 경우에도 눈에 보이는 객체를 직접 선택하는 방법으로 컴퓨터를 사용할 수 있기 때문에 유용하게 사용할 수 있다.

(4) 입력 보조장치

컴퓨터에 직접 사용되는 특수 마우스·키보드 외에도 입력을 보조해 주는 다양한 기기들이 있다.

● **타이핑 보조기기**: 타이핑 보조기기는 키보드 사용 시 손가락을 대신하여 손바닥, 입, 머리를 이용하여 키보드를 사용할 수 있는 보조기기이다. 손에 부착하여 사용하는 타이핑 스틱, 타이핑

스틱을 입에 문 상태에서 사용하는 마우스 스틱, 머리에 착용하는 헤어밴드에 스틱을 부착하여 머리 움직임으로 키보드를 누르는 헤드 포인터 등 다양한 형태의 타이핑 보조기기가 있다.

- **키가드**: 키가드는 키보드 사용 시 팔의 떨림이나 손가락의 경직 등으로 키보드 입력이 부정확할 경우 사용하는 입력 보조장치이다. 키가드는 키보드의 배열에 맞게 홈이 파여 있는 투명 아크릴 형태로 되어 있으며 키보드 상단에 거치하여 사용한다. 키가드를 결합한 키보드는 표면이 음각화되고 사용자는 키가드의 홈에 맞춰 사용하면 키보드 사용의 정확도를 높일 수 있다. 타이핑 보조기기와 함께 사용 가능하다.

- **기타 보조장치**: 컴퓨터 사용에 유용한 기타 보조장치로 모니터의 위치를 편하게 조정할 수 있는 모니터 암, 컴퓨터 사용자세를 편하게 조정 가능한 높낮이조절 책상, 팔의 피로도를 감소시킬 수 있는 팔 받침대 등의 보조장치도 있다.

그림 4-27. 타이핑 보조, 키가드, 모니터 암, 팔 받침대(좌측부터 순서대로)

2) 시각장애인 보조기기

장애인복지법상 시각장애 판정기준은 '나쁜 눈의 시력 0.02, 좋은 눈 시력 0.2 이하인 사람, 두 눈의 시야가 각각 주시점에서 10° 이하로 남은 사람, 두 눈의 시야 1/2 이상을 잃은 사람'으로 규정하고 있으며 잔존시력 유무에 따라 저시력장애와 전맹시각장애로 구분할 수 있다. 기능적으로 잔존시력이 있는 저시력장애인의 경우 화면확대 등의 기술을 접목한 보조기기를, 전맹장애인의 경우 촉각 및 청각기술 등 대체감각기능을 활용할 수 있는 보조기기를 사용한다.

(1) 저시력 장애인을 위한 보조기기

저시력 장애인을 위한 보조기기는 시각정보를 확대하거나, 잔존시력을 교정(강화)해 주는 기능을 가지고 있다. 저시력장애인을 위한 대표적인 정보접근 보조기기는 사물을 확대하여 볼 수 있는 광학 보조기기로 고성능 카메라를 이용하여 사물을 확대하는 전자식 광학확대 보조기기와 광학렌즈를 활용한 확대 돋보기류로 구분할 수 있다. 전자식 광학확대 보조기기는 실무현장에서 "독서확대기"라는 명칭으로 불려지기도 하며 크기에 따라 휴대가 가능한 휴대용 독서확대기와 대형 모니터가 결합된 탁상형 독서확대기가 있다. 일반적으로 독서확대기는 기기 성능에 따라 약간의 차이는 있으나 사물의 크기를 최소 두 배에서 이백 배까지 확대 가능하며, 눈의 피로도를 감소시키는 색상 조정기능, 고대비기능 등 정보접근에 필요한 다양한 기능들을 포함하고 있다. 볼록렌즈를 사용하는 확대경도 사용 용도에 따라 안경부착형, 핸드 헬드형, 스탠드형 등 다양한 형태가 있다. 저시력장애인이 컴퓨터를 사용하는 데 사용할 수 있는 화면확대 S/W도 있다. 화면을 확대하는 S/W는 WINDOWS 운영체제에 기본적으로 포함되어 있는 "돋보기" 기능이나 화면확대 전용 소프트웨어를 사용할 수 있다.

그림 4-28. 확대경, 휴대용 독서확대기, 탁상형 독서확대기, 화면확대 S/W(좌측부터 순서대로)

(2) 전맹 시각장애인을 위한 보조기기

전맹시각장애인의 경우 시각정보를 전혀 인지할 수 없기 때문에 모든 시각적 정보를 대체감각(청각·촉각)으로 접근할 수 있는 정보로 변환해야 한다. 시각정보를 청각정보로 변환하는 방법은 텍스트를 음성으로 변환하는 TTS (Text to Speech) 기술이 활용된다. 이러한 기술이 적용된 보조기기를 광학문자판독기(OCR: Optical Character Recognition)라 한다. 광학문자판독기는 카메라를 통해 문서(활자)를 스캔하고 그 내용을 즉시 음성으로 출력해낸다. 시각장애인을 위한 디지털 음성도서 포맷인 데이지(DAISY: Digital Accessible Information System) 파일도 많이 활용된다. 전맹시각장애인이 컴퓨터를 사용할 때는 스크린 리더 S/W를 사용한다. 스크린 리더 프로그램은 화면에 있는 모든 시각정보를 음성정보로 변환하여 출력해 주는 것으로, 실제로 전맹시각장애인들은 이 프로그램을 활용하여 비장애인과 같은 수준으로 컴퓨터를 활용한다.

시각정보를 촉각정보로 변환시켜 주는 보조기기도 있다. 시각정보를 촉각정보로 변환할 경우 진동신호나 점자형태로 변환되는데 점자는 전맹장애인이 가장 보편적으로 사용하는 정보접근방법이다. 과거에는 점필과 점자판에 한 점씩 점을 찍으며 사용하였으나 현재는 문서를 점자로 출력해 주는 점자프린터를 활용하거나 전자점자(electric braille)기술을 적용한 점자정보단말기를 활용한다. 점자정보단말기는 시각장애인 전용 태블릿이라 할 수 있는데, 이 기기를 이용하여 문서작업, 인터넷, 이메일 전송, 웹서핑, 음악 및 동영상 시청 등 컴퓨터 기반의 모든 활동이 가능하다. 또한 최근에는 전자점자기술이 적용된 점자스마트워치도 개발되어 많은 시각장애인들이 활용하고 있다.

그림 4-29. OCR 보조기기, 화면낭독 S/W, 점자스마트워치, 점자정보단말기(좌측부터 순서대로)

3) 청각장애인 보조기기

청각장애인을 위한 정보접근 보조기기는 잔존청력을 활용한 보조기기와 청각정보를 시각 또는 촉각정보로 변환하여 활용할 수 있는 보조기기가 있다.

(1) 난청 청각장애인을 위한 보조기기

잔존청력이 남아 있는 난청장애인의 경우 기존 청각정보를 증폭하여 제공함으로써 잔존기능을 활용하여 정보접근이 가능하다. 기존 청각정보를 증폭하여 제공하는 대표적인 보조기기로는 보청기, 인공와우, 골전도청취기, 음성증폭기 등이 있다.

보청기는 소리를 증폭하고 주파수를 형성하여 청각정보를 전달하는 기기로 가장 보편적인 청각 보조기기이다. 인공와우는 달팽이관의 손상이 있을 때 인공와우(인공달팽이관)을 이식하여 소리를 달팽이관의 청신경에 전달해 주는 기기이다. 보청기가 소리를 증폭하는 장치라면 인공와우는 청각주파수를 청신경에 전달하는 장치이다. 골전도청취기는 머리의 뼈를 통해 청각 진동을 고막으로 전달하여 청신경을 자극하여 소리를 들을 수 있는 보조기기이다. 음성증폭기는 기존 청각정보를 증폭받는 측면에서 보청기와 유사하지만 보청기는 주파수에 따라 소리를 다르게 증폭시킨다면 음성증폭기는 주파수의 크기를 증폭한다. 즉 소리의 볼륨을 확대하여 들을 수 있는 보조기기이다.

그림 4-30. 보청기, 인공와우, 골도헤드셋, 음성증폭기(좌측 순서대로)

(2) 전농 청각장애인을 위한 보조기기

소리를 전혀 들을 수 없는 전농청각장애인의 경우 기존 청각정보를 시각 또는 촉각정보로 대체할 수 있는 보조기기를 활용한다. 전농장애인이 주로 사용하고 있는 보조기기는 영상전화기, 음성-

문자 변환기, 시각신호표시기, 진동시계 등이 있다. 영상전화기는 수어를 활용하여 원거리에 있는 사람과 대화 시 사용할 수 있는 보조기기이며 음성-문자 변환기(STT: Speech to Text)는 비장애인의 음성을 인식하고 텍스트로 변환하여 그 내용을 시각적으로 제공하는 보조기기이다. 음성인식기술과 텍스트변환기술을 이용하여 비장애인과 농아인 간의 대화가 가능하다. 최근에는 스마트 안경과 결합한 음성-문자변환 보조기기도 개발되어 장소에 구애 없이 일상생활 전반에서 활용할 수 있게 되었다. 생활신호변환기는 우리 주변에서 가장 필수적으로 들어야 하는 청각정보(초인종소리, 아기 울음소리, 화재경보음)를 시각 또는 진동을 활용한 촉각정보로 전달해 주는 보조기기이다. 알람소리를 진동으로 알려주는 진동시계도 청각장애인이 많이 이용하는 보조기기이다.

그림 4-31. 화상전화기, 음성-문자변환기, 시각신호표시기, 진동시계(좌측부터 순서대로)

6. 의사소통 보조기기

의사소통은 말하기, 글쓰기, 몸동작 등을 활용하여 상대에게 자기의 뜻을 전달하거나 상대의 말하기, 글쓰기, 몸동작을 보고 그 뜻을 이해하는 행위이다. 의사소통은 언어적 개념을 시각적, 청각적으로 표현할 수 있는 도구(사물, 사진, 기계 등)를 사용하는 도구적 상징체계와 표정, 제스처, 몸짓 등 신체만 이용하는 비도구적 상징체계로 나눌 수 있다.[10] 의사소통에 장애가 있는 사람들은 크게 두 유형으로 나눌 수 있는데 수용언어장애 즉, 말을 듣고 이해하기는 가능하나 표현언어(구어 말하기)에 장애가 있는 사람과 언어발달이 지체되어 수용언어와 표현언어 모두 장애가 있는 사람으로 구분할 수 있다. 전자의 경우 언어표현방법을 다양화하고 촉진하는 기능의 보조기기를 적용할 수 있고, 후자의 경우 언어 촉진 외 언어발달을 유도할 수 있는 의사소통 보조기기를 적용할 수 있다.

기존의 의사소통방법을 보완하고 대체하는 방법으로 의사소통하는 것을 보완대체의사소통(AAC: Agumentative Alternative Communication)이라 하며 관련 기기를 보완대체의사소통 보조기기라 한다. 보완대체의사소통 보조기기는 의사소통에 사용되는 다양한 수단(상징·글·그림·사진 등)을 담고 있는 물리적 도구를 의미하며, 전자적 성격 유무에 따라 전자적 도구와 비전자적 도구로 분류한다. 또한 기기에 사용되는 기술 수준에 따라 Low-tech, Mid-tech, High-tech 보조기기로 분류하기도 한다.

Low-tech 수준의 의사소통 보조기기는 전기적 기능이 없는 도구를 말한다. 일반적으로 의사소통장애인이 선호하는 상징이나 사진을 출력하여 카드 형태로 만들거나, 위급한 상황에서 사용할 수 있는 필수 어휘를 선정하여 목걸이나 팔찌 형태로 제작하여 쉽게 휴대할 수 있도록 한다. Low-tech 의사소통 보조기기의 장점은 사용자 중심의 어휘와 그림 상징을 선택할 수 있다. 사용자가 좋아하며 선호하고, 흥미를 가지고 어휘를 선택하여 사용자 환경에 맞게 제작도 가능하다. 단점은 상징을 손으로 지시하고 가리키는 방식으로 대화를 하기 때문에 대화 상대자를 대화에 참여시키고 유지하는 한계가 있다.

Mid-tech와 High-tech 기기는 녹음-출력장치, 컴퓨터 소프트웨어, 스마트기기 앱 등의 형태로 되어 있는 전자적 도구를 의미한다. Mid-tech와 High-tech 의사소통 보조기기의 장점은 화자가 표현하고자 하는 어휘를 음성 형태로 표현 가능하다는 것이다. 보통 Mid-tech 의사소통기기는 필요한 어휘를 목소리로 녹음하고, 녹음된 어휘가 필요한 상황에서 버튼을 눌러 녹음된 음성을 출력시킴으로써 자신의 의사를 표현한다. High-tech 의사소통 보조기기는 음성합성기술(TTS: Text to Speech)를 활용하여 필요한 어휘를 상징과 텍스트로 저장해 놓고 해당 상징을 눌러 자신의 의사를 표현한다. 이들 기기는 녹음된 음성이나 TTS 음성을 활용하여 상대방과 대화를 시작할 수 있고 계속적인 대화를 이어갈 수 있다. 또한 대화의 내용에서 자신의 의사를 분명하게 전달할 수 있는 장점이 있다. 반면, 능숙한 사용을 위해 기기 사용방법을 훈련하고 주기적으로 배터리 잔량을 확인 등 기기 유지관리에 신경써야 하는 단점이 있다. 신체 기능 장애로 보조기기를 직접 조작하지 못하는 경우 「정보접근 보조기기」에서 소개된 지체·뇌병변 장애인의 정보접근 보조기기 등을 활용할 수 있다.

중요한 점은 보완대체의사소통기기의 기술 수준이 높거나, 다양한 기능과 성능이 있다고 해서 모든 장애인에게 좋은 것은 아니다. 의사소통 보조기기가 필요한 사람의 언어 수준, 언어사용 환경, 신체기능 등을 종합적으로 평가하여 사용자에게 가장 적합한 기기를 선택하는 것이 가장 중요하다.

■ 표 4-6. 다양한 보완대체의사소통 보조기기(비전자적/전자적 도구)

내용 / 유형	비전자적 도구	전자적 도구
형태	Low-tech – 의사소통판, 의사소통목걸이, 눈 응시판 등	Mid-tech – 녹음 출력장치 High-tech – 소프트웨어, App
도구	 의사소통판 의사소통목걸이와 팔찌 눈 응시판	 Mid-tech – 버튼식 녹음출력장치 Mid-tech – 채널형 녹음출력장치 High-tech – AAC App & Software

7. 3D 프린팅 기술과 맞춤 보조기기

3D 프린팅은 3차원으로 설계된 도면에 기반하여 3차원 형상을 만들어 내는 제조기술 중 하나이다. 현재의 3D 프린팅 기술은 기존 제조업을 포함하여 바이오, 의료, 건축, 식품 등 모든 산업에서 활발히 사용되고 있고 그 비중도 점차 증가하고 있다. 3D 프린팅 기술의 장점은 다품종 소량생산에 적합하고, 복잡한 형상의 제품도 쉽게 제작할 수 있고, 빠른 속도로 제작시간을 단축시킬 수 있는 것이다. 3D 프린팅의 장점은 보조기기산업의 취약성을 완벽하게 보완해 주고 있다. 보조기기는 기기를 사용하는 장애인마다 각 장애의 특성이 다르고 기기를 사용하는 소비계층이 많지 않은 다품종 소량의 특징을 가지고 있다. 한 예로 장애인을 위한 숟가락을 만들었지만 각 장애인마다 잔존기능이 다르기 때문에 모든 장애인이 그 숟가락을 사용할 수 없다. 장애유형이 같다고 해서 하나

의 제품을 그 장애유형의 모든 장애인들이 사용하지는 못한다는 것이다. 하지만 보조기기 제작에 3D 프린팅 기술을 활용할 경우 개인의 특성을 고려한 맞춤 보조기기 제작이 가능해진다.

　　3D 프린팅 기술이 보조기기 분야에 본격적으로 활용된 것은 2015년 경기도재활공학서비스연구지원센터가 보조기기 서비스과정에서 3D 프린터를 활용하여 보조기기를 제작 지원하면서 시작되었고, 이후 전국 보조기기센터로 확대되고 있는 추세이다. 또한 2020년에는 국내 최초로 일상적으로 사용할 수 있는 보조기기의 디자인과 도면을 공유할 수 있는 「보조기기 3D 디자인 플랫폼 (https://www.at3d.or.kr)」을 구축하여, 누구나 3D 프린터를 활용하여 보조기기를 맞춤 제작할 수 있는 환경을 조성하였다. 현재 보조기기 3D 디자인 플랫폼에는 3D 프린터에서 출력 가능한 1000여 점 이상의 보조기기 디자인과 280여 건 이상의 임상적용 사례가 등록되어 있다. 이 플랫폼은 우리나라뿐만 아니라 전 세계 모든 사람들이 비상업적으로 이용이 가능하다.

그림 4-32. 3D 보조기기 플랫폼과 3D 프린터를 활용한 다양한 보조기기

3 행정 부처별 보조기기 지원제도

　　우리나라의 보조기기 공공전달체계는 각 행정부처와 개별 법률에 의해 운영되고 있다. '보건복지부', '고용노동부', '과학기술정보통신부', '교육부', '국가보훈처' 등 4부 1처에서 보조기기 지원제도를 운영하고 있으며, 개별 법률에 따라 보조기기 지원대상, 지원품목, 지원범위 등을 다르게 운영하고 있다.

■ 표 4-7. 정부 각 부처별 보조기기 지원제도

부처	보건복지부			노동부		과학기술 정보통신부
사업명	복지용구	건강보험급여 의료급여	장애인 보조기기 교부	산재장애인재활 보조기기 지원	보조공학기기 지원	정보통신 보조 기기 보급사업
근거 법제	노인장기요양 보험법	국민건강보험법 의료급여법	장애인복지법 보조기기법	산업재해 보상보험법	장애인고용 촉진 및 직업재활에 관한 법률	지능정보화 기본법 제49조
수행 기관	건강보험공단		지방자치단체(시군구)	근로복지공단	장애인 고용공단	한국지능정보 사회진흥원
지급 대상	노인장기요양 보험 가입자	건강보험가입자 의료급여 수급권자	기초생활보호 및 차상위층	산재근로 장애인	등록 장애인 중 근로자	등록 장애인
교부 품목		66개 품목	35개 품목	102개 품목	7개 영역	25개 품목 (116개 제품)
급여 내용		상한액 범위 90% 지원	상한액 범위 전액 지원	전액 지원	전액 지원	무상임대, 무상지원	구입가격의 80% 지원
재원의 성격	노인장기요양 보험 (사회보험)	국민건강보험 (사회보험)	일반회계 (조세)	일반회계 (조세)	산업재해 보상보험	특별기금 (복권공익기금)	일반회계 (조세)

1. 보건복지부

보건복지부는 건강보험급여(의료급여) 보조기기 지원, 장애인 보조기기 교부사업, 노인장기요양보험 복지용구 지원 등 총 세 가지 보조기기 지원제도를 주관하고 있다.

1) 국민건강보험법(의료급여법) 장애인 보조기기 급여

장애인 보조기기급여 지원은 국민건강보험 가입자 또는 피부양자인 장애인, 장애인 가족에게 장애인 보조기기를 지원하는 사업으로 우리나라 보조기기 공공전달체계에서 높은 비중을 차지하고 있는 제도이다. 경제적 어려움으로 의료급여를 받고 있는 장애인에게도 의료급여법에 근거하여 국민건강보험과 동일 품목이 지원된다. 장애인 보조기기 지원 근거는 국민건강보험법 제51조 및 동법 시행규칙 제26조, 시행규칙 표 4-8의 장애인 보조기기 보험급여 기준과 의료급여법 제13조 및 동법 시행규칙 제25조에 근거하여 지원되고 있다.

■ **표 4-8. 국민건강보험법(의료급여법) 장애인 보조기기 지원근거**

구분	내용
국민건강보험법 제51조 (장애인에 대한 특례)	① 공단은 「장애인복지법」에 따라 등록한 장애인인 가입자 및 피부양자에게는 「장애인 · 노인 등을 위한 보조기기 지원 및 활용촉진에 관한 법률」 제3조 제2호에 따른 보조기기(이하 이 조에서 "보조기기"라 한다)에 대하여 보험급여를 할 수 있다. ② 장애인인 가입자 또는 피부양자에게 보조기기를 판매한 자는 가입자나 피부양자의 위임이 있는 경우 공단에 보험급여를 직접 청구할 수 있다. 이 경우 공단은 지급이 청구된 내용의 적정성을 심사하여 보조기기를 판매한 자에게 보조기기에 대한 보험급여를 지급할 수 있다. ③ 제1항에 따른 보조기기에 대한 보험급여의 범위 · 방법 · 절차, 제2항에 따른 보조기기 판매업자의 보험급여 청구, 공단의 적정성 심사 및 그 밖에 필요한 사항은 보건복지부령으로 정한다
의료급여법 제13조 (장애인 및 임산부에 대한 특례)	① 시장 · 군수 · 구청장은 「장애인복지법」에 따라 등록한 장애인인 수급권자에게 「장애인 · 노인 등을 위한 보조기기 지원 및 활용촉진에 관한 법률」 제3조 제2호에 따른 보조기기(이하 이 조에서 "보조기기"라 한다)에 대하여 급여를 실시할 수 있다. ② 시장 · 군수 · 구청장은 임신한 수급권자가 임신기간 중 의료급여기관에서 받는 진료에 드는 비용(출산비용을 포함한다)에 대하여 추가급여를 실시할 수 있다. ③ 제1항에 따른 보조기기 급여 및 제2항에 따른 추가급여의 방법 · 절차 · 범위 · 한도 등에 필요한 사항은 보건복지부령으로 정한다.

지원사업의 주체는 국민건강보험의 경우 국민건강보험공단이며, 의료급여 보조기기 지원은 전국 시·군·구에서 담당하고 있다. 지원 범위는 각 품목별 지원기준액 내에서 국민건강보험의 경우 구입의 90% 지원, 의료급여의 경우 100% 지원된다.

■ 표 4-9. 국민건강보험 및 의료급여 보조기기 지원대상 및 지원내용

구분	내용
소관부처	보건복지부
사업 주체	○ 국민건강보험공단 전국 지사 보험급여 ○ [의료급여] 시장 · 군수 · 구청장
용어 및 지원범위	○ 보조기기 ○ [건강보험] 품목별 지원기준액 이내 보조기기 구입비 90% 지원 ○ [의료급여] 품목별 지원기준액 이내 보조기기 구입비 100% 지원
지원대상	○ 장애인복지법에 의하여 등록한 장애인 중 건강보험 가입자 또는 피부양자 ○ [의료급여] 의료급여 수급권자 중 등록 장애인
선발기준 및 지원액	○ 장애인복지법에 따라 등록된 장애인으로 장애 유형에 따른 보조기기 급여 ○ 보조기기 세부기준 및 보험급여기준에 부합하는지 여부 ○ 처방 전문의 자격에 부합하는지 여부 ○ 중복지급 등 급여제한대상에 해당하는지 여부 ○ 직전 지급 보장구의 내구연한 경과 여부 ○ 내구연한이 경과하지 않은 경우 급여 사유 ○ 기타 적정한 급여를 위하여 필요한 사항 ○ 장애인이 보조기기를 구입했는지 여부 ○ 검수확인 전문의 자격에 부합하는지 여부 ○ 보조기기 제조자와 판매자의 자격에 부합하는지 여부

　　본 제도로 보조기기 급여를 받을 수 있는 장애유형은 지체/뇌병변장애인, 심장장애인, 호흡기장애인, 시각장애인, 청각장애인 등으로 보조기기 세부기준 및 보험급여기준에 부합되어야 지원받을 수 있다.

■ 표 4-10. 국민건강보험(의료급여) 장애인 보조기기 보험급여 지원품목

장애유형	지원품목
지체장애 · 뇌병변장애	– 팔 의지(21종), 다리 의지(18종) – 팔 보조기(5종), 척추 보조기(7종), 골반 보조기(1종), 다리 보조기(12종), 교정용 신발(1종) – 기타 보조기기: 일반수동휠체어, 활동형 휠체어, 틸팅/리크라이닝형 휠체어, 지팡이, 목발, 전동휠체어, 전동스쿠터, 자세 보조용구(4종), 욕창 예방 방석, 욕창 예방 매트리스, 이동식 리프트, 전방보행차, 후방보행차 – 전동장치 소모품(1종) – 하지의지 소모품(7종)
심장장애	– 일반수동휠체어, 전동휠체어, 전동스쿠터
호흡기장애	– 일반수동휠체어, 전동휠체어, 전동스쿠터
시각장애	– 의안, 저시력 보조안경, 콘텍트렌즈, 돋보기, 망원경, 흰지팡이
청각장애	– 보청기, 개인용 음성증폭기

(2022년 4월 기준)

보조기기의 급여절차는 보조기기 처방전을 유형별 전문 의료기관으로부터 발급받은 후 거주지 건강보험공단지사 또는 읍·면·동 주민센터에 신청하면 된다. 신청 후 급여결정이 완료되면 보조기기를 구입하고 검수 후 구입비용을 청구할 수 있다.

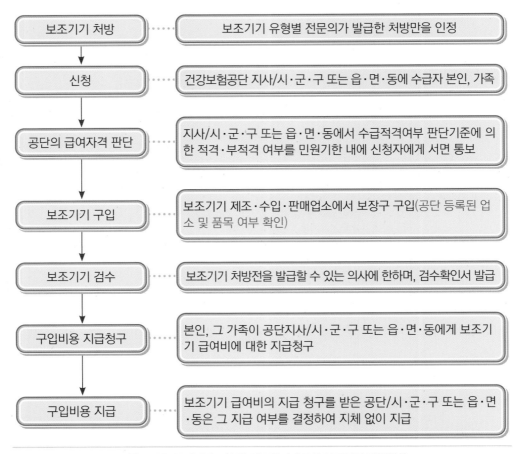

보조기기 처방	보조기기 유형별 전문의가 발급한 처방만을 인정
신청	건강보험공단 지사/시·군·구 또는 읍·면·동에 수급자 본인, 가족
공단의 급여자격 판단	지사/시·군·구 또는 읍·면·동에서 수급적격여부 판단기준에 의한 적격·부적격 여부를 민원기한 내에 신청자에게 서면 통보
보조기기 구입	보조기기 제조·수입·판매업소에서 보장구 구입(공단 등록된 업소 및 품목 여부 확인)
보조기기 검수	보조기기 처방전을 발급할 수 있는 의사에 한하며, 검수확인서 발급
구입비용 지급청구	본인, 그 가족이 공단지사/시·군·구 또는 읍·면·동에게 보조기기 급여비에 대한 지급청구
구입비용 지급	보조기기 급여비의 지급 청구를 받은 공단/시·군·구 또는 읍·면·동은 그 지급 여부를 결정하여 지체 없이 지급

그림 4-33. 국민건강보험 및 의료급여제도의 보조기기 지급절차

2) 저소득장애인 보조기기 교부사업

장애인 보조기기 교부사업은 생활이 어려운 저소득 장애인에게 보조기기를 지원함으로써 잠재된 가능성을 발굴하고 자립생활을 영위하는 데 그 목적이 있으며 보조기기법 제8조에 근거하고 있다.

■ 표 4-11. 저소득 장애인 보조기기 지급 근거

구분	내용
제8조(보조기기 교부 등)	국가와 지방자치단체는 장애인 등이 보조기기를 신청하는 경우 예산의 범위에서 보조기기의 교부 · 대여 또는 사후관리 등을 지원할 수 있음

사업의 진행 주체는 시·군·구 등 기초자치단체이며, 지원대상은 장애인복지법 제32조 규정에 따라 등록된 지체·뇌병변·시각·청각·심장·호흡·발달·언어장애인으로 국민기초생활보장법상 수급자 또는 차상위계층 장애인에게 지원된다.

■ 표 4-12. 저소득 장애인 보조기기 지원대상 및 지급기준

구분	내용
소관부처	○ 보건복지부(장애인자립기반과)
사업 진행 주체	○ 시 · 군 · 읍 · 면 · 동 사무소(주민자치센터) 담당자
용어	○ 장애인 보조기기
지원대상	○ 장애유형: 장애인복지법 제32조 규정에 따라 등록한 지체 · 뇌병변 · 시각 · 청각 · 심장 · 호흡 · 발달 · 언어장애인 ○ 소득수준: 국민기초생활보장법상 수급자 및 차상위
선발기준 및 지원액	○ 교부사업 대상에 해당하는 장애인 중 보조기기가 필요하다고 판단되는 장애인에게 교부함 ○ 교부 품목별 예산지원기준 내 전액 지원

본 사업을 통해 지원되는 품목은 총 36개 품목으로 장애유형별로 지원품목이 상이하다.

■ 표 4-13. 장애유형별 장애인 보조기기 교부사업 지원품목

장애유형	지원품목
지체 · 뇌병변장애	보행차, 좌석형 보행차, 탁자형 보행차, 음식 및 음료 섭취용 보조기기, 식사도구, 머그컵, 유리컵, 컵 및 받침접시, 접시 및 그릇, 음식보호대, 기립훈련기, 휴대용 경사로, 이동변기, 미끄럼보드, 미끄럼매트 및 회전, 좌석목욕의자, 독립형 변기 팔지지대 및 등지지대, 안전손잡이, 대화용 장치, 환경조정장치, 장애인용 의복, 휠체어용 탑승자 고정장치 및 기타 액세서리, 전동침대, 장애인용 유모차, 특수 앉기 자세유지용(피더시트), 미끄럼 방지용품, 소변수집장치, 스위치, 개인 비상경보시스템, 독서용 탁자, 책상 및 독서대, 기억지원보조기기
심장장애	욕창 예방용 방석 및 커버, 와상용 욕창 예방 보조기기, 장애인용 의복, 휠체어용 탑승자 고정장치 및 기타 액세서리, 전동침대, 소변수집장치, 개인 비상경보시스템, 독서용 탁자, 책상 및 독서대
호흡기장애	장애인용 의복, 휠체어용 탑승자 고정장치 및 기타 액세서리, 전동침대, 소변수집장치, 개인 비상경보시스템, 독서용 탁자, 책상 및 독서대
시각장애	음성유도장치, 음성시계, 영상확대비디오, 문자판독기, 녹음 및 재생장치
청각장애	시각신호표시기, 진동시계, 헤드폰(청취증폭기)
지적 · 자폐성 장애	대화용 장치, 기억지원보조기기

(2023년 1월 기준)

신청절차는 최초 거주지역 읍·면·동 사무소(주민자치센터)에 신청하면 자격기준 검토 및 필요에 따라 의료기관의 진단서를 요구할 수 있다. 보조기기센터가 설치되어 있는 지자체의 경우 적합한 보조기기 추천을 위해 보조기기전문센터에 의뢰하여 상담을 진행한다.

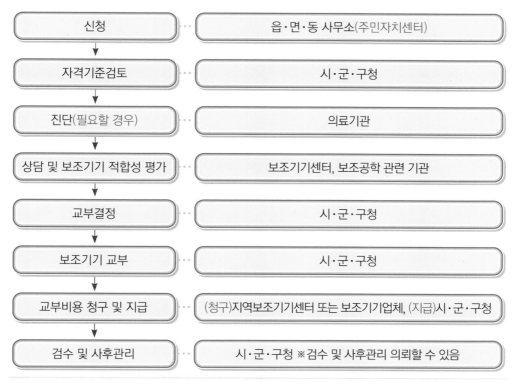

그림 4-34. 저소득 장애인 보조기기 지급절차

3) 노인장기요양보험 복지용구 급여

　　노인장기요양보험 복지용구는 노인장기요양보험법 제23조 장기요양급여의 종류 중 재가급여의 기타 재가급여에 근거하여 신체활동 지원 및 인지기능의 유지·향상에 필요한 사람에게 지원된다. 지원대상의 세부기준은 장기요양등급 1~5등급, 인지 지원등급을 받은 65세 이상 노인 또는 65세 미만 노인성 질병 진단자에게 지원된다.

■ 표 4-14. 노인장기요양보험 복지용구 지급기준 및 지급품목

구분	내용
소관부처	○ 보건복지부 요양보험제도과
사업진행 주체	○ 복지용구 사업소
용어	○ 노인장기요양 복지용구
지원대상	○ 장기요양 1~5등급, 인지지원등급을 받은 65세 이상 노인 및 노인성 질병을 가진 65세 미만 국민(건강보험 가입자 및 의료급여 수급자)에게 지원
선발기준 및 지원액	○ 65세 이상 노인 또는 치매, 중풍, 파킨슨병 등 노인성 질병으로 6개월 이상의 기간에 혼자서 일상생활을 수행하기 어려우신 분 ※ 장기요양등급: 1등급, 2등급, 3등급, 4등급, 5등급, 인지 지원등급 ○ 일상생활과 신체활동 지원에 필요한 용구(17개 품목)를 지원(연간 160만원) – 급여비용 본인부담률 일반대상자: 15%, 경감대상자: 7.5%, 기초생활수급자: 본인부담금 없음
지원 품목	○ 구입(10개 품목): 이동변기, 목욕의자, 성인용 보행기, 안전손잡이, 미끄럼방지용품, 간이변기, 지팡이, 욕창 예방 방석, 자세변환용구, 요실금 팬티 ○ 대여(8개 품목): 수동휠체어, 전동침대, 수동침대, 이동욕조, 목욕리프트, 배회감지기 ○ 구입 또는 대여(2개 품목) : 욕창 예방 매트리스, 경사로

복지용구 신청절차는 시·군·구 국민건강보험공단지사별 장기요양센터에 방문하여 신청 가능하며, 신청 후 방문조사를 통해 최종 장기요양 인정 및 요양등급 판정을 받게 된다. 이후 국민건강보험공단에 장기요양인정서 및 표준 장기이용계획서를 제출하고 복지용구 공급업체로부터 복지용구를 구입 및 대여할 수 있다.

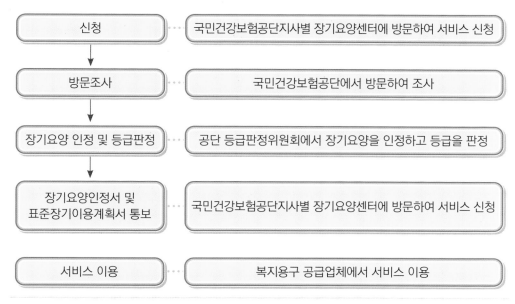

그림 4-35. 노인 장기요양보험 복지용구 지급 절차

2. 고용노동부

1) 산업재해보상보험법 재활보조기구 지원

산업재해장애인에 대한 재활보조기구 지원사업은 산업재해보상보험법 제40조에 근거하여 근로자가 업무상의 사유로 부상을 당하거나 질병에 걸린 경우 의지와 그 밖의 보조기기 등을 요양급여형태로 지원받을 수 있다. 산업재해보상보험 제4조 요양급여 제4항 제2호에 근거하여 재활보조기구를 지원하고 있다.

■ **표 4-15.** 산업재해보상보험법 재활보조기구 지원근거

구 분	내 용
제40조 요양급여	① 요양급여는 근로자가 업무상의 사유로 부상을 당하거나 질병에 걸린 경우에 그 근로자에게 지급한다. ④ 제1항의 요양급여의 범위는 다음 각 호와 같다. 2. 약제 또는 진료재료와 의지(義肢) 그 밖의 보조기의 지급

산업재해장애인 재활보조기구 지원사업의 주체는 근로복지공단이며, 산업재해근로자 중 「산업재해보상보험 요양급여산정기준」에 따라 재활보조기구 유형 및 용도별 지급대상에 해당하는 경우 재활보조기구를 지원받을 수 있다. 산재장애인 재활보조기구 지원사업의 지원 품목은 건강보험 급

여품목 83개 품목, 산재보험 별도 급여품목 19개 품목 등 총 102개 품목이다.

■ 표 4-16. 산업재해보상보험법 재활보조기구 지원품목

구분	분류	
팔 의지	아주 짧은 아래팔 근전전동의수	
	짧은 아래팔근전전동의수	
	표준 아래팔근전전동의수	
	손목관절근전전동의수	
하지 의지	넓적다리 의지 (공압 또는 유압식)	일반형 소켓
		실리콘형 소켓
	넓적다리 의지 (인공지능식)	일반형 소켓
		실리콘형 소켓
보조기	짧은팔 보조기(운동형 짧은팔 보조기)	
	어깨 보조기	
	목뼈 보조기	
	등 허리뼈 보조기	
	무릎관절 보조기	
기타	활동형 휠체어	
	수/전동휠체어	
	가발	
	욕창 예방 매트리스(공기격자형)	
	집뇨기	
	설치형 리프트	차량용
		벽체용

근로복지공단을 통해 산재요양급여 신청을 하게되면 요양자격 심사 및 방문상담을 거치게 되고 선정위원회를 거쳐 지원결정이 내려지게 된다. 급여지원 결정후 필요한 보조기기를 제작 또는 구매할 수 있다.

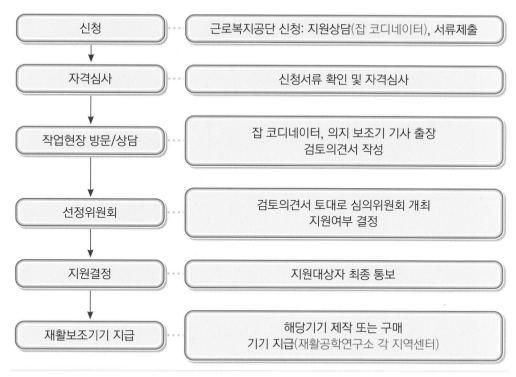

그림 4-36. 산업재해보상보험법 재활보조기구 지급절차

2) 근로장애인 보조공학기기 지원

　　장애인의 고용촉진과 직업생활 안정을 도모하기 위하여 직업에 필요한 각종 보조공학기기를 고용 유지조건 또는 무상으로 근로장애인에게 직업에 필요한 보조공학기기를 지원하고 있다. 이 제도는 장애인고용촉진및직업재활법 제20조, 제21조에 근거하고 있다.

■ **표 4-17. 근로장애인 보조공학기기 지원근거**

구분	내용
제20조 (사업주에 대한 고용지도)	고용노동부장관은 장애인을 고용하거나 고용하려는 사업주에게 필요하다고 인정하면 채용, 배치, 작업 보조구, 작업설비 또는 작업환경, 그 밖에 장애인의 고용관리에 관하여 기술적 사항에 대한 지도를 실시하여야 한다.
제21조 (장애인고용사업주에 대한 지원)	① 고용노동부장관은 장애인을 고용하거나 고용하려는 사업주에게 장애인 고용에 드는 다음 각 호의 비용 또는 기기 등을 융자하거나 지원할 수 있다.

　　장애인보조공학기기 지원사업을 신청할 수 있는 대상은 장애인을 고용한 사업주 또는 고용하려는 사업주, 국가 및 지방자치단체의 장, 상시근로자 4인 이하의 장애인사업주로서 장애인을 고용하거나 고용하려는 사업주에 해당되며, 장애인 공무원 및 근로자가 직접 신청할 수도 있다.

■ 표 4-18. 근로장애인 보조공학기기 지원대상 및 지급기준

구분	내용
소관부처	○ 고용노동부 장애인고용과(한국장애인고용공단 일자리 안정국)
용어	○ 보조공학기기
지원대상	○ 장애인을 고용한 사업주 또는 고용하려는 사업주 ○ 국가 및 지방자치단체의 장(장애인 공무원 및 근로자) ○ 상시근로자 4인 이하의 장애인사업주로서 장애인을 고용하였거나 고용하려는 사업주 ○ 장애인 근로자 ○ 장애인 공무원
선발기준 및 지원액	○ 보조공학기기는 기기별로 사용자를 지정해 신청 ○ 신청하신 내용에 따라서 상담 및 평가를 실시하고, 신청내용을 검토하여 신청 접수 30일 안에 지원 여부를 결정 ○ 고용유지 조건지원, 자동차 개조 및 차량용 보조공학기기는 지원이 결정된 이후에 이행 보증보험증권을 제출 ○ 고용유지조건 지원기기: 1인당 1,000만원(중증장애인 1,500만원) 이내에서 지원 ○ 무상지원: 1인당 300만원(중증장애인 500만원) 이내에서 지원 ○ 자동차개조 및 차량용 보조공학기기: 1인당 1,500만원 이내에서 지원

　장애인 고용주 및 장애인 근로자에게 지원되는 보조공학기기의 유형은 정보접근용 보조공학기기, 작업기구용 보조공학기기, 의사소통용 보조공학기기, 사무보조용 보조공학기기, 운전 보조장치, 탑재 보조장치, 승하자 보조장치 등을 지원하고 있으며 세부지원품목은 매년 지원품목을 선정하고 지원한다.

■ 표 4-19. 한국장애인고용공단 보조공학기기 지원품목

영역	지원품목
정보접근용 보조기기	점자정보단말기, 점자프린터, 컴퓨터화면확대 S/W 및 H/W, 음성출력 S/W 및 H/W, 확대독서기, 문서인식 S/W 및 H/W, 대형 모니터, 특수 키보드, 특수 마우스, 입력 보조장치, 선택장치, 자세 보조장치, 특수 S/W
작업기구용 보조기기	높낮이조절 작업테이블, 경사각 작업테이블, 휠체어용 작업테이블, 특수 작업기구 및 장비, 특수 작업의자, 작업물 운송/운반장치
의사소통용 보조기기	신호장치, 골도전화기, 문자전화기, 화상전화기, 소리증폭장치, 보완대체의사소통장치
사무보조용 보조기기	시각장애인용 계산기, 음성메모기, 책장 넘기는 도구, 수화기홀더, 팔지지대, 물건집게, 필기보조도구, 원고홀더
차량보조용 보조기기	핸들봉, 확장 스티어링, 세컨더리 컨트롤, 조작력 저감장치, 핸드컨트롤러, 좌측엑셀페달, 페달 확장, 우측 턴 시그널, 경련방지플레이트, 주차브레이크 개조, 자동변속기, 족동장치, 벨트류, 자세유지
	크레인, 도넛형 연료통, 리프트, 이동(회전)시트, 사이드 서포트, 멀티리프트, 자동문, 고정장치, 경사로(램프), 보조발판, 하이루프

보조기기 지원절차는 사업주 또는 근로장애인이 서비스를 신청하면 지원 타당성 검토 후 지원 여부를 결정한다. 이후 서약서 및 이행보증증권을 제출하면 신청한 보조공학기기를 장애인고용공단으로부터 지원받을 수 있다.

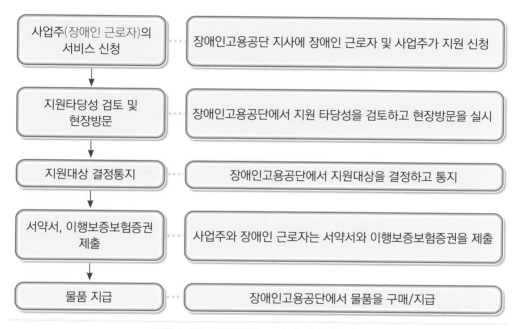

그림 4-37. 근로장애인 보조공학기기 지급절차

3. 기타 정부 부처 지원사업

1) 과학기술정보통신부 정보통신 보조기기 지원

정보통신 보조기기 지원사업은 신체적·경제적으로 정보통신에 대한 접근과 활용이 어려운 장애인을 대상으로 정보화를 통한 사회통합과 정보격차를 해소하기 위한 정보통신 보조기기 구매를 지원하는 사업이다. 사업에 대한 근거규정은 지능정보화기본법 제49조 정보통신제품의 지원에 근거하고 있다.

■ 표 4-20. 정보통신 보조기기 지원근거

구분	내용
제49조(정보격차 해소 관련 기술개발 및 지능정보제품 보급 지원)	③ 국가기관과 지방자치단체는 다음 각 호의 어느 하나에 해당하는 사람에게 대통령령으로 정하는 바에 따라 유상 또는 무상으로 지능정보제품을 제공할 수 있다. 1. 「장애인복지법」 제2조에 따른 장애인 2. 「국민기초생활보장법」 제2조 제1호에 따른 수급권자 3. 그 밖에 경제적, 지역적, 신체적 또는 사회적 제약으로 인하여 정보를 이용하기 어려운 사람으로서 대통령령으로 정하는 사람

지원대상은 등록 장애인이면 누구나 신청이 가능하며 신청 후 최종 지원대상자로 선정되어야만 보조기기 구입비용을 지원받을 수 있다. 즉 보편적 지원인 아닌 선별적 지원방식으로 운영되고 있다. 지원대상자로 선정된 경우 보조기기 제품가격의 80%를 지원받을 수 있으며, 구입금액의 20%는 본인이 부담하여야 한다. 기초생활수급자, 차상위계층 등 경제적 여건으로 기기 구입이 어려운 저소득 장애인의 경우 본인부담금의 50%를 추가 지원받을 수 있다. 지원품목은 시각장애인용 정보통신 보조기기, 지체·뇌병변용 정보통신 보조기기, 청각/언어정보통신 보조기기 등으로 구분되어 있으며, 매년 보급 전 당해 연도 보급품을 선정하는 품목선정 회의를 통해 품목을 확정한다. 2020년 기준 정보통신 보조기기 지원사업은 총 25개 품목, 116개 제품으로 시각장애인 보조기기 60개, 지체/뇌병변 24개, 청각/언어 32개 보조기기를 각각 지원하고 있으며, 매년 지원품목 제안심사후 품목이 결정되므로 연도별 지원품목이 상이하다.

■ 표 4-21. 한국지능정보사회진흥원 정보통신 보조기기 지원품목

장애유형	지원품목
시각장애	광학문자판독기, 데이지 플레이어, 독서확대기, 무선신호기, 바코드리더기, 모바일제어기, 인터페이스, 점자디스플레이, 점자정보단말기, 점자출력기, 터치모니터, 화면낭독 SW, 화면확대 SW
지체/뇌병변장애	독서보조기, 배회탐지기, 스위치, 터치모니터, 특수 마우스, 특수 키보드
청각/언어장애	골도음향기기, 무선신호기, 언어훈련 S/W, 영상전화기, 음성증폭기, 의사소통 보조기기

지원품목에 대한 정보는 지원사업 홈페이지(ww.at4u.or.kr)에서 확인할 수 있으며 신청방법은 지원홈페이지 또는 각 광역시·도 방문 및 우편을 통해 신청할 수 있다.

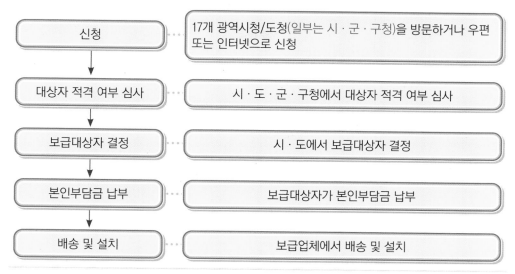

그림 4-38. 정보통신 보조기기 지급절차

2) 국가보훈처 보철구 지원제도

국가보훈처 보철구 지원사업은 국가유공상이자의 신체기능장애나 활동력이 상실된 부분을 보충, 정형, 보완할 수 있는 장구(보조기기)를 지급하여 생활의 편의를 제공하기 위해 실시되고 있다. 근거가 되는 규정은 국가유공자 등 예우 및 지원에 관한 법률 제43조의 2, 동법시행령 제66조 보철구, 제67조 보철구의 지급에 근거하여 지원하고 있다.

■ 표 4-22. 국가보훈처 보철구 지원근거

구 분	내 용
제43조의 2 (보철구의 지급)	전상군경, 공상군경, 4·19 혁명 부상자, 공상공무원 및 특별공로상이자로서 신체장애로 보철구(補綴具)가 필요한 사람에게는 대통령령으로 정하는 바에 따라 보철구를 지급한다.

보철구 지원사업의 대상은 상이를 입은 국가유공자 및 애국지사, 5·18 민주화운동 부상자, 고엽제 후유증 환자, 재해부상군경 및 재해부상공무원, 국가유공자에 해당되지 않지만 해당 부상으로 인하여 수술을 한 사람으로 한정되어 있다.

지원품목은 자체제작품목, 기성품, 보훈기금품목으로 구분되며 총 56개 품목 및 1개의 소모품(배터리)을 지원하고 있다.

■ 표 4-23. 국가보훈처 보철구 지원품목

구 분			보철구 명
자체 제작	팔의지 (11)	재래식	어깨관절의지, 위팔의지, 팔꿈치관절의지, 아래팔의지, 손의지, 손가락의지
		골격식	어깨관절의지, 위팔의지, 팔꿈치관절의지, 아래팔의지, 전자 의수
	다리의지 (12)	재래식	엉덩이관절의지, 넓적다리의지, 무릎관절의지, 종아리의지, 발의지, 발가락의지
		골격식	엉덩이관절의지, 넓적다리의지, 무릎관절의지, 종아리의지, 다리의지실리콘커버, 종아리실리콘슬리브
	보조장구(5) (보조기)	재래식	팔 보조기, 다리 보조기, 척추 보조기, 자세유지 보조기, 맞춤형 교정용 신발
	특수장구(5)	재래식	의안(고정), 의안(동작), 의치, 의이, 보청기
기성품	구입기성품(19)		철크럿치, 목발, 흰지팡이, 지팡이, 시각장애인용 안경, 저시력 보조 안경, 시각장애인용 시계, 시각장애인용 컴퓨터, 점자정보단말기, 독서확대기, 비데, 욕창 방지용 방석, 욕창 매트리스, 인공뇨장, 인공후두, 팩시밀리, 홍채렌즈, 중상이자리프트, 광학문자판독기
보훈기금(5)			수동휠체어, 전동휠체어, 전동침대, 샤워형 휠체어, 배터리-수리

보철구 신청절차는 국가보훈처에 필요한 보철구를 신청 후 지역별 보훈병원 보장구센터를 통해 지급대상이 결정되고 이후 보훈(지)청을 통해 보철구 제작 및 지급의뢰 후 보철구를 지원받을 수 있다.

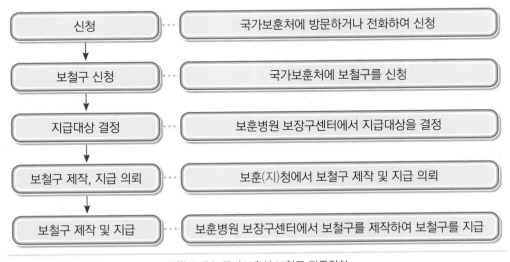

그림 4-39. 국가보훈처 보철구 지급절차

3) 교육부 학습용 보조기기 지원제도

특수교육 및 일반학교에 재학 중인 유·초·중·고 특수교육대상(장애인 등록) 학생에게 학습에 필요한 보조기기를 지원하고 있다. 본 사업에서 지원되는 보조기기는 각 시·도의 특수교육지원센터에서 담당하고 있으며 지원품목, 지원범위 등 지역마다 상이하다. 대체로 학습에 직접 활용되는 의사소통 보조기기, 정보접근 보조기기(지체장애, 시각장애), 재활훈련용 보조기기, 착석 보조기기, 식사 보조기기 등이 지원되고 있다.

학습 보조기기의 지원절차는 장애학생 및 교사의 요청에 따라 학교에서 필요한 보조기기 교구를 구입하고 해당 학급 또는 학생에 대여한다. 대여받은 학생이 진학·졸업·전학 등 학적 변동이 발생할 경우 즉시 특수교육지원센터에 사용 중인 보조기기를 반납해야 한다.

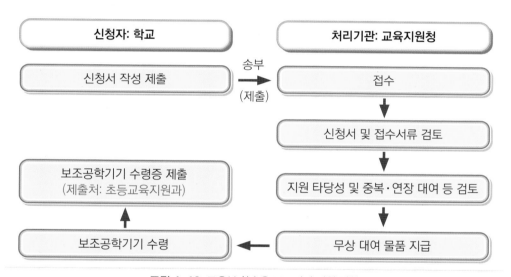

그림 4-40. 교육부 학습용 보조기기 지원 절차
출처: 옥민욱 외. "학습용 보조기기의 활용". 경기도재활공학서비스연구지원센터. 2021.

토론(생각해 볼 문제)

1. 정부 부처별로 시행되는 보조기기 지원제도의 장점과 단점에 대한 토론
2. 정부 부처별로 시행되는 보조기기 전달체계를 하나로 통합할 수 있는 방법
3. 선진국의 보조기기 지원제도와 우리나라의 보조기기 제도의 차이점
4. 장애인 개개인을 위한 맞춤 보조기기를 지원할 수 있는 방법

[참고문헌]

1. 보조기기 품목분류체계 3 12 03(한팔 조작형 보행용 보조기기)
2. 보조기기 품목분류체계 3 12 06(양팔 조작형 보행용 보조기기)
3. 보조기기 품목분류체계 3 12 06 06 보행차(바퀴달린 보행차, Rollators)
4. 김장환 외. 보행보조기구의 활용. 경기도재활공학서비스연구지원센터; 2013.
5. 김지현 외. 자세유지 보조기구의 활용. 경기도재활공학서비스연구지원센터; 2014.
6. 오길승 외. 일상생활 보조기구의 활용. 경기도재활공학서비스연구지원센터; 2015.
7. 강인학 외. 보완대체의사소통 보조기기의 활용. 경기도재활공학서비스연구지원센터; 2020.
8. 김미정, 김수경, 김정헌 외. 영역별 보조기기 활용. 계축문화사; 2020.
9. 김종배 외. 보조공학의 이론과 실무. 학지사메디컬; 2021.

장애 유형별 에티켓

장애인복지 :: 이해와 실천 권리

- 장애유형별 장애인 에티켓의 주요 내용을 설명할 수 있다.
- 유형별 에티켓에 대한 이해를 바탕으로 장애인과의 거리감을 최소화하고, 실제 도움 요청 시 올바르게 대응할 수 있다.

사례

- 중도에 교통사고로 하지마비 척수장애인이 된 미혼인 35세의 A씨(여성)와 동행할 때 알아야 하는 에티켓은 무엇이 있을까?
- 전맹인 시각장애인 B씨(남성)을 업무상 처음 만났을 때 에티켓은 무엇이 있을까?
- 가족 또는 활동지원인과 동반한 발달장애인과 의사소통을 할 때의 에티켓은 무엇이 있을까?

에티켓과 매너

1. 에티켓과 매너[1]

우리가 흔히 쓰는 '에티켓'이란 말은 프랑스어 'estiquer(붙이다)'에서 유래되었다. 옛날 프랑스 왕궁에서 예식을 치를 때 궁정인이나 각 나라 대사의 주요 순위를 정해서 절차를 정한 뒤, 그 내용을 적은 티켓을 나누어 주었는데 이 티켓이 훗날 '에티켓'이 되었다고 한다.

에티켓의 유래는 각 나라별로 또 다르다. 영국은 '기사도 정신', 즉 '균형과 절제(balance & self-control)'를, 프랑스의 경우는 '똘레랑스(tolerance, 참을성)', 즉 '관용과 이해(generosity & understanding)'를 에티켓의 근간으로 삼고 있다. 미국의 에티켓은 'WASP (White Anglo-saxon Protestant, 앵글로-색슨계 백인 신교도)'의 법치주의에 기초를 둔 실용성을 바탕으로 하고 있으며, 한국은 '유교사상'에 입각한 위엄, 즉 '양반 정신', 일본은 '사무라이 정신'을 바탕으로 한 '화합'에서 그 근간을 이루었다고 볼 수 있다.

우리는 '에티켓'과 '매너'가 같은 '예의'라는 뜻으로 쓰이는 경우를 종종 본다. 하지만 이 둘에는 차이가 있다.

'에티켓'이 예의의 유무를 말해주는 '형식(form)'이라면, '매너'는 이 형식을 어떻게 표현하느냐의 문제인 '방식(way)'이다. 그래서 에티켓은 '있다' 혹은 '없다', '지키다' 혹은 '안 지키다'의 표현들과 함께 쓰고, 매너는 다만 '좋다' 혹은 '나쁘다'라고 표현한다.

에티켓의 기본 개념 세 가지는 다음과 같다.

첫째, 상대방에게 호감을 보여라(Show interest in others).

둘째, 상대에게 폐를 끼치지 마라(Never inconvenience others).

셋째, 상대방을 존중하라(Respect others).

2. 장애인에 대한 기본 에티켓

그림 5-1. 함께하는 사회

에티켓이란 그 사회, 문화가 요구하고 있는 기본적인 예절을 인간 사이에 지키는 것으로 요약하여 말할 수 있으며 사회, 문화적 특수성과 상대성에 따른 형식상의 차이는 있으나 그 내용과 정신은 같다고 할 수 있다.

이러한 에티켓은 우리 사회의 질서를 지켜나가는 데에 꼭 필요한 규범이라고 할 수 있다. 우리 사회의 다양한 구성원 중의 하나라고 할 수 있는 장애인과 더불어 살기 위한 장애인 중심의 에티켓, 특히 장애인을 대할 때 비장애인이 갖추어야 할 기본 에티켓을 살펴보고자 한다.

- 무엇보다도 먼저, 장애를 가진 사람도 하나의 인간이라는 것을 기억한다. 그는 장애를 가졌다는 특수한 제한점을 제외하고는 다른 사람과 똑같다.

- 사람은 각기 다르듯이 장애인 역시 각기 다르다. 장애인을 모두 동일시하지 말고 각각 다른 인격을 가진 인격체라는 것을 인식한다.
- 장애인과 함께 생활하는 것은 풍부한 인간성의 표현이다. 장애가 있거나 없거나 서로 도우면서 생활하는 것은 당연한 일이다.
- 장애인을 만날 때는 자연스럽게 대하고, 오직 그의 요구가 있을 때만 돕는다. 많은 시각장애인들이 남의 도움 없이 지내고 싶어 하는 것처럼 지체장애인들도 넘어졌을 때 스스로 일어나고 싶어 할 것이다.
- 장애인을 도울 때는 그가 무엇을 원하는지 잘 듣고 행동하는 것이 좋다. 독단적으로 행동하는 것은 친절이 아니고 쓸데없는 참견이다.
- 잘 모르는 장애인을 보았을 때 주춤하거나 유심히 보지 않는다. 과잉보호나 과잉염려 그리고 과잉친절은 금물이다.
- 동정이나 자선을 베풀지 않는다. 장애인은 대등한 인간으로 대우받기를 원하며, 자신을 나타낼 수 있는 기회를 갖고 싶어 한다.
- 장애인에 대해서 앞질러 생각하지 않는다. 당신은 그의 능력과 관심에 대해 얼마나 잘못 판단하고 있는지 놀라게 될 것이다.

> **자세히 보아야 예쁘다.**
> **오래 보아야 사랑스럽다.**
> **너도 그렇다.**
>
> – 나태주 시인 「풀꽃」 –

2 올바른 용어 사용[2]

"우리는 언어가 우리에게 보여주는 대로 현실을 인식한다."[3]

말은 가치와 생각을 다른 이에게 전달하는 소통과 교류의 도구이다. 특히 특정 계층이나 일부 집단 또는 어떤 요소를 지칭할 때는 사회적인 규범과 힘을 가진다.

1. 장애인과 장애우, 장애자[4]

장애인복지법 제2조에서는 장애인이란 '신체적·정신적 장애로 오랫동안 일상생활이나 사회생활에서 상당한 제약을 받는 자'라고 말한다. 법명에도 '장애인'이라는 단어가 사용되고 있는데, 왜 굳이 장애우, 장애자 등의 말이 혼용돼서 사용되고 있는 것일까? 이 세 단어가 혼용되기 시작한 배경에 대해 먼저 살펴보면 그 이해가 빨라질 수 있다.

우리나라에서 장애인 복지가 본격적으로 시작된 계기는 '세계 장애인의 해'였던 1981년부터이다. 우리나라는 모든 국가에 있는 장애인들의 권리신장을 위해 노력하라는 UN의 권고에 따라 '장애인 복지에 대한 국민의 관심을 촉구하고 장애인을 올바르게 이해하며, 장애인의 재활의지를 고취'할 목적으로 1981년 6월 5일 심신장애자복지법을 제정 및 시행하게 된다. 법명에서도 알 수 있듯이, 이 시기에는 장애를 가진 사람을 지칭하는 공식적인 용어는 '장애자'였다. 하지만 1989년 12월 30일에 '심신장애자복지법'이 '장애인복지법'으로 전면 개정되면서부터는 공식적인 명칭이 '장애인'으로 변경되었다. 그런데 공식명칭 변경이 논의되던 무렵인 1987년 12월 '장애우권익문제연구소'가 설립되면서 '장애우'라는 단어가 등장하였고, 이는 장애를 가진 사람들과 장애가 없는 사람들 모두가 친구라는 의미를 담고 있다. 그 이후 '장애인', '장애자', '장애우' 라는 세 단어가 혼용되어 왔다.

요즈음은 '장애자'라는 단어는 많이 볼 수 없지만, 아직도 '장애우'라는 말은 많이 사용하고 있다.

물론 '장애우'라고 표현하시는 분들이 장애에 대해 좀 더 관심 있고, 장애인이라는 말을 완곡히 돌리면서도 친근하게 표현하고 싶어 그러는 거라고 이해도 할 수 있지만, '장애우'라는 말은 1인칭으로 쓸 수 없고, 단어 자체에서부터 장애인에 대한 시각을 제한하는 등의 단점이 있다. 장애인이라고 해서 내 의지와는 상관없이 누군가의 친구가 될 수는 없다.

그리고 장애인을 좀 더 유하게 지칭하자 해서 '장애우'라고 부르는 거라면 그 자체만으로도 장애인을 동정의 대상으로 바라보는 것이기에 이 또한 적절하지 않다고 본다. 또한, 지금까지는 장애인에서 '장애'에 많은 방점이 찍혀 있었다면, 앞으로는 '인'에 더욱 초점을 맞추는 사회로 변화하고 있다.

영어권에서도 예전엔 장애인을 나타낼 때 'disabled', 'handicapped' 등을 사용했었으나 최근에는 'Person with Disability (PWD)'로 바꿔서 사용하고 있다.

2. 장애인과 비장애인

'장애인'은 신체에 장애가 있거나 정신에 결함이 있는 사람을 가리키는 말인데, 장애가 없다는 면에서는 '정상인'이 이 말의 반대말이라고 할 수 있다. 그런데 '정상인'을 '장애인'과 반대되는 개념으로 쓸 경우에는 '장애인'에 관한 그릇된 인식을 심어줄 우려가 있고, 사회적으로 장애인을 배려해주어야 할 필요가 있으므로, '정상인'보다는 '비장애인'이라는 말을 써야 한다.

> **[질문]**
> '장애인'의 반대말은 '정상인'인가요? '비장애인'인가요?
>
> **[답변]**
> '장애인'의 반대말은 따로 없습니다. 다만, 장애인이 아닌 사람을 나타내기 위해 '아님'의 뜻을 더하는 접두사 '비-(非)'를 붙여 '비장애인'이라 할 수 있습니다. "우리말샘"에 '비장애인'이 '신체기능이나 정신기능에 문제가 없어서 일상생활을 하는 데 불편이 없는 사람'을 뜻하는 말로 올라 있습니다. 이전에는 '장애인'에 상대해서 '정상인'이라는 말을 쓴 적도 있지만, 이는 장애인은 비정상인이라는 오해를 줄 수가 있어서 사용하지 않도록 하고 있습니다.[5]

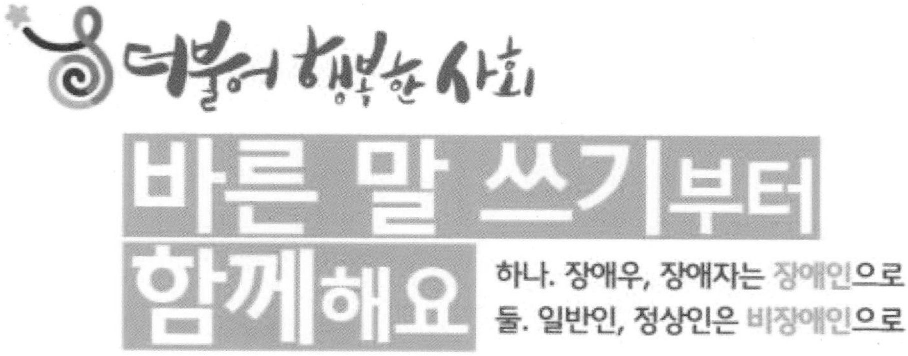

그림 5-2. 장애인식개선 캠페인 슬로건(제35회 장애인의 날 기념식)[6]
출처: https://www.korea.kr/news/policyNewsView.do?newsId=148794052

3. 장애관련 올바른 용어

대중매체에서 자주 사용하는 장애 관련 차별이나 편견을 조장할 수 있는 용어, 부적절한 표현 등에 대해 법적용어(올바른 용어) 및 대체표현들을 숙지하는 것도 장애인에 대한 올바른 에티켓을 적용하는 데 도움이 된다.

■ **표 5-1.** 장애관련 올바른 용어 가이드라인[7]

과거용어	비하용어	자제용어	법적용어 (올바른 용어)
		정상인 · 일반인	비장애인
장애자 · 심신장애자	애자 · 불구자 · 병신 · 불구		장애인
맹인	애꾸눈 · 외눈박이	장님 · 소경 · 봉사	시각장애인
	귀머거리		청각장애인
	말더듬이 · 벙어리		언어장애인
	언청이		안면장애인
정신지체인 · 정신박약자	백치 · 저능아		지적장애인
지체부자유자	찐따 · 절름발이 · 앉은뱅이 · 불구자 · 꼽추		지체장애인
간질장애인			뇌전증장애인

출처: 장애인먼저실천운동본부

■ 표 5-2. 장애관련 올바른 용어 가이드라인

부적절한 표현	대체표현
장애를 앓다	장애를 갖다
절름발이 ○○	불균형적인 · 조화롭지 못한
귀머거리 삼년 · 벙어리 삼년	인내의 시간을 보내고
꿀 먹은 벙어리	마음속에 있는 생각을 말하지 못하는 · 말문이 막힌 · 말을 못하는
벙어리 냉가슴 앓다	마음속에 있는 생각을 말하지 못하는 · 가슴앓이하다
장님 코끼리(다리)만지기	일부만 알면서 전체를 알듯이 · 주먹구구식
눈 뜬 장님	무엇을 보고도 제대로 알지 못하는 사람
눈먼 돈	대가 없이 얻은 돈 · 임자(주인) 없는 돈
외눈박이의 시각	왜곡된 시각 · 편파적인 시각
외눈박이 방송	편파 방송
벙어리장갑	손모아장갑 · 엄지손장갑
정신분열증 · 정신장애	조현병
깜깜이 회계	확인불가능한 회계, 알 수 없는 회계

*대체표현은 상황에 맞는 표현을 사용

출처: 장애인먼저실천운동본부

3 장애 유형별 에티켓 [8,9]

장애인이 겪는 제약을 덜어내는 여러 가지 접근방법 중에서 비장애인이 생활 속에서 실천할 수 있는 방법은 장애인에 대한 올바른 이해를 바탕으로 장애인을 대하는 에티켓을 숙지하는 것이다.

15개 법정장애유형 중 각각의 장애유형별로 상황별 기본적인 에티켓을 숙지하고 실천을 하는 기회가 오기를 바란다.

1. 지체·뇌병변장애인에 대한 에티켓

지체장애는 이동 혹은 신체적 과제를 수행하는 능력에 영향을 주는 장애로 개인마다 독특하게 나타난다. 지체장애인은 주로 휠체어나 목발 등의 보조기기를 사용하게 되는데, 일상생활에서 필요한 기술을 잘 알아서 응대해 주면 더욱 의미 있는 인간관계를 만들 수 있다. 장애인이 사용하는 휠체어나 목발 등의 기타 보조기기들은 개인의 사적인 물건이다. 그러므로 사용자의 허락 없이 사용해서는 안 된다. 특히 사용자의 손이 닿지 않는 곳으로 옮겨놓아서도 안 된다.

1) 휠체어 사용 장애인과 대화

- 휠체어 사용 장애인과 대화할 때 그가 상대방을 마주 볼 수 있게 하는 것이 가장 좋다. 대개 앉아서 이야기하는 것이 같은 눈높이를 가지기 때문에 최선의 방법이 된다.
- 서 있든지 앉아 있든지 간에 다른 사람들과 마주 보고 있도록 한다. 서 있게 된 경우에는 장애인과 너무 가까이 위치하지 않으며, 키가 클수록 더 멀리 떨어져 있는 것이 좋다.
- 날씨가 좋은 날 외부에 있는 경우 햇빛으로 인해 눈이 부실 수 있으므로 장애인이 해를 등지고 앉도록 하거나 그늘진 곳으로 자리를 옮긴다.
- 대화가 길어지면 좌석에 앉도록 한다. 의자나 앉을 만한 곳이 없다면 다른 곳으로 자리를 옮

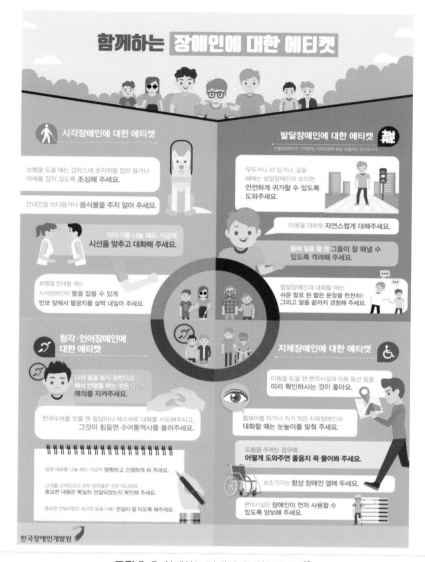

그림 5-3. 함께하는 장애인에 대한 에티켓[10]

기도록 제안한다. 웅크리거나 쪼그리고 앉게 되면 곧 고통스럽게 되므로 편안한 자세로 앉도록 한다.

2) 대화의 주제

- 장애인은 신체적인 장애로 인한 좌절감을 가질 수 있는데 사람들은 이러한 장애인에 대해 감정을 느낄 수 있다. 그러나 몇몇 장애인들은 그러한 감정의 표현에 반감을 지닐 수도 있다.
- 유머는 모든 상황에서 가능하며 장애인 역시 예외는 아니다. 화제가 처음에 장애인에 의해

- 제기된다면 질문하는 데 자유롭게 느낄 것이다.
- 그저 얼굴만 알고 있는 관계라면 장애인의 사생활에 대한 대화는 삼가는 것이 좋다.

3) 출입문과 엘리베이터에서

- 장애인이 오면 문을 열어주거나 문을 잡아 준다. 장애인의 팔이나 지팡이, 휠체어를 잡아 주는 것보다 문을 잡아 주는 것이 더욱 편리하다. 왜냐하면 출입문을 두 사람이 통과하기보다는 혼자 통과하는 것이 더 쉽기 때문이다.
- 문을 잡아줄 때는 사람이 완전히 통과할 때까지 잡아 주고 문을 닫을 때는 장애인의 손가락이 문틈에 끼이지 않도록 주의한다.
- 엘리베이터를 잡아 주는 것도 출입문을 잡아 주는 것과 같은 요령으로 하면 된다. 장애인이 완전히 엘리베이터를 탈 때까지 엘리베이터 문을 잡아 주고, 엘리베이터 문을 닫을 때는 보장구가 엘리베이터 문에 끼이지 않도록 주의한다.
- 엘리베이터 밖에서 장애인을 도울 때는 장애인이 엘리베이터 안에 있는 버튼을 누를 수 있는지 버튼까지 손이 닿는지 물어 보아서 도움이 필요하다면 대신 눌러준다.

4) 휠체어를 밀어줄 때

- 휠체어를 밀어줄 때는 휠체어 사용자에게 도움이 필요한지를 먼저 묻는다. 휠체어 사용자에게 밀어주겠다는 의사표시 없이 휠체어를 밀게 되면 두 사람이 휠체어를 조종하게 되어 휠체어가 다른 곳으로 갈 수 있고 이때 사고의 위험이 있다.
- 또한, 내리막길이나 오르막길에서 휠체어 사용자에게 알리지 않고 휠체어를 놓는 것은 위험하다.
- 전동휠체어는 사용자가 조종하도록 고안되어 있으므로 밀어 주는 것이 불필요할 수도 있다. 그러나 램프의 경사가 급해서 모터의 힘이 약할 때, 바닥이 미끄럽거나 경사가 급하거나 길이 울퉁불퉁하여 바퀴가 잘 구르지 않을 때는 도움이 필요하다.
- 수동휠체어는 도움이 매우 많이 필요하다. 수동휠체어는 사용자가 손으로 바퀴를 밀어 움직이기 때문에 사용자가 쉽게 피로를 느낀다. 어떤 장애인은 휠체어를 타고 두꺼운 카펫 위를 지날 때나 가파른 언덕길을 오를 때, 또는 피로할 때 다른 사람이 밀어주기를 좋아하는 반면, 어떤 장애인은 도움 받는 것을 싫어한다. 그리고 도움을 주고자 하는 사람이 휠체어를 밀어 주는 것을 편안하게 느끼는 사람이 있는가 하면 불안해 하는 사람도 있다. 그래서 도움의 의사를 표현하는 것이 좋다.
- 수동휠체어를 밀어 줄 때 생기는 대부분의 문제는 밀어주는 사람이 휠체어의 모양이나 특성을 잘 모르기 때문에 발생한다. 휠체어는 바닥의 작은 돌출물에 부딪혀서 휠체어를 탄 사람

이 쉽게 바닥에 떨어질 수 있을 만큼 불안정하므로 조심하게 도와주어야 한다.

- 휠체어를 밀어줄 때는 휠체어 크기와 발판이 튀어나와 있음을 주의해야 한다. 옥외에서는 지형에 유의하고, 움푹 패인 곳이나 질은 곳은 피하는 것이 좋다.

- 휠체어를 밀어줄 때는 천천히 밀어주고 장애인이 어디로 가기를 원하는지를 물어본 후 밀기 시작한다.

'휠체어 장애인'이라는 용어는 이제 그만..

휠체어 장애인이라는 용어는 많이 사용되지만 부적절한 용어이다. 그 이유는?

첫째, 휠체어는 내가 사용하는 보조기구에 불과하다. 나는 휠체어를 사용하는 장애인일 뿐이다. 다시 말해서 휠체어는 나의 일부분이며 전부가 아니다. 나는 휠체어를 사용하는 장애인이지만, 한 사람의 남편이며, 음악을 좋아하고 독서를 즐기며, 영화보기가 취미인 사람이다.

둘째, 휠체어 장애인이라는 용어는 어법에 맞지 않는 말이다. 장애인이라는 단어 앞에는 장애의 요인이 되는 손상 부분이 온다. 시각장애인은 시각에 손상이 있는 장애인이라는 의미를 가진다. 청각장애인은 청각에 손상이 있는 장애인임을 의미한다.

셋째, 휠체어는 보조기구에 불과하다. 보조기구로 그 사람의 장애를 지칭하는 경우는 휠체어 사용자와 목발 사용자뿐이다. 시각장애인을 가리켜 시각장애인을 케인 장애인 또는 흰지팡이 장애인이라고 부르는 사람이 있는가? 청각장애인을 가리켜 보청기 장애인이라고 부르는 사람이 있는가?

휠체어 장애인이라는 용어는 보조기구로 나를 지칭함으로써 나의 장애를 휠체어에 가두고 만다. 휠체어를 사용하는 나의 일부분의 모습으로 나의 전체를 정의함으로써 나의 개인성도, 나의 개성도 휠체어에 가두는 용어이다. 또한 보조기구를 장애명으로 사용함으로써 어법에도 맞지 않는 용어이다.

그럼 휠체어 장애인을 대신할 용어는 무엇이 있을까? 휠체어를 사용하는 장애인을 지칭하므로 휠체어 사용자라고 부르는 것이 가장 적절할 것이다. 실제로 영어권에서도 휠체어 사용자(wheelchair user)라고 지칭한다.[11]

5) 넘어졌을 때(낙상 발생)[12]

- 장애인은 생활하면서 행동의 부자유로움으로 인해 자주 넘어지게 된다. 넘어지는 것을 피할 수 없는 경우도 있지만, 많은 경우 다른 사람이 건드리거나 다른 사람과 부딪혀 넘어지게 되므로 보행 중인 장애인과 부딪히지 않도록 조심해야 한다.

- 장애인이 넘어지면 본능적으로 팔을 내밀어 도와주게 되는데 사람에 따라서는 도움이 필요한 경우도 있지만 혼자 일어나는 것이 더 편한 경우도 있다. 그러므로 장애인이 넘어지면 도움이 필요한지를 묻고 그렇지 않으면 넘어진 사람을 잡지 말고 팔을 내밀어 필요하면 잡고 일어서도록 하는 것이 좋다.

- 부상이 없는 경우에는 넘어진 장애인을 직접 잡아주기보다는 팔을 내밀어 스스로 잡고 일어서도록 한다. 개인에 따라 혼자 일어나는 것이 더 편할 수 있기 때문이다.
- 넘어져 있는 장애인을 발견할 경우에는 의식 및 활력징후를 확인한 후 의식이 없다면 바로 심폐소생술을 실시하고 의식이 있다면 골절 여부, 출혈 부위, 통증 등을 확인한다. 골절이 없는 통증, 부종, 멍든 부분 등은 냉찜질을 해주고 출혈이 있는 경우에는 출혈 부위를 지혈한다. 이와 동시에 장애인 당사자가 안심할 수 있도록 정서적으로 지지해준다.

낙상 예방

장애인은 장애 및 관련 질환의 동반으로 낙상 위험이 높기 때문에 예방활동이 중요하다.
- 청소 등으로 바닥이 미끄럽지 않도록 관리한다(미끄럼 방지용 타일 부착).
- 전선 등 여러 가지 물건으로 어지럽혀 있지 않도록 한다.
- 계단 양쪽, 화장실 등에 안전 손잡이를 설치하고, 계단 바닥에는 미끄럼 방지용 재료를 부착한다.
- 복도, 화장실, 계단 등의 조명을 밝게 한다.
- 일어나거나 걸을 때는 보조 손잡이를 잡고 천천히 일어서고 서두르지 않도록 한다.
- 발에 맞는 신발을 신고, 바닥이 미끄러운 슬리퍼를 신지 않도록 한다.
- 보행 시 문턱 등 바닥이나 주변을 살피면서 걷도록 한다(경사로 설치).

6) 계단과 턱에서

- 하지에 장애를 가지고 있는 사람들에게 계단이나 도로의 턱인 연석은 이동하는 데 커다란 장애물이 된다. 남의 도움 없이 통과할 수 있는 계단은 그 사람의 장애에 따라 다르다.
- 어떤 사람은 계단이 높지 않으면 휠체어를 타고도 남의 도움 없이 한 개 또는 그 이상의 계단을 올라갈 수 있는 사람이 있는 반면에 도움이 꼭 필요한 사람도 있다. 이러한 차이는 휠체어 사용자의 힘과 휠체어를 다루는 솜씨 그리고 휠체어 형태에 달려 있다.
- 계단을 오를 때는 휠체어를 뒤로 뉘어 앞바퀴가 들리도록 하여 밀고, 계단을 내려올 때는 휠체어 사용자에게 앞으로 내려오는 것이 좋은지 뒤로 내려오는 것이 좋은지 물어본 다음 어느 쪽으로 내려오든지 휠체어 앞바퀴가 들리도록 한 상태로 내려오면 된다. 이때 휠체어 사용자의 상체가 휠체어 등받이에 붙도록 하여야 한다.
- 보행장애인은 가파른 계단을 이용하기 어렵다. 그러나 잡을 수 있는 견고한 난간이 있으면 남의 도움 없이 계단을 이용할 수 있다.
- 보행장애인의 계단 이용을 도와줄 때는 장애인 옆으로 걸으면서 팔을 뻗어 장애인이 팔을 잡아 의지하고 균형을 유지할 수 있도록 한다.
- 더 큰 도움이 필요할 경우는 팔로 장애인의 허리를 부축하고 계단을 오르내린다. 계단을 오

르내릴 때 장애인의 팔을 잡는 것은 별로 도움이 되지 않으며 균형을 잃어 넘어지게 할 수도 있다.

- 장애인이 남의 도움 없이 계단을 이용하는 경우 내려올 때는 앞에서 올라갈 때는 뒤에서 만약의 사고에 대비하는 것이 필요하다. 이렇게 함으로써 장애인이 비틀거리거나 넘어지려고 할 때 잡아 줄 수가 있다.

7) 만날 장소를 선택할 때

- 장애가 있는 친구를 만나기 위하여 공공장소를 선택할 때는 사전에 건물에 편의시설(경사로, 엘리베이터, 장애인 화장실, 장애인전용주차장 등)이 설치되었는지를 알아본다.
- 가능하면 만날 장소에 대해 충분한 정보가 있는 곳을 선정하여 장애인에게 건물의 편의시설 설치 정도를 알려 그로 하여금 접근가능성을 판단하도록 하는 것이 좋다.
- 장애인에게 어디에서 만나는 것이 좋은지 묻는 것이 좋다. 장애를 가지고 있는 친구는 본인이 접근 가능한 음식점, 극장 그밖에 공공장소를 알고 있는 경우가 많다.
- 차가 있는 장애인들은 행사나 모임에 오고 갈 때 자기 차를 이용하는 것을 좋아한다. 장애인들이 이용하는 차는 장애인전용주차구역에 주차시킬 수 있다.
- 이와는 달리 차가 없는 장애인들이 모임이나 행사에 참여할 때 가능하면 엘리베이터 출입구가 있는 지하철역 근처로 약속장소를 정해 주는 것이 좋다.

8) 교통편

- 장애인이 행사나 모임에 가고 올 때 교통수단이 문제가 되기도 한다. 그러나 이동에 장애가 있다고 해서 불가능한 것은 아니다. 특별교통수단인 장애인콜택시를 이용하여 이동하는 것이 가능하다.
- 특장차와 같이 휠체어를 타고 램프나 리프트를 이용해 오르내릴 수 있는 차는 휠체어 사용자가 휠체어에서 내릴 필요가 없다. 이러한 특수 장치가 되어있는 차를 이용하면 휠체어 사용자가 쉽게 빠르게 이동을 할 수 있다.
- 어떤 장애인들은 쉽게 일반대중교통수단을 이용할 수 있다. 하지만 휠체어 사용자들은 휠체어 때문에 교통수단을 이용하기가 매우 까다롭다. 저상버스나 지하철은 이동에 편리한 수단이다.
- 자가용을 이용하는 휠체어 사용 장애인들은 수동휠체어를 접거나 분리하여 뒷좌석에 싣거나 차 밖의 특수 장치(휠탑퍼 등)에 실어 이동할 수 있다. 차 트렁크에 싣는 경우에는 도움이 필요하다.
- 휠체어 사용자 중에는 남의 도움 없이 차에 타고 휠체어를 접어 실을 수 있는 사람이 있어, 도

올 때는 먼저 무엇을 어떻게 도와야 할지를 사용자로부터 알아 본 후에 도와주어야 한다. 왜 냐하면 모든 장애인들에게 적용되는 최선의 방법은 없기 때문이다.

- 장애인이 차에 타는 것을 도울 때는 머리를 흩트리거나 옷이 구겨지지 않도록 조심해서 도와 주어야 한다. 최선의 노력을 다했는데도 장애인의 용모를 흩트려 놓았을 때는 용모를 단정 하게 고치는 것까지도 도와주는 것이 좋다.

9) 사적인 물건에 대한 에티켓

- 장애인이 사용하는 휠체어, 목발, 기타 보장구들은 개인의 사적인 물건이다. 그러므로 사용 자의 허락 없이 사용해서는 안 된다. 특히 사용자가 닿지 않는 곳으로 옮겨놔서도 안 된다.

10) 대중음식점에서

- 대부분의 사교모임은 음식을 먹으면서 하며, 친구들 간에 대중음식점에서 식사를 자주 하게 된다. 장애가 있는 사람 중에는 음식을 씹거나 많은 사람이 있는 곳에서 대화하는 것이 곤란 하여 대중음식점을 싫어하는 경우도 있다.
- 장애인과 식사 시 음식점을 선택할 때는 식탁이나 의자의 배열이 널찍하게 되어 있는 곳을 선택하고 만약 음식점이 크다면 현관에서 멀지 않은 테이블에 앉는 것이 좋다. 휠체어 사용 장애인의 경우 앉기 전에 그 위치에 있는 의자를 빼준다.
- 손과 팔에 장애가 있는 사람은 음식을 먹는 데 어려움이 있을 수 있다. 이런 때에는 고기를 잘 라 주거나 반찬의 배열을 편하게 해주어 음식을 먹기 좋게 해준다.
- 대부분의 사람들은 공적인 자리에서 이러한 도움을 부탁하기가 쑥스럽기 마련이다. 그러므 로 장애인이 부탁하기 전에 도와주겠다고 표현하는 것이 좋다. 그리고 도와주겠다는 표현은 음식을 주문하고 난 후보다 주문하기 전에 하는 것이 좋다. 손이나 팔에 장애가 있는 사람이 음식을 먹을 때 누군가 도와줄 사람이 있으면 먹기 편한 음식을 주문하기보다는 먹고 싶을 것을 주문할 수 있기 때문이다.
- 뷔페와 같이 직접 음식을 골라 먹는 경우에는 장애인에게 어떻게 도와줄지 의향을 물어보는 것이 좋다. 직접 음식을 고르고 가져 오는 경우도 있지만 그렇지 않을 경우에는 함께 음식 있 는 곳을 다니면서 선택하는 것을 가져다주면 좋다.

11) 대중음식점에서 장애인을 맞을 때

- 대중음식점 종업원들이 이동장애가 있는 고객에게 더 좋은 서비스를 제공하기 위해서는 우 선 좌석 선정 시 보다 넓은 식탁을 배정해 주는 것이 좋다. 다른 사람들이 장애인의 휠체어를 지나쳐 다니거나 목발을 건드릴 수 있는 위치를 배정하지 않도록 한다.

- 휠체어 사용 장애인에게는 아래에 다리를 둘 수 있는 식탁을 배정하면 좋다. 목발이나 보행기 등을 사용하는 장애인들에게는 벽 가까이에 좌석을 배정한다. 앉고 일어서는 데 어려움이 있는 장애인에게는 팔걸이가 있는 견고한 의자를 제공한다.
- 넓거나 여러 층으로 된 음식점에서는 입구에 가까운 곳을 지정해준다. 가까운 좌석이 바로 없다면 그 고객이 다른 좌석에 앉기를 원하는지 혹은 가까운 좌석에 배정될 때까지 기다릴 것인지를 묻는다.
- 휠체어를 사용하는 장애인은 장애 유형, 음식점 의자의 형태, 그리고 자신의 선호도에 따라 음식을 먹기 위해 일반의자로 이동하기 어려울 수도 있다. 장애인이 휠체어에 앉아 있고자 한다면 일반의자를 치워주고, 장애인이 휠체어를 밀어주기를 원하는지 확인하며 어디에 앉게 될 것인지 알려 준다. 이때 다른 동반인이 아닌 장애인 본인과 직접 의사를 교환한다.
- 고객이 팔에 장애가 있다면 물건들을 접근하기 쉬운 곳에 놓고, 음식을 먹기 편하게 제공하고 음료를 위해서 빨대를 준비한다. 장애인이 혼자서 식사를 할 때 뷔페와 같이 직접 가서 음식을 담아야 하는 경우 이를 돕는다.
- 식사가 끝난 후 식탁의 중앙에 청구서를 놓는다. 비장애인이 식대를 지불할 것이라고 함부로 추측하면 안 된다.

12) 아동에 대한 주의사항
- 지체장애인들은 종종 아동들의 호기심을 불러일으킨다. 이때 많은 장애인들은 아동의 질문에 직접 답변하기도 하지만, 다른 장애인들은 부모(또는 조력인)들이 답변해 주기를 바라기도 한다. 부모(또는 조력인)들은 아동이 자연스런 호기심을 표현한 것을 꾸짖어서는 안 된다. 만약 장애인이 그 대화에 참여할 의지를 나타낸다면, 아동의 질문에 장애인이 직접 답변할 수 있게 한다.
- 아동의 호기심이 신체적 장애에 대한 것이라면 이 질문을 적절히 중재해 준다. 또한 아동이 장애인의 허락 없이 휠체어나 다른 보장구를 다루지 않도록 주의한다.

13) 절단장애인에 대한 에티켓
- 의족이나 의수도 신체의 일부이므로 존중하는 마음이 필요하다.
- 의수나 의족을 신기하게 보거나 만지거나 장난치지 말고 편견어린 시선으로 보면 안 된다.
- 절단장애인 중 오른쪽 의수를 사용하는 사람은 악수를 청하면 당황하는 경우가 있다. 왼손으로 바꾸어 악수를 한다.

근로 중 의족파손 산재 적용이 타당
국민권익위 "의족도 신체 일부" 의견표명

○ 의족을 착용한 근로자가 업무 중 의족이 파손되는 재해를 당한 것에 대해서 산재를 적용해야 한다는 국민권익위원회(위원장 김영란, ACRC)의 의견표명이 나왔다.

○ 1995년 교통사고로 우측 다리를 절단한 이후 아파트 경비원으로 일하던 양모씨는 2010년 12월 제설 작업 중 넘어져 의족이 파손되는 부상을 입었지만 근로복지공단은 의족파손은 산재가 아니라며 요 양급여를 지급하지 않자 국민권익위에 민원을 제기했다.

○ 근로복지공단은 신체에 탈·부착이 가능한 보조기의 경우 신체 일부로 볼 수 없고, 산재를 인정하는 요양급여의 범위에 포함된 '의지(義肢), 그 밖의 보조기의 지급'은 양씨처럼 기존에 장애가 있어서 사 용하는 보조기가 아니라 '새로운 재해로 발생한 기능상실에 대한 보조기의 지급'으로 해석해야 한다 는 입장이다.

○ 하지만 국민권익위는 ▲ 양씨가 의족을 착용해 일상활동을 해 왔고, 이후 현재의 사업장에 취업까지 한 사실로 보아 양씨의 의족은 신체의 일부로 봐야 하고, ▲ 과거 근로복지공단에서 치과보철(틀니) 에 대해 '비록 물건이라도 인체에 부착되면 신체 일부로서 신체의 필수기능을 수행하고 있는 경우 요 양급여가 가능하다'고 유권해석한 사례가 있는 점을 들어 이번 양씨의 의족파손도 업무상 재해로 인 정해 요양급여의 범위에 해당한다고 판단했다.

실제로 근로복지공단은 2009년 '근로자가 업무수행 중 물건에 부딪혀서 치과보철이 파손되는 재해를 입은 경우 해당 보철치료를 위해 의료기관에서 4일 이상 요양이 필요하다고 인정되면 산재보험 요양 급여의 범위 내에서 지급이 가능하다는 유권해석을 한 바 있다.
(국민권인위 보도자료. 2011.6.2)

2. 시각장애인에 대한 에티켓

1) 길을 안내할 때

- 시각장애인에게 길을 가르쳐 줄 때 가장 중요한 것은 정말 그 위치를 정확하게 알고 있는지 를 생각하여야 한다. 만일 적절한 도움을 제공할 수 있다고 생각되면 가능한 한 정보를 구체 적으로 알려 준다.

- 도움을 줄 때는 숫자를 사용해서 위치를 정확하게 설명한다. "여기, 저기" 등 애매한 표현은 피하고, "오른쪽 1 m쯤 간 다음, 왼쪽으로 2 m 가세요."라고 가르쳐 주면 좋다.

- 길의 모든 상황을 상세히 설명하며 특히 도로상태, 도로에 설치된 것 등 안전을 위협할 수 있 는 것들을 상세히 설명해준다.

2) 안내보행을 할 때

- 시각장애인과 함께 걸을 때는 팔을 시각장애인에게 내준다. 팔을 잡고 걷게 되면 훨씬 수월

하게 걸을 수 있다. 팔은 팔꿈치 부분이나 팔꿈치 위를 잡게 하는 것이 좋다. 반대로 시각장애인의 팔을 잡는 것은 실례되는 행동이다.

- 만일 시각장애인이 당신의 팔을 잡는 것을 좋아하지 않으면 서로가 상대방의 보행을 방해받지 않을 정도의 간격을 유지하는 것이 좋다.

- 시각장애인이 팔을 잡을 때는, 갑자기 돌거나 또는 움직이는 행동을 하지 않는다. 계단, 엘리베이터 또는 예외적인 어떤 곳에 접근할 때는 우선 멈춰 서서 처한 상황을 설명한다.

- 뒤로 돌 때는 팔을 잡은 채로 같이 돌지 말고 시각장애인에게 방향 바꾸는 것을 이야기하고 팔을 놓으라고 한 다음 앞으로 얼굴을 마주 보면서 방향을 바꾸고 다시 팔을 잡도록 한다.

- 문이 닫힌 곳에 있을 때는 돕는 사람이 문을 열어 주거나 또는 시각장애인의 손을 손잡이에 갖다 대주어 시각장애인이 직접 열도록 한다. 그런 다음 안으로 안내를 해준다.

- 회전문의 경우에는 어느 쪽으로 열리는지를 말해 주어야 한다.

3) 대화

- 시각장애인이 당신의 목소리를 들었을 때, 당신이 그에게 말하고 있는지 혹은 다른 사람에게 말하는 것인지 확신하지 못할 것이다. 그러므로 집단 속에서 또는 대중 속에서는 장애인의 이름을 불러 준다. 만일 당신이 시각장애인의 이름을 모르면 그 앞에 서서 말을 건넨다. 또는 시각장애인의 팔을 점잖게 건드린다든지 또는 당신이 누구라는 것을 반복해 준다.

- 비장애인들은 시각장애인에게 동정심을 느끼거나 또는 그들이 장애를 극복하는 것에 감탄을 하게 된다. 이러한 감정은 아주 가끔 표현하는 것은 좋으나 지나치게 자주 표현하는 것은 실례가 된다.

- 유머는 사람들을 쉽게 친하게 한다. 대부분의 시각장애인들은 농담 나누기를 좋아하며 그들의 상황에 대해서도 편안하게 표현한다. 시각장애인들은 그들의 주변 환경을 알기 위해서 만지고, 냄새 맡고, 듣는 것을 통해 배운다. 대부분의 시각장애인들은 일반친구들이 주위의 흥미로운 것들을 자세히 설명해주면 즐거워 한다.

- 시각장애인과 대화할 때는 너무 크게 이야기하지 않는다. 만일 공공장소에서 시각장애인과 함께 있다가 잠시 동안 시각장애인을 혼자 두게 될 때, 얼마 후에 돌아올 것이라고 말을 하고, 가기 전에 시각장애인이 편안하게 기다릴 수 있는 장소 또는 의자를 안내해 준다.

4) 지팡이

- 지팡이는 안내견과 마찬가지로 많은 기능을 할 수 있는 시각장애인을 위한 재활 보조기기다. 지팡이의 뾰족한 끝으로 땅을 더듬으면서 걷고 턱을 찾고 장애물을 탐지한다.

- 시각장애인의 허락을 받지 않고 지팡이를 만지지 않는다. 시각장애인이 지팡이를 가지고 돌

아다닐 때는 천천히 이동한다. 그러나 반드시 도와주어야 할 필요는 없다. 커다란 어려움이
보일 때까지는 방해하지 않는다.

- 시각장애인이 지팡이를 사용하여 걸을 때는 지팡이의 반대편에 서서 당신의 팔을 잡게 내준다.

흰지팡이의 유래[13]

지팡이는 고대로부터 시각장애인이 활동하는 데 보조기구로 사용되어 왔다. 첨단과학이 고도로 발달된 현대에도 세계적으로 대부분의 시각장애인이 사용하고 있는 것이 흰지팡이이다. 시각장애인이 사용하고 있는 지팡이의 색깔은 흰색으로 통용되고 있는데, 이는 일반지체장애인이나 노인의 보행에 쓰이고 있는 지팡이와 구별되며 시각장애인 이외의 사람은 흰색을 금하고 있다.

흰지팡이의 개념은 1차세계대전 당시 프랑스에서 공식적으로 채택되었으며, 그 후 영국으로 전파되고 다시 캐나다를 거쳐 미국으로 건너갔다. 1931년 캐나다의 토론토에서 개최된 국제 라이온스대회에서 흰지팡이의 기준이 설정되었으며 그 후 미국의 페오리아시에서 개최된 라이온스클럽대회에서 페오리아시에 살고 있는 시각장애인은 흰지팡이를 가지고 다녀야 한다는 흰지팡이에 대한 최초의 법률이 제정되었다.

그리고 1962년 미국의 케네디 대통령은 "시각장애인에게 흰지팡이를…"을 주장하며 시각장애인의 기본 권리를 주창하고 사회적 책임을 촉구했다. 그 후 1980년 세계맹인연합회가 10월 15일을 "흰지팡이날"로 공식 제정하여 각국에 선포했다. 이 선언문의 내용은 '흰지팡이는 동정이나 무능의 상징이 아니라 자립과 성취의 상징이며, 전 세계의 시각장애인 기관과 정부는 이날을 기해 시각장애인의 사회통합을 위한 행사와 일반인의 시각장애인에 대한 올바른 이해를 위한 계몽활동을 적극 추진한다'는 내용인 것이다.

우리나라에서는 한국시각장애인연합회 주최로 10월 15일을 전후하여 서울을 비롯한 전국 각처에서 기념식 및 부대행사를 열어 이날을 기념하고 있다.

우리나라에서 흰지팡이에 대한 규정이 마련된 것은 1972년 도로교통법에서이다. 현재 도로교통법 제11조에서는 "앞을 보지 못하는 사람(이에 준하는 사람을 포함한다. 이하 같다)의 보호자는 그 사람이 도로를 보행할 때 흰색 지팡이를 갖고 다니도록 하거나 앞을 보지 못하는 사람에게 길을 안내하는 개로서 행정안전부령으로 정하는 개(이하 "장애인 보조견"이라 한다)를 동반하도록 하는 등 필요한 조치를 하여야 한다."로 되어 있으며, 동법 제49조에는 "앞을 보지 못하는 사람이 흰색 지팡이를 가지거나 장애인 보조견을 동반하는 등의 조치를 하고 도로를 횡단하고 있는 경우 일시정지한다."로 되어 있다.

5) 소음

- 시각장애인은 그들의 주변 환경에 관한 정보의 대부분을 소리를 통해서 얻는다. 지나치게 큰 소음은 목소리와 교통신호 등과 같은 중요한 소리를 듣는 데 혼동을 준다. 시각장애인이 다 지나가거나 소리를 완전히 파악할 때까지는 큰 소음을 통제해 주는 것이 좋다. 예를 들면 시각장애인이 사무실에 들어올 때는 복사기 소리를 내지 않는다던가, 안전하게 거리를 건널 수 있도록 경적을 울리지 않는다던가, 시각장애인이 처음으로 집을 방문했을 때 음악소리를 줄여주는 등 배려를 해 주는 것이 좋다.

- 만일 공사장의 작업소리, 비행기 지나가는 소리 등 부득이하게 소리를 통제하지 못하는 경우에는 친구나 지나가는 사람이 소리에 대해 설명해 주면 도움이 된다.

6) 시각장애인이 대중교통을 이용할 때

- 만일 시각장애인이 버스를 기다리고 있으면, 도착한 버스의 넘버를 알려주고 시각장애인이 그 차를 탈것인지 다른 버스를 기다리는 것인지를 물어본다.
- 시각장애인이 질문을 해 오면 고개를 끄덕이거나 손으로 가리키지 말고 정확하게 말로 대답을 한다.
- 시각장애인이 행선지를 먼저 이야기하지 않을 경우 먼저 물어보는 것도 좋다.
- 대중교통이 만원일 경우 자리를 양보해 주도록 한다.
- 시각장애인이 내릴 때는 통로에 있는 모든 장애물에 대해서 말해주는 것이 좋다.
- 만일 차를 갈아탈 경우 갈아타는 데 필요한 사항들을 자세히 알려주며, 보다 적극적인 방법은 함께 내리는 승객에게 시각장애인이 다른 교통편을 이용할 수 있도록 안내를 부탁한다.

7) 음식점에서

- 시각장애인과 함께 식사를 계획할 때는 음식점을 선택하기 전에 시각장애인에게 먼저 어떤 특별한 욕구가 있는지를 물어 본다.
- 테이블에 도착했을 때 시각장애인이 자신의 의자에 앉을 수 있도록 돕는다. 테이블 위에 촛불, 꽃병 같은 것은 시각장애인으로부터 멀리 놓는다.
- 테이블 위에 이미 놓인 음료나 과자, 빵 또는 먹을 수 있는 것이 있다면, 시각장애인에게 그것들에 대해 자세히 이야기해 준다.
- 메뉴를 결정할 때 시각장애인에게 다양한 메뉴와 가격을 읽어 준다. 먹기 어려운 음식을 먹는 것을 도와주려면 주문을 하기 전에 미리 시각장애인에게 말을 해주어 시각장애인의 메뉴 선택의 폭을 넓게 해준다.
- 음식이 도착하면 시각장애인에게 음식에 대해 설명해 준다. 어떤 시각장애인은 간단한 설명으로도 알아들을 수 있지만 어떤 시각장애인은 자세히 설명을 해 주어야지 알아들을 수 있다.
- 어떤 경우에 주문한 음식에 이상한 것이 들어 있거나 또는 먹어서는 안 될 장식용 물건이 있을 수도 있다. 이러한 것들은 처음부터 끝까지 알려 주어야 한다.
- 시각장애인과 함께 식사할 때는 수저가 있는 곳과 무슨 음식이 담겨져 있는지를 작은 소리로 설명해 주고, 음식의 위치는 시계방향으로 설명해 주는 것이 좋다. 음식에 먹을 수 없는 장식물이 있다면 미리 알려준다.
- 시각장애인에게 음식을 제공할 때, 음식을 다루기 쉽도록 접시에 약간의 공간을 남겨두며,

음료 역시 컵이나 잔의 윗부분을 조금 비워둔다. 시각장애 방문객에게 어떤 음식과 음료가 제공되는지 미리 알려주며, 접시 위에 어떻게 음식이 놓여있는지 알려준다.

- 음식이 제공되는 방식에 특이한 점이 있다면, 그것을 말해준다. 예를 들어 음료가 뜨거운지 차가운지에 대해 말해준다. 과일 등과 같이 껍질을 제거할 필요가 있는 것은 미리 껍질을 벗겨서 제공한다.

시각장애인의 요청에 따라서는 별도의 접시에 음식을 모아 담아 주는 것도 도움이 된다.

8) 안내견을 대할 때

- 안내견은 시각장애인의 안전한 보행을 돕기 위해 훈련된 개다. 안내견은 언제 어디서든 그 주인과 함께하므로, 어느 곳이든 시각장애인이 가는 곳은 동반할 수 있어야 한다.
- 일부 사람의 인식부족으로 인해 안내견의 출입을 거부하는 곳이 아직까지 많이 있다. 길에서 안내견을 만나면 절대 무서워하거나 겁낼 필요가 없다. 왜냐하면 안내견은 물거나 짖지 않도록 훈련을 받았다.
- 친근감을 표시하는 것은 좋지만 주인에게 허락을 받지 않고 안내견을 함부로 만지면 안 된다. 안내견의 반응이 달라지므로 영문을 모르는 주인이 당황하게 된다.
- 안내견에게 먹을 것을 함부로 주면 안 된다. 정해진 먹이 외에는 눈길을 주지 않도록 훈련받았기 때문에 주어도 먹지 않겠지만 만일 먹이를 따라 안내견이 움직일 경우 시각장애인 주인이 곤란을 겪을 수 있기 때문이다.

장애인차별금지법(장애인차별금지 및 권리구제 등에 관한 법률)과 장애인복지법에 따라 정당한 사유 없이 안내견의 출입을 금지하면 300만원 이하의 과태료가 부과된다.

〈장애인복지법〉
제40조(장애인 보조견의 훈련·보급 지원 등) ③ 누구든지 보조견 표지를 붙인 장애인 보조견을 동반한 장애인이 대중교통수단을 이용하거나 공공장소, 숙박시설 및 식품접객업소 등 여러 사람이 다니거나 모이는 곳에 출입하려는 때에는 정당한 사유 없이 거부하여서는 아니 된다.

〈장애인차별금지 및 권리구제 등에 관한 법률〉
제4조(차별행위)
① 이 법에서 금지하는 차별이라 함은 다음 각 호의 어느 하나에 해당하는 경우를 말한다.
6. 보조견 또는 장애인 보조기구 등의 정당한 사용을 방해하거나 보조견 및 장애인보조기구 등을 대상으로 제4호에 따라 금지된 행위를 하는 경우

상황별 시각장애인 에티켓 간단 정리[14]

1. 처음 만났을 때

"안녕하세요? ○○○입니다."

첫인사는 악수와 함께 또렷하게 자신의 이름을 밝혀 준다.

2. 횡단보도를 건널 때

"함께 건너가시겠습니까?"

친절한 말 한마디와 함께 시각장애인이 붙잡을 수 있도록 당신의 팔꿈치를 살짝 내밀어 준다. 등을 밀거나 흰지팡이 또는 옷자락을 잡아당기면 안 된다.

3. 버스정류장에서

"몇 번 버스를 타십니까"

버스정류장에 서 있는 시각장애인을 보면 몇 번 버스를 타는지 물어본다.

4. 택시를 탈 때

"머리를 부딪치지 않도록 조심하세요."

왼손은 차체에 오른손은 차문에 닿게 해주면 안전하게 승차할 수 있다.

5. 물건을 살 때

"찾으시는 물건이 여기 있습니다."

"거스름돈은 오천 원권 1장과 천 원권 3장, 다 합쳐서 팔천 원입니다."

물건이나 거스름돈을 전할 때 직접 손에 건네준다.

6. 식사를 할 때

"국은 감자국이구요, 10시 방향에 김치가 있습니다."

젓가락을 쥔 시각장애인의 손을 잡고 반찬이 놓여있는 그릇의 위치를 알려주거나 시계방향의 위치로 설명해 준다.

7. 계단을 이용할 때

"바로 앞에 올라가는 계단이 있습니다."

계단을 한 걸음 앞에 두고 잠깐 멈춰선 다음 올라가는 계단인지 내려가는 계단인지 말해 준다. 시각 장애인 혼자서 계단을 이용할 때에는 난간을 잡을 수 있도록 도와준다.

8. 의자에 앉을 때

뒤에서 밀거나 앞에서 잡아당기지 않는다.

한 손은 의자에 다른 한 손은 책상에 닿게 해 주면 바르게 앉을 수 있다.

9. 비좁은 곳을 안내할 때

안내하던 팔을 등 뒤로 옮긴다.

시각장애인에게 길이 비좁음을 말하고 자연스럽게 팔을 뒤로 뻗으면 안내자의 뒤쪽으로 옮겨 걸을 것이다.

10. 닫힌 출입문을 통과할 때

문을 연 다음 돌아서서 시각장애인의 다른 손으로 문의 손잡이를 잡도록 하여 문을 닫게 해 준다.

시각장애인 혼자서 문을 통과할 때에는 손잡이가 문의 오른쪽에 있는지 왼쪽에 있는지 설명해 주고 손잡이를 잡도록 도와준다.

11. 에스컬레이터를 안내할 때

올라가는 곳인지 내려가는 곳인지를 설명해 주고 오른쪽 손잡이를 잡도록 해 준다.

12. 안내하다 당신이 잠시 자리를 비울 때

시각장애인이 안전하게 기다릴 수 있도록 가까운 의자에 앉히거나 벽 또는 기둥 곁에 편안히 서 있도록 해 준다.

주변 상황을 간략히 설명해 주고 자리를 잠시 비우겠다고 덧붙여 주면 더욱 좋다.

돌아온 다음엔 '돌아왔다'고 말한다.

13. 지하철에서 안내할 때

지하철 승강장은 전동차가 오가는 선로가 있어 시각장애인들에게는 매우 위험하기 때문에 시각장애인을 보면 "먼저 안내해드릴까요"라고 친절을 베푼다.

승차하는 문의 번호를 말하면 더욱 좋다.

매표소나 출구방향을 말하는 것도 좋다.

14. 컵이나 칼 등을 전달 할 때

컵의 내용물을 설명하고 탁자 위에 놓으면서 손잡이를 잡도록 해 준다.

날카롭거나 뾰족하여 다칠 위험이 있는 물건을 전달할 때에도 안전한 부분을 시각장애인으로 향하게 하여 손잡이에 손을 닿도록 해 준다.

3. 청각 · 언어장애인에 대한 에티켓

청각 · 언어장애는 외형적으로 드러나지 않기에 많은 사람들이 장애에 대해서 잘 모르는 경우가 많다. 청각장애인을 만나면 우선 수어, 지화, 필담 중 가장 좋은 의사소통방법을 확인하는 것이 좋다.

1) 청각장애인을 응대할 때

- 듣지 못한다고 함부로 말하지 말고 언행 상의 예의를 지킨다. 청각장애인과 이야기할 때 몸짓, 표정, 입모양은 매우 유용하다. 마주보며 입모양을 뚜렷하게 하여 말하면 대부분 알아들을 수 있다. 필요하다면 휴대폰이나 종이 등을 이용하여 필담할 수도 있다.

2) 청각장애인과의 의사소통

- 적당히 크고 일정한 소리로 약간 느린 속도로 분명하고 바른 입모양으로 간략하게 이야기한다.
- 말끝을 흐리지 않도록 유의한다.
- 한 문장을 말하고 약간 쉰 후 다음 문장을 말한다. 새로운 주제에 대해 이야기하고자 할 때 얼마간 시간을 두고 이야기한다.

- 이야기 도중 다른 상황(초인종이나 전화벨이 올린 경우 등)에 처한 경우 이를 설명해 준다.

그림 5-4. 청각장애 학생의 소통지원을 위한 투명마스크[15]
출처: https://www.50plus.or.kr/detail.do?id=8650101

3) 청각장애인과 글로 의사소통

- 글로 의사소통하는 방법은 구화법을 사용할 수 없는 경우나 주소, 열차 시간, 의약품명 등 중요한 정보를 제공할 때 매우 유용하다.
- 글뿐 아니라 지도, 도표, 그림 등을 제공할 때 이용한다.
- 청각장애인에게 글을 쓸 때는 필체에 유의한다.
- 장애인이 내용을 읽고 있는 동안 그의 표정을 관찰하여 그가 내용을 이해하고 있는지 확인한다.

4) 청각장애인과 대화 시 몸짓과 얼굴표정

- 청각장애인이 특히 구화법을 모르는 청각장애인들에게 몸짓 및 얼굴표정은 매우 유용하다.
- 색안경, 커다란 챙이 달린 모자는 전체 얼굴, 특히 눈을 가릴 수 있으므로 의사소통에 오해가 있을 수 있다.
- 과장된 얼굴표정과 몸동작을 보일 필요는 없다.
- 입모양이 바로 보이도록 머리를 움직이거나 지나친 얼굴표정을 짓지 않는다.

5) 수어 및 수어통역

- 수어는 단어나 생각을 나타내기 위해 손동작과 손 위치를 이용하는 의사소통방법으로 많은 청각장애인들과 일부 언어장애인들이 사용한다.
- 수어통역을 통해 의사소통하는 경우 대화는 더욱 천천히 진행된다.
- 대화를 하는 동안 수어통역자가 없는 것처럼, 대화하는 장애인을 바라보며 이야기한다.
- 통역자는 모든 말을 그대로 수어로 통역하므로 통역되기 원치 않는 말은 하지 않는다.
- 다른 언어로 통역될 때는 본래의 의미가 왜곡되기 쉬우므로 되도록 명백하고 직접적인 표현을 쓴다.
- 여러 사람의 대화에서는 통역자가 한 번에 한 가지만을 통역하도록 한다.

수화? 수어? '수어'입니다!

수어는 농인(청각장애인)의 손의 움직임을 포함한 신체적 신호를 이용하여 의사를 전달하는 시각언어입니다. 과거에 써온 '수화'와 최신 용어인 '수어'라는 의미의 차이에서 많은 분이 헷갈리실 것입니다.

2016년 2월 3일, 농인의 오랜 염원이었던 '한국수어언어법'이 제정되면서 한국수어도 한국어와 동등한 언어로 인정받게 되었습니다. 수어는 다른 음성언어와 마찬가지로 자연언어에 속하므로 음운론, 행태론, 통사론 등이 존재하며 음성언어의 모국어 습득과 마찬가지로 자연스럽게 습득됩니다. 국립국어원까지 협력하여 많은 연구를 하고 있으니 수어의 그 위상이 높아지고 있습니다.[16]

6) 언어장애인과 의사소통(경청)

- 많은 언어장애인들이 언어장애에도 불구하고 말로써 의사소통을 한다.
- 언어장애인의 대화속도는 비장애인만큼 빠르지 않으며 청각장애를 함께 지닌 경우 상대방의 대화를 이해하는 데 더욱 시간이 걸림을 인식하여야 한다.
- 얼굴, 눈을 바라보고 대화에 충분한 주의를 기울여야 한다.
- 장애인의 말이 확실히 끝날 때까지 기다린 다음 적당하게 천천히 말을 한다.
- 장애인이 오랫동안 이야기할 때는 고개를 끄덕이고 몇 마디 말을 하여 여전히 경청하고, 이해하고 있음을 알린다.
- 언어장애인이 말하는 것이 힘들어 보일지라도 그가 말하고자 하는 것을 끝마칠 때까지 기다리며, 함부로 추측하지 않는다.

7) 언어장애인과 전화통화

- 언어장애인들 중에는 전화통화를 꺼리는 경우가 있으므로 이를 확인할 때까지는 전화를 삼간다.

- 언어장애인은 느리게 쉬어가면서 말할 것이고 전화의 경우 시각적인 접촉이 없으므로 더욱 느림을 이해해야 한다.

4. 안면변형(화상)장애인에 대한 이해와 에티켓

화상장애인 중에는 사고 당시를 회상하는 것을 힘들어하는 경우도 있기 때문에 사고 당시를 회상하게 하는 질문이나 언행을 삼가야 한다.

1) 대중교통 이용 시
- 화상장애인에게 외형이 징그럽다는 이유로 탑승을 거부하는 행위나 대중교통 탑승 시 슬금슬금 자리를 피하거나 상스러운 언행을 하는 행위는 화상을 입은 당사자에게 당혹감을 주므로 해서는 안 된다.

2) 음식점에서
- 화상장애인들에게는 뜨거운 것에 대한 공포감이 남아있는 경우가 있으므로, 식사 시 식탁 위에 간이가스렌지와 같이 불을 켜면서 음식을 먹어야 하는 경우 불로부터 멀리 떨어져 앉게 하거나, 뜨거운 것을 잡도록 유도하지 않는 것이 좋다.
- 음식점에 들어가게 되면 사람들이 외형이 이상하므로 빤히 쳐다보게 되는데 화상장애인들이 들어가게 되어도 아무렇지 않게 하던 행동을 그대로 하는 것이 좋으며, 음식점 관계자들은 그들이 원하는 경우 사람들의 시선을 피할 수 있는 자리를 마련해 주는 것이 좋다.

3) 대중목욕탕에서
- 어느 장소에서든지 자신을 빤히 쳐다보는 행동은 수치심을 불러일으키지만, 목욕탕은 옷을 입지 않는다는 특성상 더욱 심한 수치심이 들기 때문에 화상장애인이 들어왔을 때 빤히 쳐다보는 행위는 하지 않는 것이 좋다.
- 화상장애인들의 흉터는 전염성이 전혀 없다. 다만 외형상의 추형일 뿐인데 목욕탕 내 진입 또는 입욕 자체를 거절하는 등의 행위는 화상장애인에게 심한 모멸감을 주는 행위이므로 삼간다.

4) 기타
- 화상장애인들은 자신의 상처를 보고 사람들이 보이는 반응이나 시선을 꺼려하므로 한 여름

에는 긴 상의/하의를 입거나, 모자 또는 장갑 등으로 상처를 가리고 다니게 되는데 이들에게 무리하게 상의나 하의를 걷게 하거나 모자나 장갑 등을 벗기는 행위는 삼가야 한다.

- 길에서나 공공장소에서 화상장애인을 보았을 때 혀를 차거나 손가락질을 하며 빤히 쳐다보거나 함부로 흉터에 손을 대거나 하는 행동은 예의에도 어긋나는 것일 뿐만 아니라 화상장애인에게 마음의 상처를 또 한 번 남기게 됨을 알아야 한다.

- 술은 모세혈관을 확장시켜 흉터를 더 붉게 만들고 흉터에 색소침착(상처가 갈색으로 변함)이 남는 경우가 있으므로 가급적 무리하게 권하지 않는 것이 좋다.

5. 지적장애인에 대한 에티켓

지적장애인은 신체적으로 건강하여 비장애인과 외견상의 차이는 없으므로 이들이 장애인이라는 인식을 거의 하지 못한다. 따라서 지적장애인을 도와주기 위해서는 먼저, 이들을 정신질환자로 오인하거나 외견상의 장애인만 장애인이라는 인식에서 벗어나야 이들을 진정으로 이해할 수 있다.

1) 대화할 때

- 지적장애인이 사용하는 말의 발음이 불명확하고 단어 선택이 미숙하더라도 끝까지 주의 깊게 들어주어 이들이 말하고자 하는 의사를 정확히 파악해야 한다.

- 비장애인은 발음을 분명하게 천천히 쉬운 단어를 선택하여 자신의 의사를 표현해야 하고 필요하다면 몸짓 등의 행동을 덧붙여 이해를 도울 수도 있다.

- 지적장애인이 지능이 부족하다고 해서 무조건 반말을 하거나 나이 어린 사람으로 대할 수 있는데 생활연령에 맞게 존칭어를 사용해 주어야 한다.

2) 돈 계산

- 지적장애인의 가장 큰 어려움 중의 하나가 돈 계산이므로 비장애인이 대신 계산해주고 반드시 영수증을 받아 보호자가 확인할 수 있도록 한다.

3) 대중음식점에서

- 지적장애인이 메뉴를 읽지 못할 때는 메뉴를 읽어 주는 것이 좋으며 가능하다면 글씨로만 되어있는 메뉴에서 음식을 선택하게 하기보다는 음식그림을 보면서 선택할 수 있게 해 주는 것이 더 좋다.

4) 외부장소에서 만날 때

- 지적장애인은 교통수단 이용이 한정적이고 제한적이기 때문에 이들이 잘 아는 장소에서 만나는 것이 좋고 사전에 보호자에게 허락을 받으며 늦지 않게 귀가할 수 있도록 한다. 그리고 안전하게 귀가하였는지 확인전화를 하는 것도 좋은 방법이다.

6. 발달장애인(자폐성 장애인)에 대한 에티켓[17]

1) 전반적 생활에서의 에티켓

- 발달장애인은 감정, 의견의 표현이 서투르고 나름의 특성을 가졌을 뿐 비장애인과 똑같은 감정을 느끼고 있음을 배려해야 한다.
- 발달장애인은 고지식하여 변화하는 상황에 적응이 어렵다. 일과표를 작성하여 일과와 내용에 대해 사전에 충분히 설명해 주고, 사전에 약속된 순서대로 생활을 하는 것이 좋다. 가능하면 문자, 그림으로 된 일과표를 사용하는 것이 좋다. 그러나 생활습관이 몸에 배기까지는 오랜 시간이 필요함을 고려해야 한다. 예) 9시 작업시작, 10시 간식 먹기, 11시 가방 챙기기 등
- 일과를 조정해야 할 경우 충분한 설명이 필요하며, 새로운 일과에 적응하는 데 도움이 필요할 수 있다.
- 발달장애인은 낯선 장소, 익숙하지 않은 절차, 낯선 사람, 예측하지 못했던 상황 등에 심하게 불안해 할 수 있으며, 여러 가지 행동특성(착석하지 못하고 밖으로 나가려 한다던가, 계속 소리를 낸다거나 하는)을 보일 수 있다. 그러므로 사전에 충분한 설명, 예행연습 등이 필요하다.
- 발달장애인은 다른 사람의 정서나 생각에 대해 제한된 수준에서만 이해가 가능하며, 상호작용에 어려움이 있어 오해를 사기가 쉽다.
- 비장애인에게 문제가 되지 않는 음악, 소음, 냄새, 공간 등이 어떤 발달장애인에게는 매우 고통스러울 수도 있으므로 이러한 특성을 알고 배려하여야 한다.
- 발달장애인은 위험한 순간의 대처능력이 현저히 떨어지므로 뜨거운 물, 전기, 자동차 등 위험할 수 있는 상황에서는 항상 주의를 기울여야 하고 언어적 주의만이 아닌 직접적인 도움을 주어야 하므로 손이 닿을 수 있는 가까운 거리에 함께 있어야 한다.
- 예를 들어, 자동차가 다가오고 있을 때 "차 피해"라고 말만 하기보다는 말과 함께 빨리 팔을 잡아끌어 안전한 곳으로 이동시키는 것이 필요하다.
- 발달장애인은 일상생활에 필요한 여러 기술들 즉, 공공장소이용법, 돈 계산하기, 가전제품사용법, 대중교통 이용하기 등에 대해 어려움을 겪으므로 도움이 필요하다. 예) 돈을 알지만 정확한 계산 등은 어려우므로 비장애인이 함께 계산해 주고 영수증을 받아 보호자에게 설명해

주는 것이 필요하다.

- 발달장애인은 특정한 상황이나 물건(예: 전자오락기, 텔레비전, 자동차 등)에 심하게 집착하여 자신이 하고 있던 일을 못할 수도 있다. 이런 상황은 미리 예측하여 피할 수 있도록 환경을 계획하고 조절하는 것이 필요하다. 예) 전자오락기에 집착하는 발달장애인과 여행을 가야 할 경우 전자오락실, 전자제품 양판점 같은 것이 있는 길은 피해서 코스를 선택한다.

2) 대화 시

- 발달장애인은 '나', '너'의 개념은 있으나 표현에서 "나", "너", "우리" 등의 인칭대명사를 사용하는 데 어려움이 있으므로 이들의 말을 끝까지 주의 깊게 들어주고 상황과 문장 속에서 표현하고자 하는 의사를 정확히 파악하여야 한다. 예) 손으로 누군가를 지시하거나, 대상지시 없이 "빵 먹어요."라고 말하기 쉽다.

- 어떤 상황에서 생각이나 감정을 말(특히 문장)로 표현하는 데 미숙하므로 예를 들어 말해 주고 대답을 기다리는 것이 필요하다. 예를 들어 "너 왜 우니?"라고 질문하면서 "슬퍼? 화나? 속상해? 어때?"라고 부가적으로 설명을 해 줄 수 있다.

- 발달장애인은 대답할 때 자신의 의사와는 상관없이 끝단어만 쫓아하는 반향어를 많이 사용하므로 "할까, 하지 말까.", "하지 말까, 할까."처럼 말의 순서를 바꾸어 2회 이상 확인하며, 그 말이 현재 어떤 상황에서 쓰이고 있는지 추론해 보는 것이 필요하다.

- 발달장애인은 '농담', '상징', '비유'를 이해하기 어려우므로 대화에서 간결하고 확실한 단어를 선택하여 사용하며, 발음은 분명하고 천천히, 필요하다면 사진, 몸짓 등의 행동을 덧붙여 이해를 도울 수 있다.

- 발달장애인은 때때로 시간적으로 기회를 놓친 지연된 반향어로 대답을 시도할 수 있다. 예) 어떤 질문에 대한 대답이나 상황 설명을 몇 분이 흐르거나 다른 상황에서 문득 대답할 수 있다.

- "넌 그 장난감을 가질 수 없어"라고 말하며 자기가 좋아하는 장난감을 바라보고 있는 발달장애인은 사실은 "나, 장난감을 갖고 놀고 싶어요."라고 허락을 구하고 있는 것일 수 있다.

- 언어적으로 표현이 잘 안 되는 발달장애인의 경우, 행동을 유심히 살펴 비언어적 의사표현을 찾아내는 것이 중요하다.

- 발달장애인은 지능 저하가 함께 동반된 경우가 많다. 무조건 반말을 하거나 나이 어린 사람으로 대할 수 있는데 생활연령에 맞게 존칭어를 사용하도록 한다.

7. 정신장애인에 대한 에티켓

1) 일상생활에서의 에티켓

- 정신장애인들이 자신의 병이 주위에 알려질 것에 대한 두려움을 갖고 있다. 그러므로 주위에 누군가 정신장애인이라는 것을 알게 된다면 그 사람이 원하는 바에 따라 비밀을 유지해 주어야 하며, 도움을 줄 필요에 의해 주위에 알려야 할 때도 주의 깊은 배려가 필요하다.
- 정신장애인들은 사회생활에서 가장 어려워하는 점은 대인관계에서 적절한 대화, 적절한 행동, 대인관계 유지 등이다. 그러므로 처음 만나게 되는 사람들과의 관계를 어려워하여 혼자 고립되어 있거나 도움이 필요할 때 요청하지 못하는 경우 주위에서 먼저 얘기를 건네주거나 같이 식사를 권유해 주는 등의 배려가 필요하다.
- 정신장애에 대한 잘못된 인식이나 편견들이 대단히 많다. 정신병은 유전병이나 불치병이 아니다. 때문에, 정신장애인을 회피하지 말고, 적극적으로 다가가는 자세가 필요하다.

<정신장애인에 대한 열 가지 편견 바꾸기>

1. 위험하고 사고를 일으킨다.
   → 치료받고 있는 사람은 온순하고 위험하지 않다.
2. 격리수용을 해야 한다.
   → 급성기만 지나면 시설 외 재활치료가 바람직하다.
3. 낫지 않는 병이다.
   → 약물치료만으로도 호전되고, 치료재활기술이 개발되어 있다.
4. 유전된다.
   → 유전적 경향성이 있을 뿐이며, 이 정도는 당뇨, 심장질환도 같다.
5. 특별한 사람이 걸리는 병이다.
   → 평생 동안 열 명 중 세 명은 정신질환에 걸린다.
6. 이상한 행동만 한다.
   → 언제나 그런 것이 아니고 증상이 심할 때만 잠시 부적절한 행동을 한다.
7. 대인관계가 어렵다.
   → 만날 친구가 없어서 혼자 지내지, 실제는 친구를 사귀길 원한다.
8. 직장생활을 못 한다.
   → 정신질환이 기능을 상실시키지 않으며, 일할 기회가 없어서 못 한다.
9. 운전, 운동을 못 한다.
   → 상태가 악화되었을 때만 주의하고 제한하면 된다.
10. 나보다 열등한 사람이다.
    → 정신질환이 지능과 능력을 떨어뜨리지는 않는다.

8. 신장장애인에 대한 에티켓

1) 일상생활에서의 에티켓
- 신장장애인이 지나치게 무거운 물건을 들어야 한다면 혈액투석을 하는 팔목에 무리가 가지 않도록 함께 도와야 한다.
- 운동 및 자극적인 장난을 하면서 갑작스럽게 힘을 주어 혈액투석을 하는 팔목, 혹은 복막투석을 하는 복강부분을 잡거나 밀치는 일이 없도록 주의하여야 한다.
- 장거리 이동을 할 때는 비상사태를 대비해서 동행하여야 한다.
- 먼 여행을 떠날 때는 여행지 근처에 인공신장실이 있는지에 대한 사전조사가 필요하다.
- 혈액순환이 잘 되지 않아 피부색이 유난히 창백하거나 검게 될 수 있고, 손목의 혈관이 투석치료로 인해서 울퉁불퉁하게 돌출되어 있는 경우가 있으니 놀린다거나 이상하게 쳐다보지 말아야 한다.
- 신장이식수술을 받은 사람은 면역체계가 없기 때문에 질병이 있을 때는 만나지 않는 것이 좋다.
- 신장장애인은 투석치료와 당뇨병, 고혈압 등의 합병증으로 인해 몸의 피로가 빨리 찾아오므로 장시간의 노동이나 활동은 금해야 한다.

2) 신장장애인과 함께 식사를 하거나 식사에 초대 받았을 경우
- 혈액투석 환자의 경우에는 2~3일에 한 번 투석을 하게 되므로 칼륨음식을 많이 먹게 되면 생명에 위험을 줄 수 있으므로 칼륨이 많이 들어있는 신선한 과일이나 야채의 섭취를 적극적으로 제한하여야 하고, 칼륨이 들어있는 육류·우유·팥·밤·감자·고구마 등은 생으로 먹기보다는 물에 두 시간 정도 담갔다가 그 물을 버리고 조리하는 것이 좋다.
- 지나치게 염분 및 수분섭취를 하게 되면 부종이 심해지기 때문에 짠 음식은 자제하는 것이 좋고, 얼음은 물보다 갈증해소가 빠르기 때문에 물보다는 얼음을 권하는 게 좋다.
- 식후에는 비타민 및 철분제 등의 경구약제 복용을 통하여 손실된 영양을 보충해 주어야 한다.

3) 외식을 하는 경우
- 투석환자는 식사조절이 필요하므로 염분 함량이 높고, 과식하기 쉬운 외식의 횟수는 줄이는 것이 좋다. 외식 시에는 주문을 할 때, 소금 혹은 소스 등의 염분을 넣지 않고 따로 달라고 요청하는 것이 좋다.

9. 심장장애인에 대한 에티켓

- 심장장애인은 심장기능이 떨어지거나, 인공심장을 가지고 있기 때문에, 과격한 운동을 권하면 안 된다.
- 인공심장을 가진 장애인의 경우, 시계 초침과 같은 소리가 나는데 그 소리에 대하여 직접적으로 물어보는 것은 실례이다.
- 많은 식염과 당분을 피한 식생활이 필요하며, 가공되지 않은 곡류로 만든 음식을 섭취하도록 도와야 한다.
- 과도한 음주와 흡연은 심장에 무리를 주므로, 술자리에서 술 및 담배를 권하지 않는다.

10. 호흡기장애인에 대한 에티켓

만성폐질환자의 일반적인 치료목표는 무엇보다도 증상을 호전시키는 것이 중요하며, 일상생활의 활동범위를 늘리고, 최소한의 근무여건을 높이면서 질환의 진행을 막아 주는 데 있다. 만성폐질환자의 가장 중요한 치료 원칙은 금연이다. 금연에 성공하는 경우 폐기능의 하락률을 감소시킬 뿐 아니라 일부 환자에서는 초기에 폐기능의 향상을 기대할 수 있다.

- 폐나 기관지 등 호흡기관의 만성적인 기능부전으로 호흡기장애인은 평지에서의 보행에서도 호흡곤란이 있기 때문에, 함께 걸을 때 천천히 걷고 계단보다는 오르막길을 이용한다.
- 호흡기장애인과 함께 있는 자리에서 담배를 피우지 않는다.
- 호흡기장애인의 경우 천명음(쌕쌕거리는 소리)이 날 수 있다. 이에 대하여 물어보지 말고, 소리가 날 경우 피곤한지를 물어 쉴 수 있게 한다.

11. 간장애인에 대한 에티켓

- 간장애의 경우 피부의 점막이 누렇게 되는 황달증세가 나타날 수 있다. 이 경우 피부색이 이상하다고, 피하지 말고 간장애 때문에 그런 것으로 이해한다.
- 간장애에 과도한 음주는 금물이므로, 술을 절대로 권하지 않는다.
- 식도정맥에서 출혈이 있는 경우, 간장애인이 어지러워하거나, 식은땀, 창백한 혈색, 호흡곤란 등의 증세가 나타난다. 이런 경우에 바로 가까운 병원 응급실로 이송하여야 한다.

- 간장애인은 복수가 찰 수 있다, 복수가 차는 것을 방지하기 위해 저염식 위주의 식사를 할 수 있도록 도와준다.

12. 장루 · 요루장애인에 대한 에티켓

1) 길에서 도움을 줄 때
- 길에서 장루장애인의 주머니가 터졌을 때 가까운 공공화장실로 안내한다. 심리적으로 안정을 시킨 후 되도록 따뜻한 물을 마련하여 닦을 수 있도록 도와준다.

2) 식사 시
- 장루장애인은 식사를 할 때 질긴 섬유질 음식, 설사 또는 변비, 가스를 유발하는 음식은 되도록 피해야하므로 메뉴를 정할 때 고려하며, 술이나 담배를 권하는 것을 삼가야 한다.

3) 공공장소에서
- 괄약근이 없는 관계로 가스가 수시로 본인의 의지와 관계없이 배출되므로 공공의 장소에서 소리 내어 가스가 배출이 되거나 냄새가 나는데, 그럴 때에 집중하지 말고 자연스럽게 지나가는 것이 좋다.

13. 뇌전증장애인에 대한 에티켓

1) 뇌전증 발생 시 응급처치법

(1) 전신성 근간대성 발작: 대발작
- 경련이 시작되었을 때 환자를 눕게 하고 머리 아래를 푹신한 것을 깔아준다.
- 안경을 벗기고 넥타이를 풀어 주고 꽉 끼는 옷을 입었을 때는 윗 단추를 풀어 준다.
- 주변의 딱딱하고 날카로운 물건은 치운다.
- 경련 도중 어떤 것이라도 입에 넣어서는 안 된다.
- 경련이 끝났을 때에는 옆으로 뉘어서 숨쉬기를 도와주고 입안의 분비물이 흘러나오게 한다.
- 완전히 깨어날 때까지 음식물이나 물을 주지 않는다.
- 완전히 깰 때까지 주변에서 지켜보아 주거나 지켜봐 달라고 도움을 요청한다.

(2) 복합부분발작: 소발작

- 경련을 하고 있을 때에는 붙잡거나 육체적 속박을 가하지 않는다.
- 주변의 위험한 물건을 치운다.
- 불안하게 만들지 않는다.
- 위험스럽거나 무서운 태도로 접근하지 않는다.
- 경련이 끝난 후에는 완전히 의식을 찾을 때까지 환자는 혼동상태에 있게 되므로 혼자 두어서는 안 되며 다소 거리를 두고 지켜본다.

2) 119를 불러야 할 경우

- 경련이 끝났는데도 숨을 쉬지 않는 경우(구강대구강법을 즉시 실시)
- 수차례 경련이 계속 반복되는 경우
- 환자가 다쳤을 때
- 환자가 앰뷸런스를 요청할 때

그림 5-5. 장애인 에티켓에 관련된 책자들
출처: "지역사회장애인 구강보건사업 안내서". 한국건강증진개발원 "똑똑 장애인건강권 이해하기". 중앙장애인보건의료센터

토론(생각해 볼 문제)

1. 장애인은 환자인가?
2. 장애의 정의 변화에 따른 사회변화에 대한 토론
3. 장애인의 인권과 차별금지에 대한 토론

[참고문헌]

1. 부산제일경제신문. 에티켓의 유래—에티켓과 매너의 차이점. Available from: http://www.busaneconomy. com/news/articleView.html?idxno=21480

2. 서울특별시 장애인권익옹호기관. 장애인권리협약으로 보는 장애인인권교육. 2019.

3. W.v.Humvolt, Gesammelte Schriften, Akademieausgabe, 7. Bd. S. 60.

4. 복지맛집. 장애인, 비장애인, 장애우, 장애자, 알고 사용하면 좋아요. Available from: https://wellfare.tistory.com/20

5. 국립국어원. 상담사례모음. Available from: https://www.korean.go.kr/front/mcfaq/mcfaqView.do?mn_id=217&mcfaq_seq=8260&pageIndex=1

6. 대한민국 정책브리핑. 장애우·장애자 대신 장애인이 올바른 표현입니다. Available from: https://www.korea.kr/news/policyNewsView.do?newsId=148794052

7. 장애인먼저실천운동본부. 장애관련 올바른 용어 가이드라인. 2019. Available from: http://www.wefirst.or.kr/sub/sub03_02.php?mNum=3&sNum=2&boardid=book&mode=view&idx=252

8. 한국건강증진개발원. 지역사회 장애인 구강보건사업 안내서. 2017.

9. 서울복지포털. 장애인 에티켓. Available from: https://wis.seoul.go.kr/handicap/understand/etiquette.do

10. 한국장애인개발원. [2017]함께하는 장애인에 대한 에티켓 인포그래픽. Available from: https://www.koddi.or.kr/data/edu_bbs01_view.jsp?brdNum=7404290&brdTp=EDU04&searchParamUrl=brdType%3DEDU%26amp%3Bpage%3D1%26amp%3BpageSize%3D20%26amp%3BbrdTp%3DEDU04

11. 에이블뉴스. '휠체어 장애인'이라는 용어는 이제 그만. Available from: http://m.ablenews.co.kr/News/NewsContent.aspx?CategoryCode=0006&NewsCode=000620150616132501042409.

12. 김동아, 공헌식, 김미경 외. 똑똑~ 장애인건강권 이해하기. 보건복지부 국립재활원, 중앙장애인보건의료센터; 2020.

13. (사)한국시각장애인협회. 흰지팡이의 유래. Available from: http://www.kbuwel.or.kr/Blind/Origin

14. (사)한국시각장애인협회. 시각장애인을 대할 때. Available from: http://www.kbuwel.or.kr/Blind/For

15. 서울시50플러스포털. 청각장애 학생의 소통지원을 위한 투명마스크 제작·기부. Available from: https://www.50plus.or.kr/detail.do?id=8650101

16. 에이블뉴스. 수화? 수어? '수어'입니다! Available from: http://www.ablenews.co.kr/news/articleView.html?idxno=92039

17. 밀알재단. 생활속의 장애 에티켓. Available from: https://miral.org/see/

SECTION

6

장애인과의 의사소통

본 장에서는 실어증, 치매, 파킨슨병 등 질병으로 인한 성인의사소통장애의 세부적인 내용보다는 의사소통장애범주의 주요 특성과 장애아동과 가족이 겪는 어려움과 의사소통장애인/일반장애인을 대하는 방법, 에티켓 등 의료인이 갖춰야 할 기본내용을 위주로 기술하고자 한다.

학습목표

- 의사소통장애 개념(정의)를 설명할 수 있다.
- 의사소통장애범주의 주요 특성을 학습한다.
- 의사소통장애인/일반장애인과의 의사소통 방법 및 유의사항에 대해 설명할 수 있다.
- 장애인과 원활하게 의사소통할 수 있다.

사례

1 언어장애

- 2세 7개월 된 아동은 8개월 전부터 어린이집에 다니고 있으며 의사소통과 사회성에서 어려움을 느끼고 있다고 함. 아동은 호명 반응은 있는 편이나 자발적 표현이 많지 않다고 하며 편식을 한다고 함. 엄마(다문화), 아빠와 함께 언어평가 진행하였음. 아동은 낯을 가리는 편이었고 선호하는 장난감에 한해 상호작용 가능하였으나 공동주의(joint attention)가 길지 않았으며 모음 발화와 제스처 사용이 주로 관찰됨.
- 영유아언어발달검사(SELSI)에서 수용언어 36점, 19개월의 수용등가연령, 표현언어 12점, 12개월의 표현등가연령, 언어전반 58점, 16개월의 언어전반등가연령에 해당함.
- 의사소통 촉진, 기능적 의사소통능력 향상, 자발화 산출 및 전반적 언어능력(수용/표현/어휘) 향상을 위한 언어치료를 실시하고 있음.

2 말(소리)장애

- 4세 아동으로 신체발달은 12개월에 걷기 시작해 또래와 비슷하게 발달했다고 함. 편식이 있는 편이지만 씹고 삼키는 것에는 어려움이 없으나 뱉기, 불기에 어려움을 나타내 지속적으로 연습을 시켜 최근에는 가능하다고 함. 언어발달은 12개월경에 '엄마, 맘마'를 시작했으나 이후 발화가 늘지 않았고 최근 들어 단어로 표현하기 시작했다고 함. 이전에는 의사소통에서 짜증내기, 울기, 소리 지르기, 제스처, 알고 있는 단어 일부 사용하기 등으로 표현을 나타냈다고 함. 아동은 '하나 줘, 초코 하나 줘'와 같이 두세 단어 문장 표현이 나타나기는 하나 톤이 높고 발음이 부정확하며 자신이 필요할 때만 사용한다고 함.
- 가정에서는 일상적인 언어 이해 가능하나 표현이 많지 않다고 함. 어린이집에서 또래 아동에게 관심은 있으나 함께 놀이는 어렵다고 함.
- 우리말 조음-음운평가(U-TAP)에서 단어 수준 자음 정확도는 39.53%(-2 SD 이하)였고 모음 정확도는 80%임. 문장 수준에서는 협조가 되지 않아 검사 불가함.
- 아이의 친구들과 낯선 사람들은 아이의 발음을 가끔 이해하며 수용언어는 정상 범주에 있으나 표현언어는 24개월로 많이 지연되어 있음.
- 다양한 어휘 표현과 음운치료 접근, 의사소통에 참여하는 빈도를 높이는 치료를 진행하고 있음.

3   유창성 장애(말더듬)

- 16세, 고등학교에 재학 중인 학생으로 초등학교 2학년 때부터 말더듬이 심해져 지금까지 이어지고 있다고 함, 가족 중 아빠, 누나가 말이 빠른 편이고 엄마가 말더듬 양상이 있으나 조절이 가능하다고 함, 말더듬 시작 전에 말이 빠른 편으로 단어의 첫소리나 음절을 반복하고, 단어의 첫소리를 길게 늘이고 간투사를 사용하는 등의 형태가 나타났고 지금도 여전히 나타나고 있다고 함, 말더듬는 상황은 긴장했을 때, 낯선 사람에게 말할 때, 선생님이나 웃어른에게 말할 때 더 심해지며 듣는 사람에 따라 말을 더듬은 후 무관심할 때가 있는 반면 부끄러울 때도 있다고 함, 말을 더듬을 때 긴장도는 높아지고 땀은 나지만 신체의 부분을 움직이는 행동을 하지는 않는다고 하며 상황에 따라 피하는 단어는 없다고 함, 주변 사람들이 말을 들을 때 답답해하거나 놀리는 경우가 있고 말더듬을 고치기 위해 미술치료, 웅변학원을 다녔었다고 함.
- 의사소통태도평가 결과, 심함 수준으로 말을 하는 것에 대한 두려움으로 인해 의사소통상황에 적극적으로 참여하지 못하는 양상이 관찰되었고, 발화 시 호흡 측면의 관찰된 부수행동 역시 심함 수준으로 나타남, 이완된 호흡, 편한 발성 유도, 말하는 환경변화에 대한 적응치료 진행함.

4   청각장애인

- 2세 9개월 아동은 정상분만, 출생 시 몸무게 3,5 kg였음, 1년 전 여러 차례 중이염으로 인해 병원을 다닌 경력이 있으며, 소리에 대한 반응이 없어 OO 병원에서 청각검사 결과 처음으로 난청(ABR 검사 결과 양쪽 모두 반응 없음)임을 알게 되었음.
- 6개월 전부터 OO 병원에서 양측 귀걸이형 보청기를 착용하기 시작함, 보청기가 아동에게 도움을 주지 못하여 인공와우 수술을 위한 초기 청능·언어평가를 위해 방문함, 아동은 나이가 어려 행동관찰 및 보호자와의 상담을 통하여 말, 언어 및 의사소통능력을 평가함, 유아의 언어발달 진단검사 결과, 아동의 전체 언어연령은 10개월, 수용언어연령은 14개월, 표현언어연령은 7개월로 생활연령(2세)에 비해 14개월 정도 언어능력이 지체됨.
- 몇 가지 요구에 대하여 적당한 제스처로 반응할 수 있으며, 흥미 있는 부분에 대한 집중력을 나타내었고, "엄마"와 같은 무의미한 단어를 유일하게 사용하고, 옹알이와 같은 음절성 발음이 가끔 나타남, 일반적인 언어연령은 10개월 정도로 생활연령(2세)에 비해 지체되어 있으며 6개월 정도의 보청기 착용 후에도 그 효과를 뚜렷이 보이고 있지 않고 있어서 인공와우 수술 및 수술 후 청각재활훈련·언어치료를 꾸준히 병행하여 훈련하기를 권고함.

1 의사소통장애 정의와 개념

의사소통능력이란 "특정 언어권의 사회에서 적절히 의사소통을 하기 위해 요구되는 지식과 그 지식을 사용할 수 있는 기술"을 말한다. 의사소통이 적절히 이루어지기 위해서는 언어 규칙, 사회-언어 규칙뿐만 아니라 서로 의사소통의 맥락을 이해할 수 있는 문화적 규칙 습득이 필요하다.

21세기 정보화시대에서 의사소통능력은 삶의 모든 영역에서 매우 필수적인 요소이며 개인의 교육, 직업 및 삶의 질에 심각한 영향을 미칠 수 있다.

의사소통장애는 언어장애(language disorders)와 말장애(speech disorders)로 크게 구분할 수 있다. 언어장애에는 언어발달장애, 실어증 및 치매 등이 포함되며, 말장애에는 조음장애, 유창성 장애, 음성장애 및 파킨슨병과 같은 말운동장애(speech motor disorders) 등이 포함된다. 이러한 의사소통장애에 대한 정의와 개념은 법률과 전문가협회에 따라 다양하게 기술하고 있다.

1. 장애인 등에 대한 특수교육법: "의사소통장애"의 정의

다음의 어느 하나에 해당하여 특별한 교육적 조치가 필요한 사람

- 언어의 수용 및 표현 능력이 인지능력에 비해 현저하게 부족한 사람
- 조음능력이 현저히 부족해서 의사소통이 어려운 사람
- 말 유창성이 현저히 부족해서 의사소통이 어려운 사람
- 기능적 음성장애가 있어 의사소통이 어려운 사람

2. 장애인복지법(2008년): "언어장애인"의 정의

음성기능이나 언어기능에 영속적으로 상당한 장애가 있는 사람

3. ASHA의 "의사소통장애" 정의(표 6-1)[1]

ASHA (American Speech Language Hearing Association)에서 말하는 의사소통장애는 개념, 구어, 비구어, 상징체계를 수용하고 전달, 처리하는 능력의 손상을 의미하며, 말장애와 언어장애로 분류한다.

말장애란 말소리의 발성, 흐름, 음성에서의 손상을 말하고 언어장애란 말, 문자, 상징을 이해하고 활용하는 것의 손상을 말한다. 즉 언어의 형식(음성/음운, 형태, 구문), 내용(의미), 사용(화용)의 세 영역에서 한 가지 이상의 어려움을 보일 수 있는 것을 말한다.

4. DSM-5에서 사용되는 의사소통장애의 분류(표 6-2)[1]

미국 정신의학회에서 의사소통장애를 DSM-5에서는 언어장애과 말장애로 나누고 수용-표현 혼합형과 표현형 언어장애로 언어장애를 분류하였으나 DSM-5에서는 언어장애로 통합하였고 사회(화용)의사소통장애를 새롭게 추가하였고, 말장애에서 음운장애는 말소리장애로 말더듬은 아동기 발생과 성인기 발생으로 분류하였다.

5. 말언어장애의 평가(표 6-3)

부모나 교사 혹은 의료진이 언어평가를 의뢰하면 평가자는 보호자의 간략한 사례 면담을 진행하고 아동이 검사실에 적응하는 것을 돕기 위해 자유로운 놀이상황에서 친숙한 보호자와의 상호작용을 관찰한다. 검사실에서 적응이 이루어진 후에는 세부적인 언어진단을 위한 선별검사와 그에 따른 표준화된 도구를 이용하여 언어평가를 진행한다.

■ 표 6-1. 언어장애 분류(미국 말언어청각협회, ASHA 1993)

언어 영역		특징	임상의미
형식	음성/음운	말소리의 물리적 성격(음성)과 실제로 말이 인식되는 규칙(음운) 연구	발음
	형태	더 이상 분석하지 못하는 의미의 최소 단위인 형태소의 결합에 관한 연구	조사, 어미 등 문법형태소
	구문	형태소의 결합을 기초로 더 큰 문장을 이루는 원리를 연구	문장 형성
내용	의미	의미의 정의, 심리적 의미 등 연구	어휘, 의미 관계성
사용	화용	대화 상황의 규칙이나 특정 목적, 기능 달성을 위해 사용되는 언어의 형식 연구	대화, 말 사용에 관한 이해/표현

■ 표 6-2. 의사소통장애의 새로운 분류(미국 정신의학회 APA, 1994, 2013)

	DSM-IV	DSM-5
언어장애	수용-표현 혼합형 언어장애	언어장애
		사회(화용)의사소통장애
	표현형 언어장애	비전형 의사소통장애
말장애	음운장애	말소리장애
	말더듬	아동기 발생 유창성 장애
		성인기 발생 유창성 장애

■ 표 6-3. 언어평가에 사용되는 표준화 도구

평가 영역	평가도구	대상 연령	평가방식
영유아언어발달	영유아 언어발달 검사(SELSI, Sequenced Language Scale for Infants)	5~36개월	부모면담
낱말 리스트	맥아더-베이츠 의사소통발달평가(M-B CDI, McArthur-Bates Communicative Developmental Inventory)	8~36개월	부모작성
언어발달	취학전 아동의 수용언어 및 표현언어 발달척도(PRES, Preschool Receptive & Expressive Language Scales)	2~6세	직접평가
언어발달	학령기 아동언어검사(LSSC, Language Scale for School Aged Children)	6세~	직접평가
어휘	수용 및 표현어휘력검사(REVT, Receptive & Expressive Vocabulary Test)	2세 6개월~16세	직접평가
조음, 음운	우리말 조음 음운평가(U-TAP, Urimal Test of Articulation & Phonology)	2~6세	직접평가
조음, 음운	아동용 발음평가(APAC, Assessment of Phonology & Articulation for Children)	2~6세	직접평가
말더듬	파라다이스 유창성검사(Paradise fluency assessment)	학령 전, 학령기	직접평가

2 의사소통장애 주요 특성 [2]

1. 발달성 언어장애

발달성 언어장애 아동은 초기 낱말 산출이 늦어 2세가 되어서야 첫 낱말을 말하는 언어적 특성을 가진 경우가 많다. 말의 발달은 늦지만 발달하는 순서는 일반아동들과 같다. 동사를 습득하는 데 더욱 어려움을 느끼고 새롭게 학습한 낱말을 새로운 사물에 확장하여 적용하는 것을 어려워한다. 적절한 상황에 맞는 낱말을 찾는 데에도 어려움을 느끼며 평균 37개월이 되어서야 낱말을 조합한 구문이 나온다고 한다. 문법적인 측면에서는 과거형의 사용을 어려워한다든가 조동사의 사용이 올바르지 않으며 화용론적인 측면에서 문제가 생기는 경우 또래와 관계 형성에 어려움이 생길 수도 있다.

대체로 만 3세경에 언어발달지연으로 내원한 경우에 단순언어장애로 진단된다면 30%가량에서 8세 이후까지 언어지연이 지속되며, 만 4세경에 단순언어장애로 내원한 경우는 약 40%에서 언어지연이 지속된다. 또한 언어장애가 학령기가 지나서도 계속되면 학습장애로 이어지기 쉬우며 50%의 아동에서 학습능력이 떨어질 수 있다.

2. 조음장애

혀, 입술, 치아, 입천장 등의 조음기관을 통하여 말소리를 만드는 데 이상이 생겨 발음이 제대로 되지 않는 경우를 조음장애라 한다. 아동이 모든 말소리를 완벽하게 발음할 수 있게 되기까지는 대략 7~8년 정도의 시간이 걸린다. 그러나 또래들과 달리 많은 잘못된 발음을 나타내어 다른 사람과의 의사소통에 방해가 된다면 이는 조음장애라 할 수 있다.

발음이 이상하면 대부분 혀가 짧은 경우인 설소대단축만 생각하기 쉬우나, 그 외에도 치열의 배열이상, 언어발달지체, 구개파열, 뇌성마비, 실어증, 청각장애 등 다른 장애와 함께 나타나기도 한다. 이러한 기질적인 원인으로 조음장애가 생긴 아동의 경우에는 우선 기질적인 원인부터 다루어야 할 경우가 많다. 특히 비음(코맹맹이 소리)을 심하게 내는 경우 구개열(cleft palate)을 의심해 볼 수 있으므로 주의해서 관찰하여야 한다.

3. 유창성 장애(말더듬)

예전에는 말더듬이 긴장이나 내성적 성격에서 나타난다고 하여 심리적 요인으로 알려져 왔으나 최근 들어서는 말더듬은 생리적, 기질적, 유전적, 심리적, 환경적, 학습적인 요인들이 복합적으로 상호작용하여 발생한다는 이론이 지배적이다. 다만 심리적 요인은 말더듬의 지배적 원인이라기보다 악화요인일 것으로 생각되고 있다.

말더듬은 통상적으로 만 4세 전후와 6, 7세경 등 두 차례의 높은 빈도를 보이는 것으로 알려져 있다. 보통 2세에서 6세 사이의 아이들에게는 말-언어 발달과정에서 유래되는 발달상의 말더듬이 종종 나타난다. 이 기간에 시작된 말더듬은 몇 주일 혹은 몇 달 동안 나타나다가 대부분의 경우에는 자발적으로 없어진다. 그러나 일부 아동들은 말더듬이 점차 지속적이면서 심각한 상태로 발전해 나가 성인이 되어서까지 지속되기도 한다.

말을 더듬는 사람은 말소리나 음절을 반복하거나 연장하며 때로는 첫마디가 막혀 말을 시작하지 못하는 경우도 있다. 말더듬의 정도는 항상 일정하지 않고 상황에 따라 심해지기도 하고 약해지기도 한다. 자신의 말더듬을 인식하게 되면서 말더듬 형태는 보다 복잡해지고 만성적이게 된다. 따라서 말더듬에서 빠져나오려는 행동 혹은 말더듬을 회피하려는 행동이 나타나거나 자신이 자주 더듬는 낱말이나 사람, 상황을 두려워하는 현상까지도 초래하게 된다.

4. 지적장애를 동반한 언어문제

의사소통 및 언어는 지적장애 아동이 겪는 어려움 중 가장 주요한 영역이다. 일반적으로 경도 및 중등도 수준의 지적장애 아동들은 정신연령 10세 이전까지는 말속도나 발화 길이 또는 발화량에서만 차이가 있을 뿐 일반아동의 언어발달과 매우 유사한 형태로 발달한다.

지체가 심할수록 의사소통의 문제도 심각해지는데 일반적으로 말소리의 학습이 느리고 학습이 된 후에도 발성이 적고 자음생략과 자음산출이 안 되는 조음 오류를 많이 보인다. 또한 어휘력, 언어의 의미, 형태소의 사용, 화용적 사용 등에 있어 모두 불완전하다. 정상발달에 비해 첫 발화가 늦어지고 적은 수의 단어를 계속해서 사용한다. 한 단어를 배우더라도 매우 제한적인 의미로 사용한다. 문법은 단순한 구조의 형태로 머물고 대화내용은 극히 제한된다.

언어의 발달은 느리기는 하지만 일반아동의 습득순서를 따른다. 인지능력에 따라 의사소통의 능력도 다르지만 자신이 가진 지능에 비해 표현언어, 수용언어의 능력이 매우 낮은 경우도 있는데 이러한 아동은 정신지체와 또 다른 언어장애를 동시에 갖고 있는 것이다.

5. 자폐아에서 관찰되는 언어문제

자폐의 중요한 특성 중 하나는 심각한 언어장애이다. 영아기 때 부모의 목소리나 말소리에 반응하지 않는 상호작용이 안 되어 청력장애를 의심하기도 하나 전화소리, 청소기소리, 자동차소리 같은 기계음이나 잡음에는 소리가 작아도 예민하게 반응하는 것을 볼 수 있다. 언어습득 이전의 일반 아동들은 비구어적 의사소통을 통해 상호작용을 하지만 자폐성 장애아동은 비구어적 상호작용능력에 결함을 보인다. 자폐아의 언어습득은 정상적인 속도로 학습되지 않으며 학습된 언어도 다른 이와 의사소통을 하기 위해 사용하지 않는다. 사람이나 관계를 표현하는 말보다 사물명칭을 더 잘 배우며 동사보다 명사를 선호한다. 감정을 표현하는 단어를 학습하기 어려워한다.

자폐아동의 표현언어 중 특이한 것은 반향어의 사용이다. 반향어는 전에 들은 낱말이나 문장을 의도나 의미 없이 반복하는 현상이며 이전에는 반향어를 무의미한 것으로 간주하였으나, 어떤 것은 모방이거나 질문에 대한 답으로써 사용하기도 한다. 다른 한 가지 특징은 음성상동행동이다. 음성상동행동은 일종의 자기자극행동으로 자기 스스로에게만 감각적 자극을 주는 것으로 혀 굴리는 소리, 의미 없는 소리를 반복하는 것으로 말한다. 그 외에도 얼굴표정이나 제스처의 사용이 부적절하고 매우 제한되며, 억양이나 강세, 끊어 읽기, 장단과 같은 운율적인 측면에서 매우 단조롭고 자연스럽지 못한 특성을 보인다.

6. 사회적 의사소통장애(표 6-4)

사회화에 어려움을 겪지만 지능지수가 정상이며 자폐스펙트럼장애 혹은 아스퍼거증후군으로 진단되지는 않는 경우를 말한다. 과거에는 화용언어장애(Pragmatic Language Impairment, PLI) 또는 의미언어장애(semantic-pragmatic disorder)라 하기도 했다. 사회적 의사소통장애라는 병이 있는 사람은 눈치, 상대방의 기분 혹은 표정을 읽어내는 능력이 부족하다. 또한 몇몇 아이들의 경우 어눌하게 말하기도 하는데 가장 큰 특징은 아니며, 비언어성 학습장애와 일부 증상이 유사하다. 과거에는 아스퍼거증후군과 혼동하여 진단 내려지곤 하였으나 아스퍼거증후군과 완전히 다른 병이라 볼 수 있을 만큼 그 증상이 다르다. DSM-5는 사회적 의사소통장애를 신경발달장애에 의한 의사소통장애로 분류하며, 주로 유아기에 나타나는 다른 언어장애들과 함께 나열한다. 지적장애와 다른 점은 지적장애와 경계선지능 문서에서 정의하는 정상지능은 80 이상이다(70 이하는 지적장애, 71~79는 경계선지능). 하지만 일반적으로 흔히 볼 수 있는 사회적 의사소통장애는 대부분 평균의 지능을 갖고 있고, 120을 넘는 사람도 있다.

■ **표 6-4. DSM-5 사회적 의사소통장애 진단기준**

A. 언어적 및 비언어적 의사소통의 사회적인 사용에 있어서 지속적인 어려움이 있고 다음과 같은 양상이 모두 나타난다.
  1. 사회적 맥락에 적절한 방법으로 인사 나누기나 정보 공유 같은 사회적 목적의 의사소통을 하는 데 있어서의 결함
  2. 교실과 운동장에서 각기 다른 방식으로 말하기, 아동과 성인에게 각기 다른 방식으로 말하기, 그리고 매우 형식적인 언어의 사용을 피하는 것과 같이, 맥락이나 듣는 사람의 욕구에 맞추어 의사소통방법을 바꾸는 능력에 있어서의 손상
  3. 자기 순서에 대화하기, 알아듣지 못했을 때 좀 더 쉬운 말로 바꾸어 말하기, 상호작용을 조절하기 위해 언어적 및 비언어적 신호를 사용하기와 같이, 대화를 주고받는 규칙을 따르는 데 있어서의 어려움
  4. 무엇이 명시적 기술(記述)이 아닌지(예, 추측하기), 언어의 비문자적 혹은 애매모호한 의미(예, 관용구, 유머, 은유, 해석 시 문맥에 따른 다중적 의미)가 무엇인지를 이해하는 데 있어서의 어려움
B. 개별적으로나 복합적으로 결함이 효과적인 의사소통, 사회적 참여, 사회적 관계, 학업적 성취 또는 직업적 수행에 기능적 제한을 야기한다.
C. 증상의 발병은 초기 발달시기에 나타난다(그러나 결함은 사회적 의사소통 요구가 제한된 능력을 넘어설 때까지는 완전히 나타나지 않을 수 있다).
D. 증상은 다른 의학적 혹은 신경학적 상태나 부족한 단어 구조 영역과 문법 영역에 기인한 것이 아니며 자폐스펙트럼장애, 지적장애(지적발달장애), 전반적 발달 지연, 또는 다른 정신질환으로 더 잘 설명되지 않는다.

7. 청각장애인의 언어문제[3]

청각장애인은 제한적인 사회관계망을 형성하는 경향이 있다. 청각장애인은 청력손실로 자연음이나 환경음, 사람의 말소리를 들을 수 없을 뿐 아니라 특별한 조치가 없으면 음성언어의 자연스런

발달이 이루어지지 않아 사회적응에 어려움이 있기 때문이다. 이로 인해 언어발달이 지체되고, 세상을 지각하고 해석하며, 사고하고 행동을 통제하는 데 필요한 능력이 지체될 수 있다.

청각장애인은 시각적인 언어인 수어에 의존하여 의사소통을 하기 때문에 청각장애인의 사고는 상당히 시각적이다. 그래서 청각장애인은 고도로 발달된 시각을 지니고 있으며, 특별한 시각적 형식, 즉 '공간-논리적' 형식을 통해 사고하고 회상한다. 청인은 문제의 해결방안을 시간적 순차에 따라 정리하는 반면, 청각장애인은 '논리적인 공간' 안에 정리한다. 이러한 의미에서 청각장애인은 청인과는 다른 사고체계를 가질 수 있다.

청각장애인은 한 사회의 지배적인 언어습득이 어려워서, 교육적 문제가 발생된다. 특히, 청각장애 중에서도 농인은 실제로 초등학교 5학년 수준 정도의 읽기가 거의 불가능하고, 간단한 문장조차도 정확히 쓰기가 어렵다.

3

의사소통장애 유형 및 통계

1. 의사소통장애의 유형, 중복장애 현황: 통계청 자료(2020)[4]

교육부의 「특수교육실태조사」를 분석해 놓은 2020년 통계청 자료에 따르면 2,380명 전체 의사소통장애 환자 중 언어발달장애가 1,670명(70.2%)로 가장 많았고 조음장애 527명(22.2%), 유창성장애 94명(3.9%), 음성장애 20명(0.8%) 기타 68명(2.9%) 순이었다.

■ 표 6-5. 의사소통장애의 유형(통계청 2020)

특성별 (1)	특성별 (2)	항목	2020					
			전체	조음 장애	유창성 장애	음성 장애	언어발달 장애	기타
전체	소계	대상자수(명)	2,380	527	94	20	1,670	68
		비율(%)	100.0	22.2	3.9	0.8	70.2	2.9
성별	남자	대상자수(명)	1,759	352	61	6	1,291	49
		비율(%)	100.0	20.0	3.5	0.3	73.4	2.8
	여자	대상자수(명)	621	176	33	14	379	20
		비율(%)	100.0	28.3	5.2	2.3	61.0	3.1

2. 의사소통방법: 문화체육관광부(2017년)[5]

- 문화체육관광부에서 2017년 시행된 전체 500례의 한국수어활용조사에서 수어가 83.5%, 필담 67.5%, 몸짓 63.8%, 구어 36.5%, 기타 5.8%로 의사소통에 사용되고 있음.
- 연령별로 살펴보면 젊은 20대는 수어 95.6%, 필담 91.4%인데 60세 이상에서는 수어가 73.0%로 낮게 사용되고 필담도 56.8%로 낮음.
- 교육수준별 의사소통방법에 차이가 있음. 무학은 수어가 82.3%, 필담이 33.1%인데 대졸 이상은 수어 96.1%, 필담 92.1%로 큰 차이가 관찰됨.
- 장애등급별 1급은 수어 92.7%, 구어 25.3%, 필담 66.5%, 몸짓 74.1%인데 3급 이상의 경우 수어 41.9%, 구어 68.1%, 필담 61.1%, 몸짓 32.0%임.

■ 표 6-6. 2017년 주로 사용하는 의사소통방법(한국수어활용조사, 문화체육관광부)

통계분류(1)	통계분류(2)	2017						
		사례수	수어	구어	필담	몸짓	기타	모름/무응답
전체	소계	500	83.5	36.5	67.5	63.8	5.8	0.3
성별	남자	277	83.3	33.1	70	64	6.1	0.6
	여자	223	83.8	40.8	64.5	63.6	5.5	0
연령별	20~29세	31	95.6	22.2	91.4	68.8	4.4	0
	30~39세	46	94.6	44.7	83.8	62.3	1.8	0
	40~49세	77	92.5	33.8	77.2	64.8	3.4	0.7
	50~59세	151	86.2	30	66.3	65.8	8	0.7
	60세 이상	189	72.6	43.3	56.8	61.3	6.5	0
	모름/무응답	5	100	32.3	662	67.7	0	0
교육수준별	무학	89	82.3	28.1	33.1	86.5	10	0
	초등학교 졸	92	79.3	38.9	55.7	61.3	3.8	0
	중학교 졸	83	79.2	41.2	68.5	50.9	11.1	0
	고등학교 졸	166	84.3	36.6	81.4	62.4	4	0.9
	대졸 이상	**65**	**96.1**	**38.8**	**92.1**	**56.2**	**1.5**	**0**
	모름/무응답	5	68.6	31.4	100	68.6	0	0

통계분류(1)	통계분류(2)	2017						
		사례수	수어	구어	필담	몸짓	기타	모름/무응답
교육환경별	일반 학교에서 농학교로 전학	48	89.1	33	74	50.7	4.4	3.3
	농학교에서 일반 학교로 전학	25	96.1	52.5	85.3	43.2	2.1	0
	농학교만 다님	240	96.2	26.8	81	69.4	4.1	0
	일반 학교만 다님	90	46.5	73.8	60.2	38.1	8.5	0
	기타	61	78.1	25.6	36.7	90	6.5	0
	모름/무응답	35	84.7	19.4	25.9	78.8	13.9	0
장애유형별	청각장애	354	81.4	40.1	67.4	60.5	5.3	0.4
	언어장애	5	100	21.7	65.5	67	11.3	0
	청각·언어장애	135	89.9	27.9	70	72.3	7.4	0
	청각·기타	5	71.5	39.2	27.6	50.1	0	0
	모름/무응답	2	0	0	0	100	0	0
장애등급별	1급	91	92.7	25.3	66.5	74.1	10.5	0
	2급	347	88.5	33.9	69	66.7	4.1	0.5
	3급 이상	62	41.9	68.1	61.1	32	8.5	0
장애발생 원인별	유전	19	79.5	28.3	79.1	58.6	0	0
	질병	256	88.9	35	72	65.7	5.1	0
	의료사고	11	77.9	36.8	67	54.2	8.5	0
	원인불명	134	77.6	37.9	61.1	65	3.5	0
	기타	68	77.1	45.9	63.5	51.9	10.3	2.3
	모름/무응답	12	83.2	12.3	48.2	95.5	29.4	0
사용하는 재활기구별	보청기	179	79.8	55.2	75.6	44.9	4.9	0
	인공와우	16	70.4	44.3	67.4	72.7	8.5	0
	사용안함	303	86.8	25.4	62.9	74.7	5.9	0.5
	모름/무응답	2	36.5	0	58.6	36.5	41.4	0
거주지역별	대도시	202	88.5	37.9	74.9	4.9	0.8	0
	중소도시	170	85	33.7	65.4	5.4	0	0
	농어촌	128	73.9	38.2	68.5	7.9	0	0

SECTION 6　장애인과의 의사소통

장애유형별 의사소통 방법 및 기술

장애인 건강권 및 의료접근성 보장에 관한 법률 시행규칙(보건복지부령 제548호. 2017.12.29. 제정) 제6조 장애인 건강권 교육 제2항 "장애인과의 의사소통" 항목을 두어, 법 제14조 제1항에 따른 장애인건강권교육이 포함되도록 규정하고 있다.

1. 의사소통장애인과의 의사소통

의사소통장애가 있는 경우 대화를 할 때 다음과 같은 점을 주의하여 소통하도록 한다.
- 의사소통장애인을 수용하고 인간적으로 안정된 분위기를 느끼도록 함.
- 보호자와 대화할 때 당황하지 않도록, 자연스럽게 이야기할 수 있도록 함.
- 잘못 발음하는 어휘, 음절에 대하여 대화 중에 지적하는 것을 금지함.
- 말을 할 때 적절하고 바람직한 언어에 대해서 강화를 해 주어 자신감을 가질 수 있도록 함.
- 아동이 말할 때는 진지하게 들어주되 말을 계속하도록 강요해서는 안 됨.
- 언어모방이 되지 않는 아동의 경우 모방학습을 할 수 있는 기회를 주도록 함.
- 아동과 이야기할 때 늘 안정되고 즐거운 분위기가 지속되도록 함.

2. 청각장애인의 의사소통 경험

1) 청각장애인들이 주로 사용하는 의사소통방법[3]

청각장애인의 의사소통방법은 어느 정도 들리느냐 혹은 말할 수 있느냐에 따라 다르다. 청각장애인들이 주로 사용하는 방법은 다음과 같다.

- 구화와 독화

상대방의 입술을 보면서 입모양의 변화에 따라 상대방의 말을 이해하는 독화 혹은 독순(lip-reading)방법이다. 말을 하는 사람의 입장에서는 구화가 되며 말을 듣는 사람 입장에서는 독화가 되며 이는 수어와 대비되는 언어이다.

- 필담

글을 써서 대화하는 방법으로 수어를 모르는 일반청인이 청각장애인과 대화할 수 있는 가장 일반적인 방법이다. 필담은 내용 전달 면에서 완벽하게 전달하고 받을 수 있는 장점이 있다. 그러나 두 사람이 대화할 때만 이러한 효과가 있을 뿐 여러 사람이 함께 필담으로 토론하는 것은 불가능하다.

- 듣기

보청기의 발달과 청능훈련의 발달로 상당한 효과를 보고 있는 방법으로 이는 나이가 어릴수록 효과적이다. 듣기방법은 조기교육을 받았거나 또 청력상태가 좋은 소수의 청각장애인에게 가능하다.

- 수어

청각장애인 사회에서 널리 사용되는 의사소통 양식이며 청각장애인의 손으로 표현하는 언어이다. 즉, 수어는 시각 경험만으로 이 세상을 체험하고, 시각 경험에 의해 삶을 영위해 가는 사람들이 창조한 독특한 문화이다. 가장 보편적인 방법인 수어는 청각장애인들에게 모국어와 같다.

청력의 손실 정도와 구화능력 및 교육, 환경에 따라 대화방법이 달라진다. 상황에 따라 수어, 구화, 필담, 듣기 등을 병행하거나 적절히 구분하여 사용하는 것이 일반적이다.

청각장애인은 의사소통의 제약으로 필담, 수어를 통한 비장애인들의 의사소통이 어려우며, 영화, 연극 등 대중문화의 대부분이 음성언어로 제공되지만 관람 시 수어통역이나 자막 등이 제공되지 않아 대중문화접근도 어렵다. 이뿐만 아니라, 인터넷을 통한 동영상 제공 시 동기화된 자막과 공중파방송의 자막방송이 미약하게 제공되고 있어 정보접근에도 어려움을 겪고 있다.

2) 정보통신기술을 활용한 청각장애인의 의사소통 지원사례

- KT의 마음 톡(TALK) 앱

KT에서 청각장애인소통 지원을 위해 개발한 '마음 톡(TALK)' 앱은 문자를 음성으로 변환하여 청각장애인의 소통을 돕는 애플리케이션이다. KT는 '마음 톡(TALK)'을 청각장애인 훈련생과 근로자들에게 의사소통을 위해 지원하고 있다.

3. 사회적 장애인식 개선교육: 한국장애인개발원[6]

한국장애인개발원에서는 사회적 장애인식 개선교육의 목표를 다음과 같이 기술하고 있다.

"장애인식 개선교육의 목표는 우리 사회에 <장애감수성>을 키우고 <장애공감문화> 조성에 기여하는 것입니다. 장애유무를 떠나 '우리는 모두 사람이니까'라는 관점을 통해 포용사회 실현에 기여합니다."

1) 법적근거

「장애인복지법」 제25조(사회적 인식개선 등), 제25조의 2

「장애인복지법 시행령」 제16조(인식개선교육의 실시), 제16조의 2~4

「장애인복지법 시행규칙」 제2조의 2(인식개선교육의 실시결과 제출), 제2조의 3~

2) 추진방향

- 체계적 · 종합적인 장애인식 개선교육 통합관리시스템 구축을 통한 내실 있는 교육 운영
- 수요자 중심의 다양한 장애인식 개선교육 콘텐츠 개발 및 발굴, 보급을 통한 교육의 활성화 추진
- 표준화된 장애인식 개선교육 전문 강사 양성 및 관리체계 구축을 통한 교육의 질 확보
- 장애인식개선 대국민 홍보를 통한 사회적 인식개선 기여

3) 교육 세부내용

(1) 교육대상

- 국가기관 및 지방자치단체의 장
- 「영유아보육법」에 따른 어린이집
- 「유아교육법」「초·중등교육법」「고등교육법」에 따른 각급 학교의 장
- 「공공기관의 운영에 관한 법률」에 따른 공공기관
- 「지방공기업법」에 따른 지방공사 및 지방공단
- 특별법에 따라 설립된 특수법인

(2) 교육내용

- 장애 및 장애인에 대한 이해와 긍정적 인식 제고
- 장애인의 인권과 관련된 법과 제도

- 장애가 가지는 다양성에 대한 존중
- 장애인의 자율성 및 자립에 대한 존중
- 장애인 보조기구 및 장애인 편의시설 등의 접근성에 대한 이해
- 그 밖에 장애인식을 개선할 수 있는 내용

(3) 교육방법
- 집합 교육: 내부직원 및 외부초빙 교육, 동영상 시청 등
- 원격 교육: 사이버 교육, 시청각 교육 등

4. 장애유형별 의사소통방법 교육자료 소개

1) 장애인 환자와의 의사소통 관련 자료소개: 보건복지부 유튜브

(1) 장애인 환자와의 의사소통원칙(보건복지부 복따리 TV)[7]

　　장애인 환자와의 의사소통, 실제 의료 현장에서는 어떻게 이루어지고 있을까요? 다음 인터뷰를 살펴보도록 하겠습니다.

　　사실은 그 의료인들하고 얘기할 때는 전문용어를 많이 쓰잖아요. 뭐 영어도 쓰고. 그런데 그 전문용어는 뭐 진짜 그 지식이 있는 사람들도 이해하기 어렵죠. 그래서 그 장애인들이 갔을 경우에는 장애인이 아니어도 좀 쉬운 용어로 좀 자세하게 설명해주는 게 되게 필요하고요.

　　사실 의사소통은 시간적 여유가 있어야 하는 거에요. 뭔가 설명을 해야 하고 이해하기 쉽게 하려면 시간적 여유가 필요한데 현재는 뭐 시간적 여유를 갖고 진찰을 할 수 없는 상황이기 때문에 어떤 그 시스템의 변화가 필요하고요.

<일반적인 의사소통의 기술>
- 간단명료한 단어사용
- 적절한 속도로 정확하게 정보전달
- 몸짓과 표정을 활용한 감정표현
- 장애인 환자가 선호하는 의사소통방법을 파악하여 같은 질문 반복하지 않도록 의료진 간에 공유
- 질문은 한 번에 한 가지씩

- 상대방의 눈높이에 맞추어 "경청"하는 자세로 장애인(환자)의 목소리에 귀 기울임.

그림 6-1. 장애인 환자와의 의사소통 원칙
출처: 보건복지부 복따리 TV

(2) 장애유형별 의사소통방법[8]

일부 재활의학과를 제외하고 장애인 환자를 많이 접할 기회가 없기 때문에 어려움을 겪기도 한다. 때문에 장애인 환자와의 일반적인 의사소통원칙뿐만 아니라 세부 장애유형별 의사소통방법도 숙지하고 있어야 효과적으로 장애인 환자를 대할 수 있을 것이다.

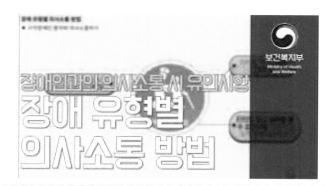

그림 6-2. 장애 유형별 의사소통방법
출처: 보건복지부 복따리 TV (https://www.youtube.com/watch?v=RTS-FDuPneY)

2) 장애인의 의사소통을 돕는 똑똑한 기구, AAC 이야기, 한국장애인고용공단[9]

의사소통에 어려움을 겪는 장애인을 위한 보완대체의사소통기구(AAC) 소개 영상

그림 6-3. 장애인의 의사소통을 돕는 똑똑한 기구
출처: 한국장애인고용공단 (https://www.youtube.com/watch?v=-y4Usy6uOkc)

3) 장애인과 의사소통하는 올바른 방법: 한국지적발달장애인복지협회(2015)[10]

　　발달장애인 권리보장 및 지원에 관한 법률(2015.11.21.시행) 제2장(권리보장) 제10조(의사소통
지원) 제3항에 근거하여 "민원담당 공무원들이 발달장애인과 효과적으로 의사소통할 수 있도록 돕
기 위해" 제작했다. 발달장애인 민원인 응대방법과 그림으로 된 "의사소통 도움판"으로 구성되어
있다. 본 도움판은 한국지적발달장애인복지협회에서 2015년 수행한 「민원담당 공무원 의사소통
지원교육(보건복지부 지원)」의 교재와 교육 참여 공무원들의 의견을 반영했다.

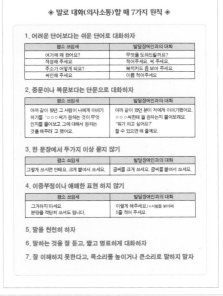

그림 6-4. 발달장애인 민원인 응대와 의사소통 도움판
출처: 한국지적발달장애인복지협회

4) 의료 영역에서의 발달장애인 의사소통 지원도구: 한국지적발달장애인복지협회[11]

병원진료 및 검사, 치료방법에 대한 설명과 구체적 정보 질문도구로 아픈 부위나 날짜, 계절 등을 그림으로 쉽게 표현했다.

그림 6-5. 의료영역에서의 발달장애인 의사소통 지원 도구
출처: 한국지적발달장애인복지협회

5) 장애인 에티켓 인포그래픽: 한국장애인개발원[12]

초·중학생 교육용 및 대국민 장애인식개선을 위해 배포·활용

그림 6-6. 장애인 에티켓 인포그래픽
출처: 한국장애인개발원

5 장애인 의사소통 지원 현황[13]

1. 장애인 의사소통 관련 법체계

현재 장애인 의사소통 권리나 지원 관련 내용을 포괄적으로 정의하는 독립적인 법령은 부재하며 「장애인복지법」, 「장애인차별금지 및 권리구제 등에 관한 법률」, 「장애인, 노인, 임산부 등의 편의증진보장에 관한 법률」, 「발달장애인 권리보장 및 지원에 관한 법률」, 「장애인 등에 대한 특수교육법」, 「지능정보화기본법」 등에서는 장애인 의사소통에 대한 직접적 규정 혹은 관련된 내용들을 적시하고 있다. 예로 「장애인복지법」에서는 장애인의 의사소통을 정보접근과 이용으로 정의하고 있으며 시각장애인과 청각장애인을 대상을 하는 정보접근 지원에 대한 내용과 전문인력 양성에 대한 내용이 적시되어 있다.

■ 표 6-7. 장애인 의사소통 권리증진에 관한 지방자치단체 조례제정 현황

지역	조례명	제정일
서울	서울특별시 장애인 의사소통 권리증진에 관한 조례	'20. 10. 05.
부산	부산광역시 장애인 의사소통 권리증진에 관한 조례	'19. 01. 01.
울산	울산광역시 장애인 의사소통 권리증진 조례	'21. 07. 08.
대전	대전광역시 장애인 의사사통 권리증진 조례	'21. 02. 19.
경북	경상북도 장애인 의사소통 권리증진에 관한 조례	'21. 05. 04.

출처: 자치법규정보시스템

2. 장애인 의사소통 지원사업

　　장애인복지사업 중 장애인 의사소통과 관련된 영역에는 교육, 의료 및 재활 지원, 서비스, 지역 사회복지사업 등이며 세부사업 중 의사소통과 직접적인 연관성이 있는 사업으로 장애학생 교육지원, 보조공학기기 지원, 수어통역센터, 통신중계서비스, 정보통신보조기기 보급사업, 언어발달 지원사업이 있다. 장애인 의사소통 지원은 다양한 장애유형별 의사소통 욕구를 반영하지 못하고 있는 상황이다.

6 토론 및 제안

1. 장애인 의사소통 관련 포괄적인 법체계 정비

장애인 의사소통 관련 내용이 적시된 개별법들은 시각장애인, 청각장애인, 발달장애인의 일부 장애유형, 교육시기나 고용기간 등 일부 상황에만 국한된 지원만을 포함하고 있어 그 외 다양한 시기와 상황에 놓인 장애인을 위한 지원에 대응할 수 있는 포괄적인 법체계에 대한 정비가 요구된다.

2. 장애인 의사소통 관련 지원

현재의 장애인 의사소통 지원은 다양한 장애유형별 의사소통 욕구를 적절하게 반영하지 못하고 있다. 예로, 청각장애인 중 다수(88%, 장애인 실태조사, 2017)가 구어를 사용하고 있지만, 이들에 대한 의사소통 지원은 소수 수어 사용자를 위한 수어통역센터를 통해 이루어지고 있다.

발달장애인은 성인기 이후에도 의사소통 중재가 필요함에도 불구하고 언어발달 지원은 만 12세, 발달재활서비스는 만 18세까지로 이용이 제한되어 있다. 뇌병변장애인의 경우 일부 보완대체 의사소통기기(AAC) 지원이 이루어지고 있으나 제도적인 지원이 매우 제한적이다.

현재까지 의사소통으로 어려움을 경험하는 장애인의 규모, 장애유형별 욕구, 지원 경험 등 장애인 의사소통에 대한 명확한 실태조사가 이뤄지지 못하여 개별적인 지원이 제한적으로 진행되고 있다.

3. 청각장애인 의사소통 관련 지원[14]

청각장애인들이 특정 사회계층에 한정되지는 않지만 비교적 낮은 사회경제적 위치를 가지고, 비장애인 근로자가 일하기 어려운 제철이나 자동차·인쇄 같은 공업 분야의 생산직에 많이 배치되어 있다. 우리나라의 경우 청각장애인들의 직장 유형은 자영업이 65.0%이며, 그 외에 일반사업체에 24.9%, 일용근로자 8.6%, 정부 및 정부 관련 기관에 1.3%가 취업되었다. 장애특성상 근로능력이 비장애인과 비교하여 낮지 않음에도 불구하고 근무 직종이 한정되고 기타 장애인보다도 소득수준이 낮은 실정이다. 근래에 들어 특례입학제도 등에 따라 학력수준은 점차 높아지고 있으나 여전히 대다수가 농어업 또는 단순노무직에 종사하고 있으며 의사소통의 문제로 인하여 근로능력이 현저히 떨어지는 시각이나 지체장애인들보다 월평균 소득이 30.0% 이상 낮은 편이다.

청각장애인들이 의사소통의 어려움으로 대문중화·교육·직업 등 사회참여에 많은 제약을 받고 있는 부분을 개선하기 위해서는 청각장애인들이 비장애인 등과 의사소통을 원활히 할 수 있는 수어통역서비스 확대와 관련 제도개선 및 청각장애인에 대한 올바른 인식 제고를 위한 노력이 필요하다.

제안사항

- 장애인 의사소통 실태조사: 장애유형 및 연령별 의사소통방법, 의사소통 지원 경험, 의사소통의 어려움, 일상생활과 의사소통, 의사소통 관련 욕구와 의견 등 다양한 측면에 대한 포괄적 조사 필요함.
- 장애인 의사소통 지원 기반 조사: 지원기관, 지원규모, 지원내용, 지원대상 등에 대한 구체적인 관련 정보 구축으로 개별적 지원 연계와 의사소통 지원 통합이 필요함.
- 장애인 의사소통 네트워크 구축: 교육기관, 사회복지기관, 치료시설, 보조기기 지원기관 등 전문인력이 장애인 의사소통 당사자의 개별 욕구에 대응하기 위해 전문가 간 협업이 필수적임.

토론(생각해 볼 문제)

1. 의사소통장애의 DSM-5 새로운 개념에 대한 토론
2. 의사소통장애인/일반장애인과의 의사소통의 차이점과 유의사항에 대한 토론
3. 장애인 의사소통 지원제도의 구축에 대한 토론

[참고문헌]

1. 송동호, 김영태. 의사소통장애. In: 홍강의 외. DSM-5에 준하여 새롭게 쓴 소아정신의학. 학지사; 2014.
2. 김명옥, 유승돈. 언어발달 및 장애. In: 대한소아재활 발달의학회. 소아재활의학. 제2판. 군자출판사; 2013.

3. 김미옥, 이미선. 청각장애인의 의사소통 경험. 한국사회복지학 2013;65:155-77.

4. 통계청. 의사소통장애의 유형, 중복장애 현황(2020). Available from: https://kosis.kr/statHtml/statHtml.do?orgId=112&tblId=DT_112014_2020_05_065&conn_path=I3

5. 문화체육관광부, 국립국어원. 2017년 한국수어 사용 실태 조사. 2017.

6. 한국장애인개발원. [2017]함께하는 장애인에 대한 에티켓 인포그래픽. Available from: https://www.kod-di.or.kr/data/edu_bbs01_view.jsp?brdNum=7404290&brdTp=EDU04&searchParamUrl=brdType%3DEDU%26amp%3Bpage%3D1%26amp%3BpageSize%3D20%26amp%3BbrdTp%3DEDU04

7. 보건복지부 복따리 TV. 장애인 환자와의 의사소통원칙 Available from: https://www.youtube.com/watch?v=r0SfNtia4QQ

8. 보건복지부 복따리 TV. 장애유형별 의사소통방법. Available from: https://www.youtube.com/watch?v=RTS-FDuPneY

9. 한국장애인고용공단. 장애인의 의사소통을 돕는 똑똑한 기구, AAC 이야기. Available from: https://www.youtube.com/watch?v=-y4Usy6uOkc

10. 한국지적발달장애인복지협회. 발달장애인 민원인 응대와 의사소통 도움판. 2015.

11. 한국지적발달장애인복지협회 2019. 의료 영역에서의 발달장애인 의사소통 지원도구. 2019.

12. 한국장애인개발원. [2017]함께하는 장애인에 대한 에티켓 인포그래픽. Available from: https://www.kod-di.or.kr/data/edu_bbs01_view.jsp?brdNum=7404290&brdTp=EDU04&searchParamUrl=brdType%3DEDU%26amp%3Bpage%3D1%26amp%3BpageSize%3D20%26amp%3BbrdTp%3DEDU04

13. 양성욱. 장애인 의사소통지원 현황과 과제. 대전세종연구원 2022;163:1-2.

14. 홍경순. 정보통신기술을 활용한 청각장애인의 의사소통 지원방안. 한국정보문화진흥원 2006;33:1-37.

장애인의 건강권과 안전 : 이해와 실천

장애인이 이용할 수 있는 지역사회서비스

- 장애인이 이용할 수 있는 지역사회의 건강·보건·복지 서비스 내용을 이해한다.
- 아래 제시된 네 가지 사례를 통해 서비스가 필요한 장애인에게 적절하게 안내 혹은 직접 연계할 수 있다.
- 장애인의 건강관리를 위한 지역사회서비스 전달체계, 특히 지역장애인보건의료센터를 이해하고, 의료인으로서 전달체계에 참여할 수 있다.

사례

- **사례 1** 3주 전 우측중대뇌동맥출혈로 수술을 받고 현재 좌편마비 상태이지만 생체징후가 안정되어 있고, 아내의 도움으로 난간을 잡고 잠시 기립할 수 있으며, 일상적 대화가 가능한 등 예후가 좋은 63세 남자 A 씨의 신경외과 주치의 B씨는 A씨의 퇴원계획을 세우고 있다. B씨는 어느 곳으로 퇴원 의뢰하는 것이 A씨의 수술 뒤 예후와 재활에 가장 도움이 될지 알고 싶다.

- **사례 2** 1년 전 당뇨병으로 인해 우측하지절단수술을 받은 후 의족을 착용한 55세 남자 C씨가 우측하지에 통증이 있다며 정형외과의원을 찾아왔다. D 원장이 상황을 파악하니 의지의 소켓 크기가 부적절하고 환상통도 의심되며 당뇨관리도 잘 되고 있지 않았다. 의료급여이며 독거 중이고 엘리베이터가 없는 3층 빌라에 살고 있어 의지를 착용하고 적극적인 사회생활을 하지 못하고 있는 상황이었다. D 원장은 우선 소염진통제를 처방하고 당뇨발 관리의 중요성을 교육하고 돌려보냈지만 종합적인 건강관리가 필요한 것 같은데 직접 해 줄 수 있는 것은 한계가 있는 것 같아서 마음이 불편했다.

- **사례 3** 지적장애를 가진 38세 여성 E씨가 남편과 함께 산전검사와 분만계획을 세우기 위해 산부인과병원을 찾아왔다. F 원장은 E씨가 첫 출산을 앞둔 고령산모이기도 하고, 대화가 잘 안 되는 정도의 심한 장애를 가지고 있기도 하여 약간 걱정이 되었지만 우선 검사를 시행하였다. 태아는 건강한 것으로 판단되었으며 분만은 어렵지 않을 것 같다고 판단하였다. G 간호과장은 출산뿐 아니라 출산 이후 양육계획 등이 궁금하여 남편과 이야기를 나누어 보니 출산 후 건강관리나 아기에 대한 양육과 관련하여 준비가 되어 있지 않았다. 출산 후 건강관리를 도와줄 수 있는 곳을 찾아서 안내하고 싶은데 어디에 부탁하면 될지 궁금해졌다.

- **사례 4** 발달장애(자폐성 장애)를 가진 7세 남자아이 H는 어머니 I씨와 함께 구강검진과 충치치료를 위해 치과의원에 찾아왔다. J 원장은 자폐장애를 가진 아동에 대한 치료경험이 없어 조금 당황스러웠지만, 아이와 관계 형성을 하기 위해 노력했고 보호자의 도움을 통해 기본적인 구강상태 점검을 힘들게 성공했다. 하지만 정밀검진과 검진결과에 따른 치료계획을 수립하기에는 아동의 협조 등의 문제에 대해 걱정이 되어 아동의 어머니에게 큰 치과병원에 가서 전신마취하에 검사하는 것이 좋겠다고 하며 돌려보냈다. 돌려보낸 그 날 저녁 J 원장은 자폐장애아동이 치료를 잘 받을 수 있는 치과병·의원이 어디에 있는지, 또 그 아이가 치과치료 후 어떤 기관을 이용하면 도움이 되는지 궁금해졌다.

SECTION 7 　장애인이 이용할 수 있는 지역사회서비스

1 지역사회장애인의 건강보건서비스 제공기관

1. 「장애인 건강권 및 의료접근성 보장에 관한 법률」에 따른 장애인건강 보건관리사업의 전달체계에 따른 이용가능서비스

1) 전달체계의 이해[1]

제2장에 기술된 「장애인 건강권 및 의료접근성 보장에 관한 법률」(이하 장애인건강권법)에 따른 전달체계의 핵심은 다음과 같으며, 이 과정에서 지역장애인보건의료센터의 연계 역할이 중요한 체계이다.

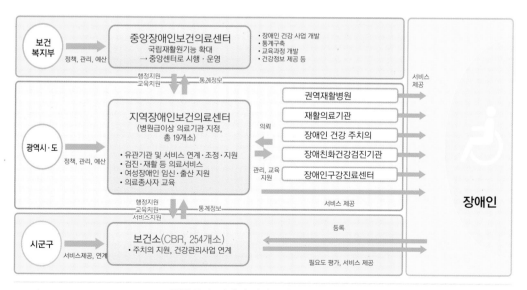

그림 7-1. 장애인 건강보건관리 전달 체계

2) 중앙장애인보건의료센터[2]

국립재활원[3]에서 중앙장애인보건의료센터의 역할을 수행하고 있으며, 지역장애인보건의료센터 지원, 권역별재활병원의 공공재활사업 관리, 지역사회중심재활사업 총괄, 장애인 건강 주치의 사업 지원, 장애친화건강검진사업 지원, 여성장애인건강보건관리 지원 등을 주요업무로 하고 있다.

3) 지역장애인보건의료센터

(1) 현황[4]

■ 표 7-1. 지역장애인보건의료센터

지역	센터명	운영기관명	선정년도
서울	서울특별시남부 지역장애인보건의료센터	서울대학교 보라매병원	2018년
	서울특별시북부 지역장애인보건의료센터	서울재활병원	2019년
인천	인천광역시 지역장애인보건의료센터	인하대학교병원	2020년
경기	경기남부지역장애인보건의료센터	분당서울대병원	2020년
경기	경기북부지역장애인보건의료센터	일산공단병원	2022년
강원	강원도 지역장애인보건의료센터	강원도재활병원	2019년
충북	충청북도 지역장애인보건의료센터	충북대학교병원	2021년
대전	대전광역시 지역장애인보건의료센터	충남대학교병원	2018년
전북	전라북도 지역장애인보건의료센터	원광대학교병원	2019년
광주	전라남도 지역장애인보건의료센터	전남대병원	2021년
대구	대구광역시 지역장애인보건의료센터	경북대학교 칠곡병원	2021년
경북	경상북도 지역장애인보건의료센터	경북권역재활병원	2021년
경남	경상남도 지역장애인보건의료센터	양산부산대학교병원	2018년
부산	부산광역시 지역장애인보건의료센터	동아대학교병원	2020년
제주	제주특별자치도 지역장애인보건의료센터	제주대학교병원	2020년
충남	충청남도지역장애인보건의료센터	홍성의료원	2022년

(2) 주요기능[5]

- 장애인 건강보건관리사업
- 여성장애인 모성보건사업
- 교육사업
- 의료서비스제공사업

4) 보건소 지역사회중심재활사업[6]

(1) 현황

전국 254개 기초단위 지자체별로 보건소를 두고 있으며, 각 보건소는 지역사회중심재활사업을 하도록 되어 있다.

(2) 주요기능

- 장애인건강보건관리사업(지역사회조기적응프로그램, 재활프로그램, 퇴원관리 상담활동, 사회참여프로그램, 교육 및 2차 장애 관리 등)
- 지역자원연계사업(지역사회재활협의체 및 사례 관리, 지역장애인보건의료센터 연계, 통합 건강증진사업 연계 등)
- 지원사업(장애인 운전 지원, 가옥 내 편의시설 지원, 보조기기 지원, 건강검진 지원 등)
- 홍보사업(사업홍보, 장애체험 등)

5) 재활의료기관(회복기 재활병원)

(1) 현황

■ 표 7-2. 재활의료기관

지역	의료기관명	종별	비고
서울	국립재활원	병원	1차 지정
	서울재활병원		
	의료법인춘혜의료재단 명지춘혜재활병원		
	제니스병원		
	청담병원		
부산	의료법인영재의료재단 큰솔병원	병원	1차 지정
	의료법인인당의료재단 구포부민병원		
	(재)한·호 기독선교회 맥켄지화명일신기독병원		
	파크사이드재활의학병원		
	메드윌병원		2차 지정
	워크재활의학과병원		
	해운대나눔과행복병원		

지역	의료기관명	종별	비고
대구	근로복지공단 대구병원	병원	1차 지정
	남산병원		
	의료법인상보의료재단 대구경상병원		2차 지정
	의료법인해성의료재단 해성병원		
	의료법인해정의료재단 더좋은병원		
광주	호남권역재활병원	병원	1차 지정
	광주365재활병원		2차 지정
	우암병원		
대전	다빈치병원	병원	1차 지정
	사회복지법인성화 대전재활전문병원	요양병원	2차 지정
	의료법인 리노의료재단 유성웰니스 재활전문병원		
경기	국립교통재활병원	병원	1차 지정
	로체스터재활병원		
	린병원		
	분당러스크재활전문병원		
	일산중심병원		
	휴앤유병원		
	베데스다요양병원	요양병원	2차 지정
	분당베스트병원	병원	
	연세마두병원		
	의료법인기상의료재단 카이저병원		
강원	강원도 재활병원	병원	1차 지정
충북	청주푸른병원	병원	1차 지정
	씨엔씨율량병원		
	아이엠병원		2차 지정
충남	다우리재활병원	병원	1차 지정
	SG삼성조은병원		2차 지정
전북	드림솔병원	병원	2차 지정
경북	의료법인갑을의료재단 갑을구미병원	병원	2차 지정
경남	의료법인희원 래봄병원	병원	2차 지정
제주	제주권역재활병원	병원	1차 지정

(2) 주요기능

- 의료기관 간 진료협력을 통한 환자 의뢰-회송 및 연계
- 적정 입원기간 보장을 통한 재입원 방지
- 재활전문팀에 의한 통합치료계획 수립, 주기적 기능평가, 환자 맞춤형 재활치료, 지역사회 연계·주택방문 등 퇴원계획 수립 등을 통한 환자의 일상생활능력 개선 및 조기사회복귀

2. 「장애인건강권법」을 지원하는 다양한 보건의료기관

1) 권역재활병원[7]

(1) 현황[8]

■ 표 7-3. 권역재활병원

지역	기관명	병상수	선정년도	운영기관
경인	경인의료재활센터병원	150병상	2006	대한적십자사
호남	호남권역재활병원	156병상	2008	조선대학교병원
충청	대전충청권역의료재활센터	152병상	2008	충남대학교병원
강원	강원도 재활병원	165병상	2006	강원대학교병원
영남	영남권역재활병원	150병상	2008	양산부산대학교병원
제주	제주권역재활병원	150병상	2007	서귀포의료원
경북	경북권역재활병원	150병상	2015	경북대학교병원
전북	전북권역재활병원	150병상 (예정)	2021	예수병원

(2) 주요기능

- 진료 분야별 재활치료서비스 제공(척수손상재활, 뇌손상재활, 소아재활, 근골격계재활)
- 기능 분야별 재활치료서비스 제공(운동 및 기능재활치료, 작업치료, 언어치료, 임상심리치료)
- 장애인건강검진 실시
- 공공재활프로그램 제공(사회복귀프로그램, 방문재활, 건강증진프로그램)
- 지역사회의 재활사업 연계 지원
- 재활치료를 위한 연구 수행
- 재활의료 관련 정부 정책 추진사항 연계(장애인건강권법 연계 지원 및 수행)

2) 장애인친화건강검진센터

(1) 현황[9]

■ 표 7-4. 장애인친화건강검진센터

지역	의료기관명	지정년도
서울	서울의료원	2018년
	국립재활원	2021년
부산	부산의료원	2019년
	부산성모병원	2019년
	연제일신병원	2021년
인천	인천의료원	2019년
대전	대청병원	2018년
경기	경기도의료원 수원병원	2018년
강원	원주의료원	2018년
전북	대자인병원	2019년
경북	안동의료원	2018년
	순천향대학교 부속 구미병원	2019년
	경북권역재활병원	2021년
경남	조은금강병원	2019년
	양산부산대학교병원	2018년
	진주고려병원	2019년
	마산의료원	2018년
제주	서귀포의료원	2019년
	중앙병원	2018년

(2) 주요기능[10]

- 장애인이 안전하게 검사를 받을 수 있도록 안내인력이 이동과 의사소통을 보조
- 시각 및 청각장애인을 위한 안내시스템 제공
- 장애인이 안전하고 원활하게 이동할 수 있도록 편의시설 제공
- 장애인에게 적합한 검진장비를 구비

3) 장애인친화산부인과병원

(1) 현황[11]

■ 표 7-5. 장애인친화산부인과병원

지역	의료기관명	지정년도
서울	서울대병원	2021년
부산	부산백병원	2021년
광주	미즈피아병원	2016년
	빛고을여성병원	2016년
대전	대전성모병원	2019년
경기	일산병원	2021년
경남	진주고려병원	2013년
경북	구미차병원	2021년
전남	목포미즈아이병원	2016년
	현대여성아동병원	2016년
	전라남도 강진의료원	2017년
	한마음의료재단 여수제일병원	2017년
전북	전북대학교병원	2016년
	예수병원	2016년
	미르피아여성병원	2016년
	한나여성병원	2016년
	한별여성병원	2016년
충북	건국대학교 충주병원	2021년

(2) 주요기능[12]

장애친화적인 시설·장비와 인력을 갖추고 여성장애인의 안전한 임신·출산 환경과 여성질환 관리서비스를 제공한다.

4) 장애인 건강 주치의

(1) 현황[13]

전국 단위로 존재하며 국민건강보험공단 홈페이지에서 '건강iN → 검진기관 / 병(의)원 정보 →

장애인 건강 주치의 의료기관 찾기' 경로로 검색하면 지역에 따른 장애인 건강 주치의를 검색할 수 있다.

(2) 주요기능

■ 표 7-6. 장애인 건강 주치의 관리 유형

구분	일반건강관리	주 장애관리	통합관리
대상자	모든 장애유형별 중증장애인	지체/뇌병변/시각/지적/정신/ 자폐성 장애 중증장애인	지체/뇌병변/시각/지적/ 정신/자폐성 장애 중증장애인
관리범위	만성질환 등 전반적 건강관리	전문적 장애관리	일반건강관리와 주 장애관리
대상기관	의원	의원/병원/정신병원/종합병원	의원
주치의	의사	주 장애 유형별 전문의	주 장애 유형별 전문의
서비스	• 포괄평가 및 계획수립 • 중간점검 • 교육/상담 • 환자관리 • 방문진료/방문간호 • 검진바우처	• 포괄평가 및 계획수립 • 중간점검 • 교육/상담 • 환자관리 • 방문진료/방문간호	• 포괄평가 및 계획수립 • 중간점검 • 교육/상담 • 환자관리 • 방문진료/방문간호 • 검진바우처

5) 장애인구강검진센터

(1) 현황[14]

■ 표 7-7. 장애인구강진료센터

지역	센터명	운영 기관명	선정년도
서울	중앙장애인구강진료센터	서울대학교 치과병원	2018년
인천	인천장애인구강진료센터	가천대학교 길병원	2013년
경기	경기장애인구강진료센터	단국대학교 치과대학 죽전치과병원	2011년
강원	강원장애인구강진료센터	강릉원주대 치과병원	2014년
대전	대전장애인구강진료센터	원광대학교 치과병원	2019년
충북	충북장애인구강진료센터	청주 한국병원	2019년
충남	충남장애인구강진료센터	단국대학교 치과대학 부속치과병원	2010년
광주	광주장애인구강진료센터	전남대학교 치과병원	2009년

지역	센터명	운영 기관명	선정년도
전북	전북장애인구강진료센터	전북대학교 치과병원	2011년
대구	대구장애인구강진료센터	경북대학교 치과병원	2012년
울산	울산장애인구강진료센터	울산대학교병원	2019년
부산	부산장애인구강진료센터	부산대학교 병원	2011년
경남	경남장애인구강진료센터	부산대학교 치과병원	2019년
제주	제주장애인구강진료센터	제주대학교병원	2015년

(2) 주요기능

- 중앙센터: 중증 및 희귀·난치 치과진료, 권역센터, 환자치료 사례연구 등
- 권역센터: 난이도가 높은 중증환자 및 전문적 치과치료

6) 공공어린이재활병원

(1) 현황

■ 표 7-8. 공공어린이재활병원

지역	의료기관명	형태	선정년도	비고
서울	서울재활병원	공공어린이재활병원	2021년	지정
경기	국민건강보험 일산병원	공공어린이재활병원	2021년	지정
강원	강원도재활병원	공공어린이재활의료센터	2019년	지정
강원	원주의료원	공공어린이재활의료센터	2020년	건립
충북	청주의료원	공공어린이재활의료센터	2020년	건립
충남	충남대학교병원	공공어린이재활병원	2018년	건립
전북	예수병원	공공어린이재활의료센터	2019년	건립
전남	호남권역재활병원	공공어린이재활의료센터	2021년	건립
경북	계명대학교 동산병원	공공어린이재활의료센터	2021년	건립
경남	창원경상대병원	공공어린이재활병원	2020년	건립
제주	제주권역재활병원	공공어린이재활의료센터	2021년	지정

(2) 주요기능

- 의료(재활의료, 의지보조기 상담/처방/검수, 공공사업)
- 돌봄 및 상담(생애주기별 서비스, 사례관리, 가족지원)

-    교육 및 체육(특수학교 협력 통한 교육지원서비스, 재활체육)

3. 기타 이용가능한 건강보건 관련 서비스

1) 보조기기센터[15]

(1) 현황
2022년 3월 기준 전국에 지역 보조기기센터는 33개소가 있다. 국립재활원이 중앙센터의 역할을 하고 있으며, 지역보조기기센터의 현황[16]은 관련 사이트에서 확인이 가능하다.

(2) 주요기능
-    다양한 보조기기에 대한 상담
-    보조기기 임대
-    보조기기 맞춤 제작 및 개조
-    보조기기 지원
-    보조기기 세척과 소독
-    보완대체의사소통도구(AAC) 훈련
-    보조기기센터와 별도로 전국에 보조기기수리센터가 있으며, 주로 수동휠체어, 전동휠체어, 전동스쿠터, 기타 보조기기에 대한 수리를 진행하고 있으며, 보조기기 정보교육사업과 보조기기 구입 알선 업무도 함께하고 있다.

2) 장애인재활의료시설[17]

(1) 현황

■ 표 7-9. 장애인재활의료시설

지역	병의원 개원년도	법인 설립년도	기관명
경기도 광주시	1966	1952	삼육재활병원
부산	1978	1961	천성의원
경남	1979	1958	홍익재활병원
대구	1985	1985	인제재활병원

지역	병의원 개원년도	법인 설립년도	기관명
서울	1985	1958	주몽재활의원
대전	1990	1965	성세병원(舊성세재활의원)
충북 청주시	1991	1961	충북재활의원
경북 안동시	1993	1986	경북재활병원(舊경북재활의원)
충남 보령시	1993	1954	충남장애인사랑의원(舊신광의원)
제주	1994	1987	제주춘강의원
서울	1998	1959	서울재활병원
서울	1998	1952	삼육재활센터부설의원
경남 거제시	2007	1998	마하재활병원

(2) 주요기능

- 입원 및 통원, 낮 병원을 통한 장애인 진료
- 장애의 진단 및 포괄적이고 전문적인 재활치료
- 장애인에 대한 의료재활상담
- 장애인의 기타 질환에 대한 진단 및 치료
- 장애인 보조기구의 제작, 판매, 검수 및 수리
- 장애인 재활 및 재발 방지에 관한 교육
- 장애인 등록을 위한 진단

3) 장애인재활체육시설

(1) 현황

- 대한장애인체육회 생활체육정보센터에서 다양한 체육정보를 얻을 수 있으며, 관련사이트[18]에서 지역별 이용시설을 확인할 수 있다.
- 2022년 기준으로 전국에 장애인전용 체육시설은 73곳이 등록되어 있으며, 지역별로 검색[19]을 통해 확인 가능하다.

2 지역사회장애인의 보건의료복지 서비스 제공기관

1. 장애인종합복지관

1) 현황

한국장애인복지관협회 홈페이지[20]를 통해서 이용 가능한 지역별 장애인복지관을 확인할 수 있다.

2) 주요기능

- 복지관련 상담/사례관리서비스
- 장애인가족 지원
- 역량강화 및 권리옹호
- 평생교육 지원
- 직업 지원
- 발달재활서비스 등

2. 의료접근성 향상을 위한 복지서비스

1) 차량이동 지원

(1) 현황

교통약자이동지원센터를 두고 있는 지자체가 있으며, '전국교통약자지원센터정보'라는 앱[21]을 통해서 전국교통약자이동지원센터의 현황과 지역별 이용 가능한 서비스를 확인할 수 있다. 지역별 장애인 콜택시 연락처는 대전척수장애인협회 홈페이지[22]에서 확인 가능하다.

(2) 주요기능

교통약자이동지원센터의 이용대상은 보행장애인으로 장애의 정도가 심한 사람, '중복장애인'으로 '이동지원서비스'가 필요하다고 인정되는 장애의 정도가 심한 사람, 65세 이상 노약자, 일시적 휠체어 이동자이다.

2) 수어통역 지원

(1) 현황

한국농아인협회 수어통역센터 중앙지원본부를 통해서 지역별 이용 가능한 서비스를 확인[23]할 수 있다.

(2) 주요기능

수어통역센터는 일상생활뿐 아니라 의료 관련된 수어통역과 상담도 가능하며, 수어교육과 장애 인식 개선사업도 시행하고 있다.

3. 기타 복지지원서비스

1) 주거환경개선서비스

안정된 주거환경은 건강과 밀접한 관계가 있으며, 특히 낙상 등 안전과 관련되는 경우가 많다. 각 지역별 주거 복지센터는 인천주거복지센터 블로그[24]에서 확인 가능하며, 이를 통해 주거복지상담, 긴급주거비 지원, 주거환경개선 등의 주거와 관련된 사례관리를 받을 수 있다.

2) 돌봄지원서비스

사회서비스 전자바우처 사이트를 통해서 장애인활동지원서비스, 산모신생아건강관리지원서비스, 가사간병방문지원서비스, 발달재활서비스, 언어발달지원사업, 발달장애인주간활동서비스 등을 받을 수 있는 기관을 지역별로 검색[25]할 수 있다. 특히, 발달장애인의 경우에는 장애인가족지원센터[26]를 통해서 장애인 자녀의 양육과 돌봄을 위해 경제적·심리적·정서적 지원, 의료적·사회적 지원, 인권침해구제 지원 등을 받을 수 있다. 65세 이상의 장애인의 경우 요양서비스가 필요할 때 장기요양기관을 국민건강보험공단을 통해서 검색[27] 가능하다.

3 지역사회자원 연계를 통한 서비스 제공 사례

1. 지역장애인보건의료센터의 사례관리 실제[28]

　제2절에서 다양한 지역사회서비스기관에 대한 정보가 제공되었지만, 이 정보만 보고 여러 기관에 연락을 취하여 서비스를 연계시키는 것이 어렵다고 느낄 경우, '지역장애인보건의료센터(이하 지역센터)'를 이용하는 것이 편리하다. 지역센터는 의사, 간호사, 의료사회복지사, 치료사 등이 협업을 통하여 '장애인건강보건사례관리'사업을 진행하고 있으며, 필요시 지역 내 보건·의료·복지 분야의 다양한 자원연계를 통해 장애인의 건강권을 향상시키는 일을 하고 있기 때문이다. 다음은 서울특별시북부지역장애인보건의료센터(이하 서울북부센터)에서 실시했던 건강보건사례 중 한 사례이다. 이 예시를 통해서 보건의료인으로서 마주치게 되는 장애인의 건강관련 다양한 서비스 연계 협력이 어떻게 이루어지는 살펴보자.

1) 사례 개요

　윤OO님은 OO구보건소 지역사회중심재활사업 담당자가 서울북부센터에 의뢰한 분으로 거동이 힘든 1인 가구 지체장애인이며 치과진료와 내과진료 등의 의료적 욕구가 있었고, 돌봄서비스 및 지지체계가 취약하여 의료서비스 및 복지서비스 연계가 필요한 대상자였다. 장애 재등록 신청부터 국가건강검진, 구강치료, 장애인 활동지원, 영구임대주택 등 다양한 의료복지자원을 연계한 사례이다.

2) 초기 면담을 통한 기초정보

가정방문을 통한 면담을 시행하였다. 대상자의 인지기능은 양호하나 의사소통 시 발음이 부정확하여 활동지원사와 윤○○님의 형이 함께 면담에 참여하였다. 윤○○님은 척추를 중심으로 상하지구축이 심하여 도움 없이는 침대에서 옆으로 돌아눕는 간단한 체위변경도 불가능한 상황이었으나 장애등록 상태는 실제 기능수준에 비해서 경증인 지체장애 5급으로 되어 있었다. 변화된 신체기능에 따라 장애등록을 재신청해야 했지만 십여 년간 자택에 고립된 상태로 지내왔으며 보호자들도 장애 재등록을 위해 의료기관 진료나 주민센터 이용에 대한 막막함으로 인해 적극적으로 진행을 하지 못하고 있었다. 지역 내 대학병원에서 치과진료를 진행하고 있었으나, 윤○○님과 형은 치료 진행과정에 대해서 잘 알지 못하고 있었고 의료비 마련의 어려움을 느끼고 있었다. 또한 윤○○님은 해당 연도 국가건강검진 대상자였지만, 미수검인 상황이었다. 윤○○님은 인근 교회 집사님의 도움으로 병원진료 및 교회 참여 등 최소한의 외출 시 차량지원을 받고 있었다. 윤○○님은 서울북부센터 개입에 대해 긍정적인 태도를 보이며 건강회복에 강한 의지를 보였다.

■ 표 7-10. 대상자 초기평가 기본정보

<table>
<tr><td colspan="6">대상자 초기평가 기본정보</td></tr>
<tr><td>의뢰기관</td><td>○○구
○○보건지소</td><td>의뢰사유</td><td>의료서비스 및 기타 돌봄
서비스 연계</td><td>의뢰일</td><td>2019.10.10</td></tr>
<tr><td>성명</td><td colspan="2">윤○○</td><td>성별/연령</td><td colspan="2">M / 56</td></tr>
<tr><td>장애등록 여부
및 장애등록시기</td><td colspan="2">유 / 2005년 경</td><td>장애유형 및 정도</td><td colspan="2">지체장애 5급</td></tr>
<tr><td>진단명</td><td colspan="2">강직성 척추염</td><td>발병일</td><td colspan="2">2004년</td></tr>
<tr><td>결혼상태</td><td colspan="2">미혼</td><td>주 돌봄자</td><td colspan="2">활동지원사</td></tr>
<tr><td>가족 특이사항</td><td colspan="2">1인 가구</td><td rowspan="2">주 의사결정자</td><td colspan="2" rowspan="2">본인</td></tr>
<tr><td>의료보장형태</td><td colspan="2">의료급여 1종</td></tr>
<tr><td rowspan="5">건강상태</td><td>과거력</td><td colspan="4">2004년 강직성 척추염 진단</td></tr>
<tr><td>만성질환</td><td colspan="4">B형간염 의심 소견이나 정확한 검사받지 않음</td></tr>
<tr><td>기능수준</td><td colspan="4">인지: 양호
의사소통: 어려움(발음이 부정확)
섭식: 양호, 경구(일반식)
일상생활수행: 많은 도움이 필요
보행: 완전의존</td></tr>
<tr><td>기타</td><td colspan="4">구강상태: 잔존 치아 10개 미만
근골격계 상태: 양쪽 상하지 관절구축 및 근위약</td></tr>
</table>

3) 사례 개입과정

최초 장애진단을 받았던 ○○의료원 신경과 진료 예약을 하도록 보호자에게 안내하였고, 서울 북부센터와 협력기관인 서울특별시○○병원을 연계하여 국가건강검진 의뢰를 진행하였다. 윤○○ 님은 중증장애인이기에 외래 통한 건강검진 진행이 어려울 것으로 판단되어 해당 의료기관과 논의 하여 2박3일 입원을 통한 건강검진을 시행하였고 이때 무료간병인서비스를 함께 제공하였다. 퇴원 당일에는 ○○의료원 신경과에 방문하여 지체장애에 대한 장애심사용진단서를 발급받았다.

서울북부센터에서는 해당 주민센터 장애인복지 담당자와 사전에 논의하여 보호자가 쉽게 주민 센터 방문하여 신청할 수 있도록 하였고, 구강진료의 정확한 치료계획 파악과 개입계획 수립을 위 해 윤○○님과 함께 지역 내 대학병원 치과에 진료 동행을 하였다. 위아래 양쪽 어금니의 심한 충치 로 인해 어금니 대부분을 발치 중이었으며, 향후 틀니를 제작 예정이라고 담당 의사로부터 확인하 였다. 틀니제작 시 약 400여 만원 정도의 의료비가 발생할 것으로 확인되었는데, 윤○○님은 이 비 용을 감당하는 것은 불가능하다고 하였다. 병원의 사회사업팀과 사례논의를 하였으나 치과에 대한 의료비 지원은 어려운 것으로 확인되었고, 담당 치과의사로부터 틀니 제작은 다른 의료기관에서 제작하여도 크게 상관없다는 소견을 확인하여 ○○○장애인치과병원의 301보건의료복지네트워 크사업을 통해 치과진료비지원 신청 및 진료과 연계를 진행하였다. 하지만 의료비지원대상자로 선 정이 되지 않아 다시 중앙장애인구강진료센터로 연계하고 사회사업팀과 의료비지원 위한 상담 및 사례논의를 진행하였다.

■ 표 7-11. 윤○○님 사례관리 개입표

	대상자 욕구	평가자의 사정	개입계획	개입내용
정신건강 및 정서		오랜 침상생활로 인한 심리적, 신체적 무력감 호소	서울북부센터 및 보건소의 지속적 방문 통한 지지적 면담	서울북부센터 및 보건소 : 지지적 면담 통해 건강관리 의지 고취
			장애인심리상담서비스 연계	대상자 거부로 미개입 (서울북부센터, 보건소 지지만으로 만족감 표시)
신체건강		신체적 기능상황이 반영되지 않은 장애등급 상태(지체, 5급)	장애진단 받은 의료기관 진료 재연계	○○의료원 신경과 연계 주 진단 확정 및 장애심사용 진단서 발급
	증세에 대한 정확한 진료 및 치료	기침, 가래 증세 및 간염소견 등 의료적 취약성	건강검진 후, 해당 증세의 유소견에 대한 진료 연계	서울특별시 ○○병원 301네트워크 연계 : 가정의학과 진료
	건강검진 연계를 통한 본인의 건강상태 확인	국가건강검진 대상자이나, 미수검인 상황	최중증장애인에게 건강검진 서비스 제공이 가능한 의료기관 연계	서울특별시 ○○병원 301네트워크 연계 : 방문진료 통한 초기평가 : 국가건강검진 제공 : 2박3일 입원 기간 중 무료간병인실 제공
		치과치료 중이나, 진단 및 치료계획 등의 당사자, 보호자의 병식 부족	진료동행 통한 치료계획 파악 및 당사자, 보호자에게 공유 중증장애인에게 치과진료가 가능한 의료기관 연계	○○○○병원 치과 연계 : 보호자 구강관리 교육 : 충치치료 및 임시틀니 제작 중앙구강진료센터 연계 : 충치치료 및 임플란트 치료 진행
		치과진료 전, B형간염에 대한 검사 진행의 필요성	서울특별시○○병원 또는 검사가 가능한 의료기관 연계	서울특별시 ○○병원 연계 : B형간염 검사 및 검사결과 진료
건강행태		치아 문제로 인한 영양상태 불량	활동지원사 구강관리 교육	서울북부센터 보호자교육 제공 : 구강관리 교육
			복지관 반찬서비스 연계	○○장애인종합복지관 연계하여 반찬서비스 제공
	방문재활을 통한 일부 신체기능의 부분적 향상	오랜 기간 침상생활로 인한 근위약 및 관절구축의 가중	방문재활서비스 연계	보건소 연계 : 방문재활서비스 월 1, 2회 제공과 활동지원사 교육
돌봄	장애등록 재신청	보호자의 주민센터 이용의 어려움 표출	서울북부센터에서 주민센터로 대상자 의뢰	○○동주민센터 장애인복지팀 연계 : 장애 재등록 진행
	장애인 활동지원 서비스의 시간 확장	제한적인 장애인 활동지원 이용시간	장애등록 진행 후, 등급 결과에 따라 주민센터 재신청 연계	주민센터 연계 : 장애등록 결과에 따른 장애인 활동보조서비스시간 확장
주거/ 환경		엘리베이터가 부재한 다세대주택 3층 거주로 이동권의 장벽 발생	주민센터 연계 통한 SH, LH 영구임대주택 신청 연계	주민센터 : SH 및 LH 영구임대주택 신청
		이동지원	장애등급 향상 시, 장애인 콜택시 신청 지원	활동지원사의 적극적 이동지원계획으로 신청을 거부

	대상자 욕구	평가자의 사정	개입계획	개입내용
경제		추후 의료비 발생 시, 진료비 마련의 어려움	사회사업팀과의 사례논의 통한 의료비지원 연계	중앙구강진료센터 사회사업팀 : 치과 의료비지원 연계
				서울특별시 ○○병원 연계 : B형간염 검사비지원
				주민센터 연계 : 서울시 ○○○병원 의료비지원사업 안내

4) 사례 개입을 통한 변화

윤○○님은 심한 지체장애로 재조정되어 장애인활동지원서비스시간이 확장되어 윤○○님의 상황에 맞는 돌봄서비스를 받을 수 있게 되었다. 보건소CBR사업 담당자는 지속적 방문재활을 통해 대상자 및 보호자에게 자가운동교육을 시행하여 윤○○님은 독립적으로 식사하기, 스마트폰 이용하여 전화 발신수신, 노트북을 이용한 영상보기 등 자택 내에서 간단한 취미생활이 가능해진 상황이다. 장애인친화건강검진으로 연결하여 국가건강검진을 받았으며 특이한 유소견은 없는 상황이다. 구강치료는 중앙구강진료센터에서 의료비지원 대상자로 선정되어 임플란트 치료를 받고 있다. 엘리베이터가 없는 복합주택 거주로 인해 외출이 크게 어려웠으나, SH영구임대주택으로 선정되어 현재는 엘리베이터가 있는 아파트로 이사하여 휠체어 탑승 후 외출이 가능해졌다.

2. 학습목표에 제시된 네 가지 사례의 자원 연계과정

네 가지 사례의 내용과 연계과정은 필자의 실제 경험과 가상의 내용을 섞어 재구성한 것으로, 충분히 보건의료현장에서 접할 가능성이 있는 상황으로 구성하였다. 물론 모든 과정이 아래 예시처럼 연계가 부드럽게 이루어지지 않을 수도 있지만 연계과정에 대한 이해에는 도움이 될 것이다.

1) 뇌출혈 수술을 받고 퇴원을 앞둔 뇌병변장애인 사례

(1) 사례 1의 내용

3주 전 우측중대뇌동맥출혈로 수술을 받고 현재 좌편마비 상태이지만 생체징후가 안정되어 있고, 아내의 도움으로 난간을 잡고 잠시 기립할 수 있으며, 일상적 대화가 가능한 등 예후가 좋은 63세 남자 A씨의 신경외과 주치의 B씨는 A씨의 퇴원계획을 세우고 있다. B씨는 어느 곳으로 퇴원 의뢰하는 것이 A씨의 수술 뒤 예후와 재활에 가장 도움이 될지 알고 싶다.

(2) 사례 1의 연계과정

신경외과 주치의 B씨는 뇌졸중 환자의 경우 재활의료기관(제1절, 1-5)으로 퇴원할 경우 충분한 재활을 받을 수 있다는 정보를 전해 듣고 A환자의 거주지에 있는 재활의료기관으로 전원을 시켰다. A씨는 6개월간의 재활치료를 받고 기본적인 일상생활이 가능한 수준이 되어 집으로 퇴원하였다. 퇴원 시에 재활의료기관으로부터 지역장애인보건의료센터(제1절, 1-3)로 연계가 이루어졌고, 지역장애인보건의료센터는 A씨와 인터뷰 후 지속적인 운동을 하고 싶다는 욕구를 파악하고, 지역보건소 지역사회중심재활팀[(제1절, 1-2). 보건소 CBR]과 재활체육센터[(제1절, 3-3). 재활체육시설]로 연계를 진행하였다. 현재 A씨는 보건소에 내원하여 주 2회 운동을 하고, 재활체육센터에서 주 3회 운동을 하며 지내고 있으며, 6개월에 1회씩 신경외과 주치의를 만나 약물처방을 받으며 생활하고 있다. 신경외과 의사 B씨는 A씨의 지역사회 적응과정에 만족하며, 수술 후 재활이 필요한 다른 환자분의 경우에도 가급적 재활의료기관으로 퇴원 의뢰를 해야겠다고 생각했다.

(3) 사례 1과 관련된 자원 요약

- 재활의료기관(제1절, 1-5)
- 지역장애인보건의료센터(제1절, 1-3)
- 지역보건소 지역사회중심재활팀(제1절, 1-2)
- 재활체육센터(제1절, 3-3)

2) 하지절단술 후 재활치료가 부족해 집안에서만 생활하던 지체장애인 사례

(1) 사례 2의 내용

1년 전 당뇨병으로 인해 우측하지절단수술을 받은 후 의족을 착용한 55세 남자 C씨가 우측하지에 통증이 있다며 정형외과의원을 찾아왔다. D 원장이 상황을 파악하니 의지의 소켓 크기가 부적절하고 환상통도 의심되며 당뇨관리도 잘되고 있지 않았다. 의료급여이며 독거 중이고 엘리베이터가 없는 3층 빌라에 살고 있어 의지를 착용하고 적극적인 사회생활을 하지 못하고 있는 상황이었다. D 원장은 우선 소염진통제를 처방하고 당뇨발 관리의 중요성을 교육하고 돌려보냈지만 종합적인 건강관리가 필요한 것 같은데 직접 해 줄 수 있는 것은 한계가 있는 것 같아서 마음이 불편했다.

(2) 사례 2의 연계과정

D 원장은 외래진료를 마친 뒤 C씨에게 도움이 될 만한 정보를 찾기 위해 인터넷 검색을 하였고, 이를 통해 지역장애인보건의료센터(제1절, 1-3)를 알게 되어 지역센터 홈페이지를 통해 C씨를 의뢰하였다. 지역장애인보건의료센터는 C씨의 가정을 방문하여 인터뷰를 통해 필요한 상황들을 파

악한 뒤 먼저 보조기기센터(제1절, 3-1)에 의뢰하여 의족을 수리하도록 하였고, 교정된 의족을 차고 보행훈련을 할 수 있도록 권역재활병원(제1절, 2-1)에 연계를 하였다. 최근 국가건강검진을 받지 않은 것으로 확인되어 장애인친화건강검진기관(제1절, 2-2)에 연계하여 국가검진과 암검진을 받도록 하였고 당뇨와 더불어 대사증후군이 의심되었다. 당뇨와 당뇨발관리, 대사증후군관리를 위해 장애인 건강 주치의(제1절, 2-4)를 연계하여 약물관리와 당뇨발관리 교육을 시행하였다. 현재 C씨는 의족을 차고 집 밖으로 나와 보행할 수 있게 된 상태로 새롭게 직업을 구할 준비를 하고 있다. 지역장애인보건의료센터에서 연결해 준 장애인복지관(제2절, 1)에서 직업훈련과 구직활동에 대해서 도움을 받고 있다. C씨의 이런 과정을 알게 된 D 원장은 자신의 연계활동이 큰 도움이 되었음을 알고 내심 뿌듯한 기분이었으며, 장애인 건강 주치의 제도를 알아본 뒤 장애인 건강 주치의 등록을 해 볼까 고려하고 있다.

(3) 사례 2와 관련된 자원 요약

- 지역장애인보건의료센터(제1절, 1-3)
- 보조기기센터(제1절, 3-1)
- 권역재활병원(제1절, 2-1)
- 장애인친화건강검진기관(제1절, 2-2)
- 장애인 건강 주치의(제1절, 2-4)
- 장애인복지관(제2절, 1)

3) 출산을 앞두고 있는 지적장애를 가진 여성장애인 사례

(1) 사례 3의 내용

지적장애를 가진 38세 여성 E씨가 남편과 함께 산전검사와 분만계획을 세우기 위해 산부인과병원을 찾아왔다. F 원장은 E씨가 첫 출산을 앞둔 고령산모이기도 하고, 대화가 잘 안 되는 정도의 심한 장애를 가지고 있기도 하여 약간 걱정이 되었지만 우선 검사를 시행하였다. 태아는 건강한 것으로 판단되었으며 분만은 어렵지 않을 것 같다고 판단하였다. G 간호과장은 출산뿐 아니라 출산 이후 양육계획 등이 궁금하여 남편과 이야기를 나누어 보니 출산 후 건강관리나 아기에 대한 양육과 관련하여 준비가 되어 있지 않았다. 출산 후 건강관리를 도와줄 수 있는 곳을 찾아서 안내하고 싶은데 어디에 부탁하면 될지 궁금해졌다.

(2) 사례 3의 연계과정

G 간호과장은 지역보건소로 연락을 하여 E씨에게 필요한 지원내용을 문의하였고, 보건소를 통

해 지역장애인보건의료센터(제1절, 1-3)에서 여성장애인의 모성보건사업을 한다는 것을 알게 되어 지역장애인보건의료센터에 의뢰를 하였다. 지역장애인보건의료센터는 우선 F 원장과 통화를 통해 분만 자체는 비장애인과 특별히 다를 것이 없다는 소견을 듣고 별도로 장애친화산부인과병원(제1절, 2-3)을 연계하지는 않았다. E씨와 남편과의 면담을 통해 출산 후 아이의 양육에 도움이 필요하다고 판단해 출산 후 양육을 돕는 헬퍼사업을 하는 장애인복지관(제2절, 1)을 찾았다. E씨의 거주지 내의 장애인복지관에서는 헬퍼사업이 제공되지 않았으나 이웃하는 지역의 장애인종합복지관에 헬퍼사업이 있어 연계하여 출산 후 양육을 지원하였다. E씨는 분만 후 복지관의 헬퍼사업의 도움을 2년간 받았으며, 현재 장애인복지관의 여성장애인 자조모임에 참여하면서 건강관리 및 사회참여 활동을 하고 있다. G 간호과장은 다른 건강문제로 재방문한 E씨가 지원받고 있는 내용을 듣고, 적극적으로 자원을 연계했던 활동에 흐뭇함을 느꼈다.

(3) 사례 3과 관련된 자원 요약
- 지역장애인보건의료센터(제1절, 1-3)
- 장애친화산부인과병원(제1절, 2-3)
- 장애인복지관(제2절, 1)

4) 구강검진과 재활치료가 필요한 발달장애아동 사례

(1) 사례 4의 내용
발달장애(자폐성 장애)를 가진 7세 남자아이 H는 어머니 I씨와 함께 구강검진과 충치치료를 위해 치과의원에 찾아왔다. J 원장은 자폐장애를 가진 아동에 대한 치료경험이 없어 조금 당황스러웠지만, 아이와 관계 형성을 하기 위해 노력했고 보호자의 도움을 통해 기본적인 구강상태 점검을 힘들게 성공했다. 하지만 정밀검진과 검진결과에 따른 치료계획을 수립하기에는 아동의 협조 등의 문제에 대해 걱정이 되어 아동의 어머니에게 큰 치과병원에 가서 전신마취하에 검사하는 것이 좋겠다고 하며 돌려보냈다. 돌려보낸 그날 저녁 J 원장은 자폐장애아동이 치료를 잘 받을 수 있는 치과병·의원이 어디에 있는지, 또 그 아이가 치과치료 후 어떤 기관을 이용하면 도움이 되는지 궁금해졌다.

(2) 사례 4의 연계과정
어머니 I씨는 집으로 돌아와 아이 H를 안전하게 잘 치료할 수 있는 치과병원을 알아보다가 동료 어머니로부터 대학병원 한 곳을 추천받아 전신마취하에 검진과 간단한 치료를 받을 수 있었다. 향후 치료과정이 더 필요한데 비용부담이 더 커진다는 설명을 듣고 부담이 되었다. 가끔 돌봄서비스 도움을 받던 장애인가족지원센터(제2절 3-2)를 통해 지역장애인보건의료센터(제1절, 1-3)에 연계가 되었고, 지역장애인보건의료센터는 상대적으로 비용이 조금 적게 발생하는 장애인구강검진센터(제1절, 2-5)를 연계하였다. H는 장애인치과병원 구강검진센터를 통해 검진과 치료를 잘 받을 수 있었다. 현재 H와 어머니 I씨는 지역장애인보건의료센터로부터 공공어린이재활병원(제1절, 2-6)을 소개받고 추가적인 재활치료를 받기 위해 대기 중이다. 또한 정신건강의학과 건강주치의(제1절, 2-4) 연계를 받아 등록을 준비하고 있다.

(3) 사례 4와 관련된 자원 요약

-   장애인가족지원센터(제2절 3-2)
-   지역장애인보건의료센터(제1절, 1-3)
-   장애인구강검진센터(제1절, 2-5)
-   공공어린이재활병원(제1절, 2-6)
-   장애인 건강 주치의(제1절, 2-4)

장애인의 건강 관련 지역사회서비스 소개를 마무리하며

　　장애인이 이용할 수 있는 지역사회서비스는 7장에 기술된 것 외에도 지역마다 다양한 서비스가 더 존재하지만 7장에서는 장애인의 건강과 관련된 보건·의료·복지서비스에 국한하였다. 2022년 기준, 현재 존재하는 이러한 서비스에 대한 이해를 바탕으로 하여 서비스가 잘 제공될 수 있도록 하기 위해서 본 장이 기술되었으며, 이를 잘 활용하기를 바란다. 이러한 내용이 잘 활용되기 위해서는 2장에 기술된 장애인 건강과 관련된 제도를 잘 알고 있어야 하며, 7장에 기술된 제도에 따른 지역사회의 자원 파악이 되어 있어야 한다. 다만, 제도나 지역사회자원은 시기에 따라 지역에 따라 변화할 수 있고 차이가 있을 수 있음에 주의할 필요가 있다. 과거에 비해서 장애인이 이용할 수 있는 지역사회서비스는 양적으로 질적으로 증가한 것은 분명하지만 앞으로 더 다양한 서비스가 제공되어 장애인의 건강증진에 도움이 되어야 할 것이다. 그리고 무엇보다도 이러한 서비스가 적절하게 제공되기 위해서는 2017년부터 시작된 장애인건강권법이 잘 정착되어야 하며 이를 위해 다음의 내용이 잘 이루어져 장애인의 건강한 삶에 실질적으로 도움이 되기를 바란다.

- 정부와 지자체는 지속적으로 제도를 정비하고 적절한 자원을 배치하여야 한다.
- 적절한 제도를 수행할 전달체계를 계속해서 보완하고 이를 수행할 전문인력을 양성해야 한다. 특히 장애인의 건강을 지원하고 자원을 연계하는 전문 코디네이터 양성이 필요하다.
- 의료접근성을 높이기 위해 물리적 접근성과 함께 경제적, 심리적 접근성을 높여야 하며, 또한 정보접근성 증진에도 힘써야 한다.
- 장애인건강권과 관련된 일을 수행할 보건의료인의 역할에 대한 인식을 높이기 위해 장애인건강권 관련 교육이 지속적으로 확대되어야 하며, 이를 통해 보건의료인의 참여의지와 관심을 높여야 한다.

토론(생각해 볼 문제)

– 「장애인건강권법」이 잘 정착되어 장애인의 건강한 삶에 도움이 되도록 하기 위해 보건의료인으로서
　해야 할 일에 대해 생각해 보자.
– 장애인의 건강을 지원하고 타 기관과 연계하기 위해서 장애인이 이용할 수 있는 지역사회서비스를
　어떻게 활용할 수 있을지 생각해 보자.

[참고문헌]

1. 보건복지부. 2021장애인 건강보건관리 사업안내. Available from: http://www.mohw.go.kr/react/jb/sjb030301vw.jsp?PAR_MENU_ID=03&MENU_ID=032901&CONT_SEQ=365667
2. 중앙장애인보건의료센터. 주요사업안내. Available from: http://www.nrc.go.kr/chmcpd/html/content.do?depth=pi&menu_cd=02_01
3. 중앙장애인보건의료센터 홈페이지. Available from: http://www.nrc.go.kr/chmcpd/main.do
4. 중앙장애인보건의료센터. 지역장애인보건의료센터지원. Available from: http://www.nrc.go.kr/chmcpd/html/content.do?depth=pi&menu_cd=02_03
5. 보건복지부. 2021년 장애인 건강보건관리 사업안내. Available from: http://www.nrc.go.kr/chmcpd/board/boardView.do;jsessionid=pGviYpvsczVucmsLVCJPKr1blThLEhSkpDfaVCk27hWBMWbnJXEzYf3lTTCik9st.mohwwas1_servlet_engine30?no=17836&menu_cd=04_01&board_id=NRC_NOTICE_BOARD&bn=newsView&fno=54&pageIndex=1&ctx_type=1
6. 중앙장애인보건의료센터. 지역사회중심재활사업. Available from: http://www.nrc.go.kr/chmcpd/html/content.do?depth=pi&menu_cd=02_01
7. 보건복지부. 2021년 권역재활병원 건립사업 공모. Available from: http://www.mohw.go.kr
8. 보건복지부. 보도자료. Available from: http://www.mohw.go.kr/react/al/sal0301vw.jsp?PAR_MENU_ID=04&MENU_ID=0403&CONT_SEQ=366828
9. 중앙장애인보건의료센터. 장애친화건강검진기관 찾기. Available from: http://www.nrc.go.kr/chmcpd/html/content.do?depth=pi&menu_cd=02_05_02_03
10. 중앙장애인보건의료센터. 장애친화건강검진 안내. Available from: http://www.nrc.go.kr/chmcpd/html/content.do?depth=pi&menu_cd=02_05_02_01
11. 국립재활원. 장애인건강 및 재활 정보포털, 장애친화산부인과. Available from: http://www.nrc.go.kr/portal/html/content.do?depth=dw&menu_cd=05_01_03
12. 대한민국 정책브리핑. 2021년 장애친화산부인과 공모. Available from: https://www.korea.kr/news/pressReleaseView.do?newsId=156463755
13. 국민건강보험 공단. 장애인 건강주치의 의료기관 찾기. Available from: https://www.nhis.or.kr/nhis/healthin/retrieveDapsHltFdrHsptSearch.do
14. 중앙장애인구강진료센터. 권역별센터소개. Available from: https://www.sndcc.org/mobile/main/contents.do?menuNo=300015
15. 중앙보조기기센터. 보조기기백서. 보건복지부 국립재활원. 2020.

16. 중앙보조기기센터. 전국 보조기기센터 안내. Available from: https://knat.go.kr/knw/home/knat/knat_map.php

17. 신형익 외. 장애인 의료재활시설 운영기준 개발. 서울대학교병원. 2015.

18. 생활체육정보센터. 지역별 생활체육정보. Available from: https://sports.koreanpc.kr/front/main/main.do

19. 생활체육정보센터. 장애인전용체육시설 현황. https://sports.koreanpc.kr/front/main/main.do

20. 한국장애인복지관 협회. 복지관현황. Available from: http://www.hinet.or.kr/menu/?menu_str=3030

21. 전국교통약자 이동센터 정보. 다른기기에 설치. Available from: https://play.google.com/store/apps/details?id=com.picker.trafficweaker

22. 대전광역시척수손상장애인협회. 2021 전국장애인콜택시 전화번호. Available from: http://www.ksciad.org/bbs/board.php?bo_table=notice&wr_id=12

23. 한국농아인협회. 전국수어통역센터 검색. Available from: http://17nsl.com/franchise/list

24. 인천주거복지센터. 전국주거복지센터. Available from: https://blog.naver.com/ichwc/222539647439

25. 사회서비스 전자바우처. 제공기관 검색. Available from: https://www.socialservice.or.kr:444/user/svcsrch/supply/supplyList.do

26. 전국장애인부모연대. 지역센터 안내. Available from: http://www.bumo.or.kr/bbs/board.php?bo_table=D03

27. 국민건강보험공단. 장기요양기관 찾기. Available from: https://www.longtermcare.or.kr/npbs/r/a/201/selectLtcoSrch.web?menuId=npe0000000650

28. 서울특별시북부지역장애인보건의료센터. 장애인건강보건사례관리집. Available from: http://www.seoulnhc.com/prod/page01-2.html